Histoire du Japon et des Japonais

2. De 1945 à nos jours

Ouvrages de Edwin O. Reischauer

Japan, Past and Present
1946 et 1963

The United States and Japan
1950 et 1965

Translations from Early Japanese Literature
en collaboration avec Yamagiwa, 1951

Ennin's Diary : The Record of a Pilgrimage
to China in Search of the Law
1955

Ennin's Travels in T'ang China
1955

Wanted : An Asian Policy
1955

East Asia : The Great Tradition
en collaboration avec Fairbank, 1960

East Asia : The Modern Transformation
en collaboration avec Fairbank et Craig, 1965

Beyond Vietnam : The United States and Asia
1967

East Asia : Tradition and Transformation
en collaboration avec Fairbank et Craig, 1973

Histoire du Japon et des Japonais
t. 1 : Des origines à 1945
1973

Japan and the World
Asahi Press, 1979

The Japanese today :
change and continuity
Harvard University Press, 1988

Edwin O. Reischauer

Histoire du Japon et des Japonais

2. De 1945 à nos jours

TRADUIT DE L'AMÉRICAIN ET ANNOTÉ
PAR RICHARD DUBREUIL

NOUVELLE ÉDITION MISE À JOUR
ET COMPLÉTÉE PAR RICHARD DUBREUIL

Éditions du Seuil

La première édition américaine du présent ouvrage, paru sous le titre *Japan, Past and Present*, date de 1946. L'auteur l'a révisée à diverses reprises et complétée jusqu'en 1970. Les deux derniers chapitres du tome 2 de la présente édition, qui couvrent les années 1970 à nos jours, sont de Richard Dubreuil.

Titre original : *Japan, The Story of a Nation*
(1re édition : *Japan, Past and Present*, 1946, 1952, 1964)
Éditeur original : Alfred A. Knopf, Inc., New York

ISBN 2-02-031883-0, tome 2
ISBN 2-02-000655-3, tome 2, 1re publication
ISBN 2-02-31888-1, éd. complète

Sommaire

Tome 1 Des origines à 1945

Tome 2 De 1945 à nos jours

Le Japon contemporain

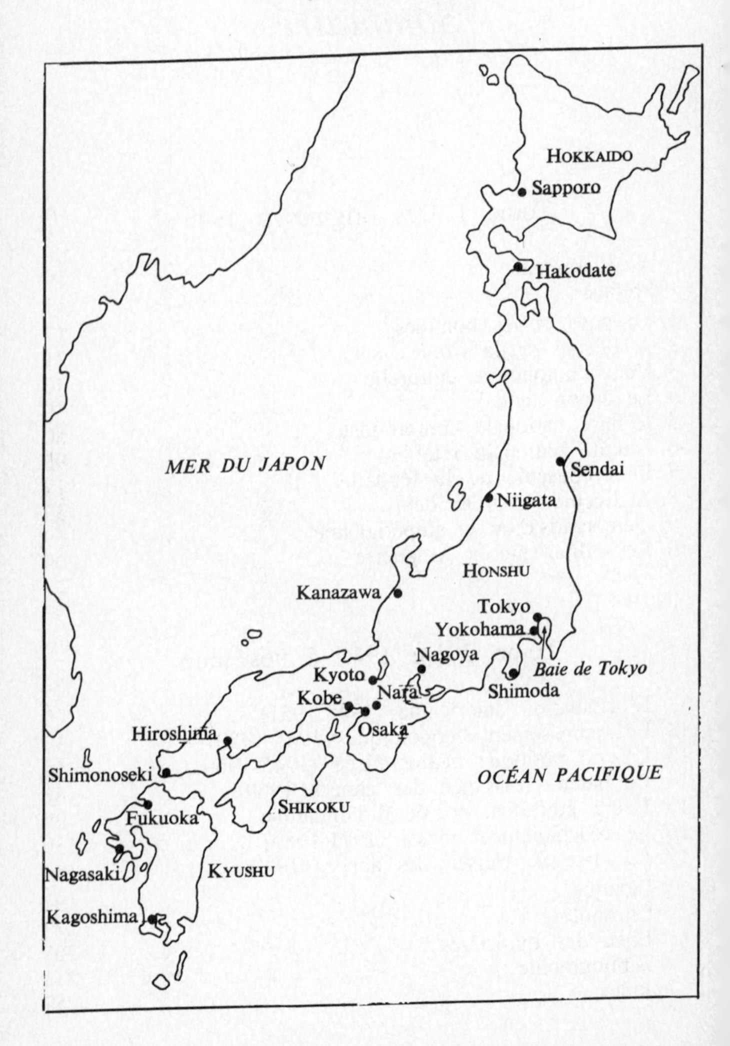

11

L'occupation américaine (1945-1951)

A la fin de l'été 1945, le Japon est en ruines. Près de 2 millions de citoyens, dont un tiers de civils, ont péri pendant la guerre. Des décombres couvrent près de 40% de la superficie urbaine du pays. La population des villes a fléchi de plus de la moitié. L'industrie se trouve au point mort. L'agriculture manque d'équipements, d'engrais et de main-d'œuvre. Les Japonais, abusés par une confiance aveugle dans leurs dirigeants et par la prétendue supériorité de « l'esprit japonais », ont investi toutes leurs énergies dans l'effort de guerre. La plupart se trouvent dans un extrême dénuement physique et moral. Beaucoup vont en haillons ou souffrent de sous-alimentation. Tous paraissent égarés et comme frappés de stupeur. On s'avise que les « vents divins » ont oublié de souffler et que, pour la première fois de son histoire, le Japon est un pays conquis. Cette situation inédite est accueillie avec un certain effroi. Il faut, selon la formule employée par l'empereur lui-même, se résigner à « supporter l'insupportable ».

De la cohabitation amiable à l'entente cordiale.

Les sept années d'occupation américaine vont être pour l'archipel et pour le monde une expérience unique. Jamais un pays développé ne s'était encore fixé pour mission de « rééduquer » un autre pays avancé. Jamais occupation militaire ne fut jugée plus fructueuse par les vainqueurs et plus tolérable par les vaincus. Si les sujets de friction furent nombreux de part et d'autre, l'occupation laissa aux Japonais l'image d'une expérience beaucoup moins désagréable qu'ils n'avaient imaginé; rétrospectivement, ils considérèrent cette période comme une étape importante et positive de leur histoire.

Cette réussite doit être mise au crédit de chacune des deux parties. Les Américains, loin de se montrer les conquérants cruels et corrompus auxquels s'attendaient les Japonais, adoptent d'emblée une attitude amicale et franche et s'attellent avec enthousiasme au travail de réforme qu'ils se sont assigné. De leur côté, les Japonais semblent s'efforcer de faire oublier les combattants fanatiques qu'ils ont été sur les champs de bataille. Ils font preuve de docilité, de discipline et d'esprit coopératif. Sitôt la capitulation signée, l'armée d'occupation devient la source incontestée d'autorité à laquelle les populations prennent l'habitude d'obéir sans maugréer. Les Américains sont d'autant mieux acceptés qu'ils ont fourni par le passé de très nombreux enseignants et missionnaires au Japon. Beaucoup de Japonais éprouvent à leur égard une admiration que la propagande de guerre n'a pas entamée. Par ailleurs, la supériorité écrasante des forces américaines rend inutile toute tentative de résistance. Les dirigeants, eux-mêmes a priori peu disposés à s'accommoder d'une domination étrangère et volontiers sceptiques à l'égard des réformes, comprennent très vite qu'ils ont tout à gagner d'une attitude de coopération. Seul un comportement bienveillant leur permettra d'infléchir la politique d'occupation et d'en hâter le terme. Au total, le respect et la bonne volonté mutuels des vainqueurs et des vaincus auront favorisé d'emblée l'établissement d'un climat d'entente réciproque.

L'occupation introduit de profondes transformations

dans les institutions, les attitudes et les mentalités des Japonais. Elle inaugure une révolution des comportements, encore plus radicale et plus rapide que celle déclenchée au XIXe siècle par la Restauration de Meiji. Le processus de changement est en outre amplifié par les mutations que la guerre a introduites tant à l'intérieur de l'archipel que dans les relations qu'il entretient avec le monde extérieur. La défaite et les terribles souffrances des dernières années sont perçues par l'opinion comme la faillite d'une politique et d'un régime. Le militarisme, exalté quelques mois plus tôt, est désormais honni de tous. Les citoyens aspirent à une paix perpétuelle; l'idéal collectif d'une race de guerriers fait place à une volonté passionnée de pacifisme. L'opinion apprend avec stupeur que les armées nippones, loin d'avoir été accueillies en libératrices, se sont attiré la haine inexplicable des Chinois, des Coréens, des Philippins et de la plupart des populations conquises. Les soldats japonais avaient quitté leur pays en héros; à leur retour, leurs compatriotes les accueillent en leur crachant au visage. Les mots « nationalisme » et « patriotisme » sont bannis du vocabulaire. Même les plus fidèles défenseurs du régime déchu ne cachent pas leur désillusion. Dans le monde d'après-guerre, un Japon, réduit aux seules limites de son territoire et de son économie, ne peut plus prétendre rivaliser avec les nouvelles superpuissances. Accablé par les erreurs politiques du régime antérieur, il sous-estime même sa capacité de redressement et renonce à figurer en bonne place dans le concert des nations. Une certitude s'impose dans l'immédiat : avec le retour à la liberté des échanges et la paix retrouvée, l'archipel ne pourra reconstituer son ancienne prééminence et reconstruire son économie que par l'intermédiaire du commerce international. Même les anciens adeptes de l'expansion militaire découvrent les vertus d'une coopération internationale bien comprise.

Le traumatisme matériel, social et psychologique causé par la guerre et la défaite, contribue à balayer les derniers vestiges du passé et libère les forces de renouveau. La crainte de l'occupant fait bientôt place à l'espoir de jours meilleurs. La réprobation qui entoure le militarisme et le totalitarisme suscite par antidote une ferveur nouvelle pour la démocratie que célèbrent les Américains ou le socialisme que connaissent d'autres pays occidentaux. Le discrédit du régime déchu provoque la revalorisation de ceux qu'il avait combattus. Précisément parce qu'il a le sentiment d'avoir été floué par le gouvernement des militaires, le citoyen japonais échappe au complexe de culpabilité collective qui pèse à la même époque sur les Allemands. Il lui est dès lors plus facile d'accepter le changement et de s'ouvrir aux influences nouvelles.

Les Américains s'empressent d'ailleurs de remplir le vide politique créé par la débâcle des institutions et des valeurs établies. Dès la capitulation le général MacArthur est nommé commandant suprême des forces alliées, en abrégé *SCAP (Supreme Commander for the Allied Powers).* Sa désignation constitue un choix particulièrement judicieux du point de vue américain comme du point de vue japonais. Nommé par l'administration démocrate alors au pouvoir et « héros » de l'opposition républicaine, celui que l'on a surnommé le « vice-roi » du Japon jouit de la confiance des deux grands partis américains; sa présence évitera à la politique d'occupation de subir le contrecoup des vicissitudes de la politique intérieure américaine comme ce sera le cas pour la politique à l'égard de la Chine. Le choix de MacArthur n'est pas moins habile du point de vue des vaincus. Doué d'une forte personnalité et de talents variés, il a une conception quasi messianique de son rôle au Japon. Par son style direct, il saura apporter aux Japonais les valeurs et les normes qui leur font à l'époque cruellement défaut.

L'occupation, nominalement intitulée « occupation alliée », sera en réalité entièrement américaine, si l'on excepte les quelques soldats australiens et les quelques personnels d'encadrement non américains du quartier général. L'Union soviétique refuse de placer ses troupes sous l'autorité du général MacArthur et Tchang Kaï-chek est trop occupé à reconquérir la Chine septentrionale sur les communistes pour pouvoir participer à l'occupation du Japon. Un accord négocié à Moscou le 27 décembre 1945, institue deux organismes internationaux chargés de superviser l'occupation. La Commission d'Extrême-Orient réunit les représentants de 11, puis de 13 nations [1] ayant pris part à la guerre contre le Japon; siégeant à Washington, elle a pour mission de définir les grandes lignes de la politique d'occupation. Quant au Conseil allié établi à Tokyo, il comprend les délégués des quatre principales puissances mondiales [2] et forme un organe consultatif au service du général MacArthur. Aucune de ces deux institutions ne jouera un rôle appréciable. Le Conseil allié ne tarde pas à devenir une simple tribune où des débats houleux entre délégués soviétiques et américains se déroulent sous les regards gênés des représentants de la Chine et du Commonwealth. La Commission d'Extrême-Orient n'a guère plus de pouvoirs car les Etats-Unis y disposent d'un droit de veto et sont libres, lorsque ses décisions tardent trop, de promulguer unilatéralement des directives immédiatement applicables. Finalement, la Commission se borne à entériner une politique que MacArthur se soucie peu de soumettre à son contrôle.

1. Etats-Unis, Union soviétique, Chine, Grande-Bretagne, France, Pays-Bas, Canada, Australie, Nouvelle-Zélande, Inde, Philippines, Birmanie et Pakistan. *(N.d.T.)*

2. Etats-Unis, Union soviétique, Chine, Commonwealth britannique. *(N.d.T.)*

La « doctrine » américaine à l'égard du Japon a d'ailleurs été arrêtée de longue date. Bien avant la fin des hostilités, le gouvernement américain s'est préparé à affronter les problèmes de l'après-guerre. Alors que pour la Corée ou certaines autres régions asiatiques aucun plan n'avait été élaboré, le gouvernement de Washington a formé de nombreux militaires aux institutions et même à la langue japonaises. Avant même la fin de la guerre, est rédigé un document intitulé « Orientations pour une politique américaine applicable après la capitulation japonaise ». Cet instrument de travail, qui s'inspire de conceptions d'une rare pénétration et témoigne d'une grande lucidité, constituera un précieux guide pendant les premières années d'occupation. Dans l'ensemble, la politique américaine à l'égard du Japon va être sévère mais constructive. Tout en prenant pour référence la Proclamation de Potsdam, elle se fonde sur la double conviction qu'une attitude revancharde n'engendrerait que haine et agitation et que des mesures punitives réduiraient les Japonais au désespoir sans apporter les remèdes que la situation de leur pays exige. Seule une politique de réforme éclairée paraît susceptible de métamorphoser le belliqueux peuple nippon en apôtre de la paix mondiale.

Il eût été déraisonnable de chercher à administrer directement une nation que la langue et le patrimoine culturel distinguaient de toutes les autres. Les Etats-Unis décidèrent donc d'exercer leur autorité par l'intermédiaire du gouvernement régulier du pays. Après avoir inondé l'archipel de troupes américaines et australiennes à la seule fin de bien montrer l'inutilité de toute résistance, les puissances occupantes se contentèrent d'effectifs réduits. Une administration restreinte fut installée à Tokyo pour surveiller le gouvernement et des états-majors relativement modestes furent maintenus dans les préfectures afin de vérifier les résultats de la politique entreprise. Initialement composée d'officiers, l'administration occupante devait réserver une part croissante aux civils, tout en conservant jusqu'à la fin des structures de type militaire.

De l'épuration des hommes à la refonte des institutions.

Les premiers mois de l'occupation vont consister à faire table rase du passé et à préparer les conditions des réformes ultérieures. Les autorités d'occupation s'assignent comme objectif prioritaire d'extirper les racines du militarisme. La capitulation a opposé un brutal coup d'arrêt à la domination nippone en Asie. Les pays récemment conquis, ainsi que la Corée et Formose, doivent être évacués sans délai. On entreprend de rapatrier tous les Japonais établis outre-mer. A la fin de 1947, plus de six millions de soldats et de civils auront regagné la mère patrie. Seuls resteront hors des limites de l'archipel les quelques centaines de milliers de sujets nippons retenus prisonniers dans les camps soviétiques de Sibérie. Pour orchestrer ce vaste transfert de populations, les deux ministères de l'Armée et de la Marine sont transformés en un premier et un second « ministère chargé de la démobilisation ». Ils seront dissous après accomplissement de leur mission.

Les autorités d'occupation imposent la fermeture de toutes les entreprises productrices de munitions et prescrivent un ambitieux programme de réparations. Ce dernier prévoit, au profit des Alliés, une série de démontages d'usines et un démantèlement systématique de l'ensemble des capacités industrielles qui excèdent la satisfaction des besoins élémentaires du pays. Cette tentative s'avère maladroite et irréaliste. Les vainqueurs parviennent difficilement à s'entendre sur la part respective des dépouilles qui doit leur revenir; en outre, les équipements industriels japonais sont souvent d'une telle vétusté que le coût de leur transport et de leur réinstallation à l'étranger dépasse de beaucoup la valeur des services qu'ils sont appelés à rendre. Enfin, il est fréquent que les matériels confisqués soient mal adaptés aux besoins économiques et à l'appareil de production des pays d'accueil. L'occupant s'aperçoit d'ailleurs que l'archipel, loin de disposer de capacités industrielles excédentaires, se trouve confronté à une lutte sévère pour sa propre survie.

La « régénération » du personnel politique prélude aux grandes réformes de structure. Toutes les organisations ultra-nationalistes ou militaristes doivent se dissoudre. Les lois répressives adoptées par le régime antérieur sont abrogées. Les communistes et les détenus politiques de toutes tendances sont rendus à la liberté. Le shintoïsme cesse d'être une religion d'Etat. Cette dernière mesure crée de sérieuses difficultés financières pour beaucoup de grands sanctuaires historiques qui, pour survivre, doivent désormais compter sur leurs seules ressources. Les criminels de guerre comparaissent en justice. De nombreux militaires accusés d'avoir commis des atrocités sont exécutés sommairement tant au Japon qu'à l'étranger. Vingt-cinq anciens leaders politiques passent devant le Tribunal international de Tokyo qui, à l'instar du Tribunal de Nuremberg, reçoit pour mission de statuer sur les crimes de guerre.

Les responsabilités précises se révèlent plus difficiles à établir qu'à Nuremberg. Le jugement enfin rendu en novembre 1948 condamne sept des inculpés à la pendaison, parmi lesquels Tojo et l'ex-premier ministre Hirota. Konoe échappe à un sort analogue en se suicidant. L'attitude de l'opinion japonaise est alors passée de la colère initiale à un sentiment de pitié pour des hommes âgés et discrédités.

La purge ne frappe pas seulement les dirigeants. Elle atteint tous ceux qui semblent avoir eu une quelconque responsabilité dans les conquêtes japonaises. Les anciens officiers, les membres de la police militaire, les agents des gouvernements de guerre, tous les responsables politiques qui ont accepté le patronage de l'Association nationale pour le service du trône animée par Konoe, et un grand nombre d'hommes d'affaires, sont écartés des voies d'accès à la fonction publique. La purge finit par frapper les professeurs, déjà victimes de conditions économiques particulièrement difficiles; elle entraîne un profond renouvellement de la composition du corps enseignant. Au total, 200 000 personnes ont été nommément victimes de la purge; beaucoup d'autres ont dû renoncer spontanément à leur emploi ou à certaines responsabilités, de peur d'y être contraintes par l'autorité. Le procédé consistant à attaquer globalement certaines catégories ou certaines fonctions plutôt que de sanctionner des actions individuelles traduit une incontestable régression par rapport à l'idéal démocratique de protection des droits individuels. Il reste que, dans l'immédiat, la purge permet un renouvellement du personnel dirigeant; en éliminant une grande partie des élites anciennes, elle place sur le devant de la scène des hommes qui, sans être toujours meilleurs que leurs devanciers, seront cependant les agents du redressement de leur pays.

En février 1946, les autorités d'occupation ont acquis un ascendant suffisant pour envisager de franchir une seconde étape dans la politique de réformes. Estimant, avec raison, qu'un Japon démocratique garantira mieux la paix internationale qu'un Japon autocratique, les Américains entreprennent de rédiger une nouvelle Constitution. Dès le mois de février, le gouvernement japonais fournit des propositions de réforme constitutionnelle qui sont jugées insuffisantes par MacArthur. Ce dernier fait immédiatement élaborer un nouveau projet en anglais. C'est ce projet d'origine américaine qui, légèrement modifié par le gouvernement de Tokyo, est finalement soumis à la Diète. Présenté comme un simple amendement de l'empereur à la Constitution de 1889, le texte entre en application le 3 mai 1947.

La nouvelle Constitution introduit deux changements fondamentaux dans le système politique japonais. Elle modifie radicalement le statut de l'empereur qui perd tout pouvoir politique et devient « le symbole de l'Etat et de l'unité de la nation ». Dans son message au pays du 1er janvier 1946, l'empereur avait d'ailleurs pris la précaution de renoncer à son ascendance divine. A l'étranger des voix s'étaient élevées pour réclamer sa comparution comme criminel de guerre. Une telle mesure eût été incontestablement injuste et eût risqué de provoquer des remous à l'intérieur du pays. La solution qui prévalut devait se révéler en définitive la plus raisonnable.

Le second changement introduit par la Constitution est l'établissement d'un véritable régime parlementaire qui se situe dans le prolongement de l'évolution politique des années 1920. La nouvelle Constitution affirme sans ambiguïté la suprématie de la Chambre des représentants qui conserve les caractéristiques essentielles qu'elle avait acquises dans les années 20. Tous les organes parapolitiques (armée, Conseil privé, Chambre des pairs) sont abolis. Les hauts fonctionnaires et les dignitaires de la cour passent sous la dépendance directe du Premier ministre, lui-même choisi par la Diète en son propre sein. La Chambre des pairs fait place à une Chambre des conseillers de 250 membres, élue pour six ans et renouvelable par moitié tous les trois ans. Deux conseillers sur cinq sont élus à l'échelon national et trois sur cinq au niveau départemental. Les pouvoirs de cette Chambre haute sont dans l'ensemble inférieurs à ceux de la Chambre des représentants. En matière budgétaire et pour le choix du Premier ministre, c'est la Chambre des repré-

LA CONSTITUTION DE 1946

LEGISLATIF — EXECUTIF — JUDICIAIRE

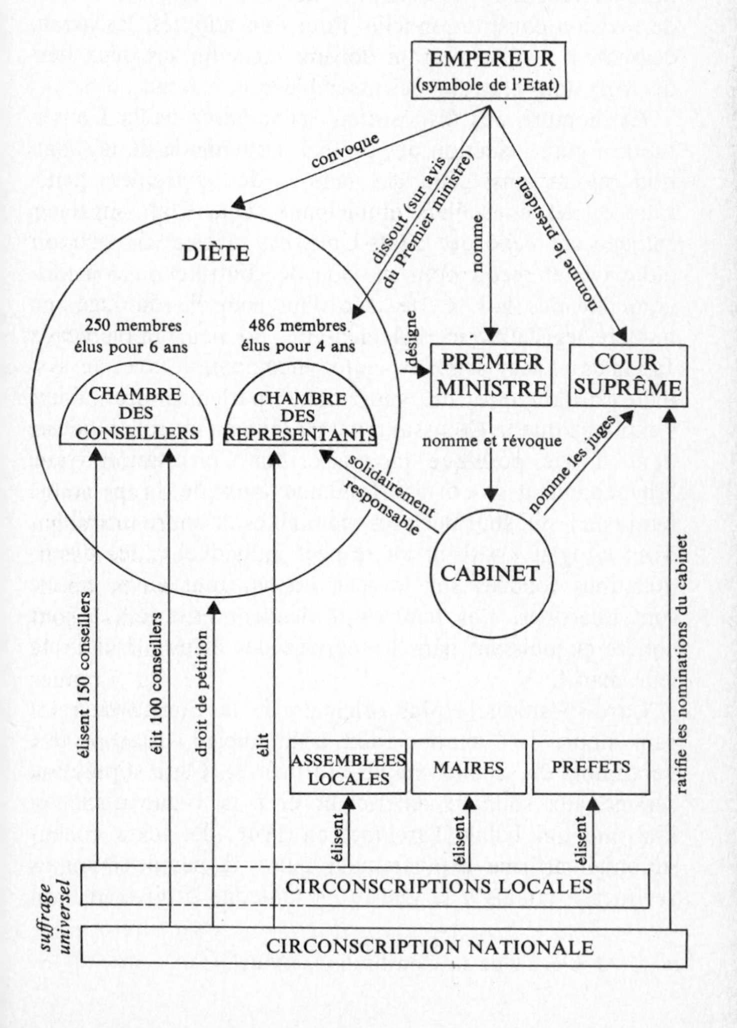

sentants qui a le dernier mot. Dans les autres domaines, elle ne peut imposer ses décisions à la Chambre haute que par un vote acquis à la majorité des deux tiers. Le seul pouvoir reconnu à la Chambre des conseillers est le droit de révision constitutionnelle. Pour être adoptés, les amendements à la Constitution doivent recueillir les deux tiers des voix dans chacune des assemblées.

Au nombre des dispositions secondaires de la Constitution figure l'élection des préfets. Leur mode de désignation rejoint ainsi celui des maires, des conseillers généraux et des conseillers municipaux. Une Cour suprême, calquée sur celle des Etats-Unis, est investie du pouvoir judiciaire et reçoit pour mission de contrôler la constitutionnalité des lois. Cette idée d'un contrôle du juge, en matière législative et réglementaire, est peu familière aux Japonais et leur semble bientôt incompatible avec le système britannique de suprématie parlementaire. Ainsi s'explique que la Cour suprême ne joue qu'un rôle modeste dans la vie politique japonaise. La Constitution traite longuement des « droits fondamentaux de la personne humaine » qui sont déclarés inviolables et imprescriptibles. Tout citoyen « a droit au respect individuel »; les discriminations fondées sur le sexe ou sur tout autre critère sont interdites. Les femmes deviennent électrices à part entière et jouissent dans le mariage des mêmes droits que leur mari [1].

La disposition la plus originale de la Constitution est sans doute la « renonciation à la guerre » qui occupe l'ensemble du second chapitre (article 9). Cette stipulation répond aux souhaits américains et à la vague d'antimilitarisme qui balaie l'archipel en 1946. Le texte constitutionnel affirme explicitement que « le peuple japonais renonce à jamais à la guerre en tant que droit souverain

1. Article 24 de la Constitution. *(N.d.T.)*

de la nation »... et qu' « il ne sera jamais maintenu de forces terrestres, navales et aériennes, ou autre potentiel de guerre [1] ».

Les autorités d'occupation complètent les changements constitutionnels par de très nombreux textes législatifs et réglementaires. Le ministère de l'Intérieur, exécré pour avoir eu la tutelle de la police et des autorités préfectorales, est démantelé; les plus importants de ses services sont regroupés en un « ministère de l'Autonomie ». Les collectivités locales reçoivent des pouvoirs fiscaux et réglementaires accrus et se voient confier la gestion de la police et de l'enseignement. D'une manière générale, la décentralisation est poussée à l'extrême; en cherchant à transposer dans les étroites limites de l'archipel un système d'administration locale conçu pour un pays aussi divers et étendu que les Etats-Unis, les autorités occupantes allaient au-devant de certaines déconvenues. A terme, l'éclatement départemental des compétences en matière de police et d'éducation se révéla néfaste et la gestion de ces deux services publics tendit à revenir progressivement sous le contrôle du gouvernement central.

L'économie : décartellisation et réforme agraire.

La mise en place des nouvelles institutions politiques s'accompagne d'une profonde révision des structures économiques et sociales du pays. Les experts américains estiment qu'une meilleure répartition des richesses et une meilleure égalité des chances ne peuvent que consolider la stabilité politique et enraciner l'idéal de démocratie pacifique. L'appétit de changement que manifestent les

1. La traduction donnée ici correspond au texte officiel français publié par la division de l'Information du ministère japonais des Affaires étrangères. *(N.d.T.)*

Américains n'en paraît pas moins surprenant, surtout si on le compare à la politique qu'ils observent dans les autres pays occupés ou à l'intérieur de leurs propres frontières. L'argument généralement invoqué à l'époque consiste à affirmer que la société japonaise a été si profondément pervertie que seules des mesures radicales peuvent la régénérer. Cette idée traduit la méconnaissance du Japon par les milieux américains et l'influence des interprétations marxistes qui, jusqu'à la guerre froide, domineront les analyses américaines relatives à l'archipel. Il reste qu'avec un diagnostic inexact, l'occupant appliquera une thérapeutique efficace. MacArthur se révélera le plus radical, pour ne pas dire le plus socialiste, des hommes d'Etat auxquels les Etats-Unis aient jamais donné naissance; sa politique à l'égard du Japon sera saluée comme une des meilleures réussites de toute l'histoire américaine. Il est vrai qu'il est toujours plus facile d'opérer des transformations révolutionnaires chez les autres en s'appuyant sur un pouvoir militaire arbitraire, que chez soi en respectant les procédures démocratiques.

Les autorités occupantes s'efforcent en premier lieu de démanteler la puissance financière des *zaibatsu* *. Accusés de porter la responsabilité de la politique d'expansion armée, ils sont jugés peu propices au développement d'une société libérale et démocratique. Les cadres des principales cliques financières sont destitués de leurs fonctions et voient leurs avoirs gelés. Quant aux sociétés de holding * qu'ils dirigeaient, elles doivent remettre leurs actions au gouvernement et sont soumises à un prélèvement sur le capital dont le taux varie entre 25 % pour les fortunes estimées à 100 000 yens et 90 % pour celles supérieures à 15 millions de yens. Dans le même temps sont institués un impôt sur le revenu et des droits de mutation rapidement progressifs dont l'objet est de prévenir toute reconstitution des grosses fortunes. Les Mitsui et les autres clans familiaux voient leur richesse ramenée à des proportions plus modestes et perdent progressivement toute influence politique.

Toutes les concentrations économiques sont fragmentées; les différentes entreprises composant chaque société retrouvent leur autonomie. La législation sur les ententes et les positions dominantes est révisée de manière à empêcher une éventuelle recartellisation. On envisage même de faire éclater les quelque 300 sociétés qui, comme cela s'était produit lors de la mise en vigueur de la politique antitrust américaine, ont échappé aux mesures de dislocation. Cette ultime tentative, à la fois délicate dans son application et inopportune dans son principe en raison de la stagnation économique persistante du pays, fut finalement abandonnée en 1949; elle n'avait frappé au total qu'une vingtaine d'entreprises. On a souvent prétendu que les zaibatsu s'étaient reconstitués au cours des années récentes. Il s'agit d'un abus de langage. En effet, les fusions ou les accords intervenus entre certaines grosses sociétés ne sont qu'une lointaine réplique des trusts d'avant-guerre; aucune société japonaise n'est aujourd'hui exclusivement contrôlée par un groupe restreint de personnes liées par le sang.

L'élimination des monopoles s'accompagne d'un effort pour réveiller la conscience politique et syndicale des masses ouvrières et paysannes. La législation du travail est alignée sur les conceptions les plus progressistes de l'Europe occidentale et des Etats-Unis; les anciens responsables syndicaux sont officiellement encouragés à reconstituer leurs centrales. Le mouvement syndical connaît d'emblée une rapide croissance et n'hésite pas à s'affirmer par la violence. Dès 1949, on compte plus de 6 millions et demi de travailleurs syndiqués parmi lesquels les communistes jouent un rôle moteur. Le syndicalisme japonais s'écarte peu à peu des pratiques américaines et s'ouvre largement aux fonctionnaires et aux divers agents de l'Etat : enseignants, employés administratifs, cheminots et autres personnels du secteur nationalisé. Entre les autorités d'occupation et les syndicats, le malentendu dégénère rapidement en divorce : les Américains déplorent la politisation des centrales japonaises et leur reprochent d'entretenir dans le pays une agitation chronique qui sert surtout les communistes.

Parmi toutes les réformes de la période d'occupation, la plus audacieuse est assurément la réforme agraire. Destinée à améliorer la condition paysanne, elle connaît une longue gestation et n'entre en application que progressivement, de 1947 à 1949. Quelques décennies plus tôt, le gouvernement japonais s'était inquiété de la multiplication des tenures * et avait réussi à bloquer le pourcentage de terres affermées aux environs de 50 %. En 1949, les terres affermées ne représentent plus que 10 % de la surface cultivée et elles diminueront encore de moitié par la suite. Ce résultat est obtenu grâce à trois séries de mesures : rachat intégral des terres appartenant à des propriétaires non résidents; rachat au-delà d'un certain seuil de celles détenues par des propriétaires résidents mais non exploitants; possibilité pour tout tenancier d'accéder à la micro-propriété. A l'issue de la réforme, la dimension moyenne des exploitations agricoles est de 1 ha et les lots les plus étendus ne dépassent pas 4 ha. De grandes facilités de paiement sont accordées aux tenanciers acquéreurs de terres; comme aucune clause d'indexation n'est prévue, les fermiers bénéficient de la dépréciation monétaire liée à l'inflation galopante d'après-guerre et parviennent aisément à s'acquitter de leurs dettes. Ce vaste mouvement de redistribution foncière porte préjudice aux gros propriétaires terriens qui seront finalement payés en monnaie dépréciée. L'équité n'y trouve peut-être pas tout à fait son compte, mais l'autorité incontestée de l'occupant suffit à faire accepter la réforme qui imprime d'emblée un changement irréversible à la physionomie économique et sociale des campagnes japonaises.

La société : démocratisation et réforme éducative.

La nouvelle Constitution avait garanti le respect des droits individuels et l'égalité de tous les citoyens; mais elle n'avait pas envisagé les moyens d'enraciner ces idéaux démocratiques dans la mentalité collective. Des réformes sociales et éducatives s'imposaient pour combler cette lacune. Très tôt, la noblesse est supprimée et tous les titres nobiliaires sont abolis à l'exception de ceux de l'empereur et des membres de sa famille. Les femmes, qui, depuis les années de guerre, jouissent d'une plus grande indépendance économique, accèdent à la pleine égalité civique avec les hommes; leur influence dans la vie sociale ne cesse de s'étendre. L'autorité du chef de famille sur les membres adultes de sa famille et sur les branches collatérales, est dénoncée comme une survivance du passé féodal.

L'éducation élémentaire avait déjà fait l'objet d'une réforme à la fin du XIXe siècle. Il fallait aller plus loin et ouvrir plus largement l'accès à l'enseignement supérieur. On souhaitait aussi se dégager d'une pédagogie qui, par un appel exclusif à la mémoire, se prêtait trop facilement à l'endoctrinement. On voulait surtout apprendre aux jeunes à penser par eux-mêmes et à se préparer à leur rôle de futurs citoyens d'une société démocratique. Les manuels scolaires furent expurgés afin d'en éliminer toute trace de militarisme ou simplement de nationalisme. Les anciens programmes de morale, qui étaient particulièrement incriminés, furent remplacés par un enseignement de sciences sociales. La durée de la scolarité obligatoire fut portée sans difficulté de 6 à 9 ans; déjà, avant la guerre, la plupart des enfants continuaient à aller à l'école au-delà des six années réglementaires. Dans chaque cycle d'études, le niveau et le contenu de l'enseignement fut uniformisé par des instructions officielles; chaque enfant avait ainsi les mêmes possibilités théoriques d'accéder au cycle suivant.

L'enseignement secondaire et supérieur fut calqué sur le système américain : trois années de premier cycle d'enseignement secondaire (junior high school), trois années de second cycle d'enseignement secondaire (senior high school) et quatre années de collège ou d'université. Cette terminologie est toujours en vigueur au Japon. Pour se conformer au nouveau cursus la plupart des écoles moyennes durent ajouter une année supplémentaire à leur cycle de scolarité de cinq ans; elles devinrent ainsi des établissements d'enseignement secondaire. Quant aux diverses écoles supérieures qui dispensaient un enseignement étagé sur trois ans, elles abandonnèrent leur première année et s'adjoignirent deux années complémentaires de perfectionnement de manière à accéder au statut de faculté. La plupart fusionnèrent pour former des universités pluridisciplinaires dont le nom, sinon la réalité ou le prestige, évoquait les universités d'avant-guerre.

Le passage du système 6-5-3-3 (6 années d'école primaire, 5 années d'école moyenne, 3 années d'enseignement secondaire et 3 années d'enseignement supérieur), au système américain 6-3-3-4, introduisit au Japon une extrême confusion. L'augmentation du nombre des universités, le flot croissant d'étudiants et la réduction de la durée totale du cursus, provoquèrent une dégradation substantielle du niveau des études. Cette régression fut profondément ressentie par les Japonais. Néanmoins, la fréquentation scolaire au-delà de l'école élémentaire se généralisa. Par ailleurs, les nouvelles conceptions pédagogiques bouleversèrent les premiers degrés d'enseignement. Elles formèrent

L'ENSEIGNEMENT AU JAPON

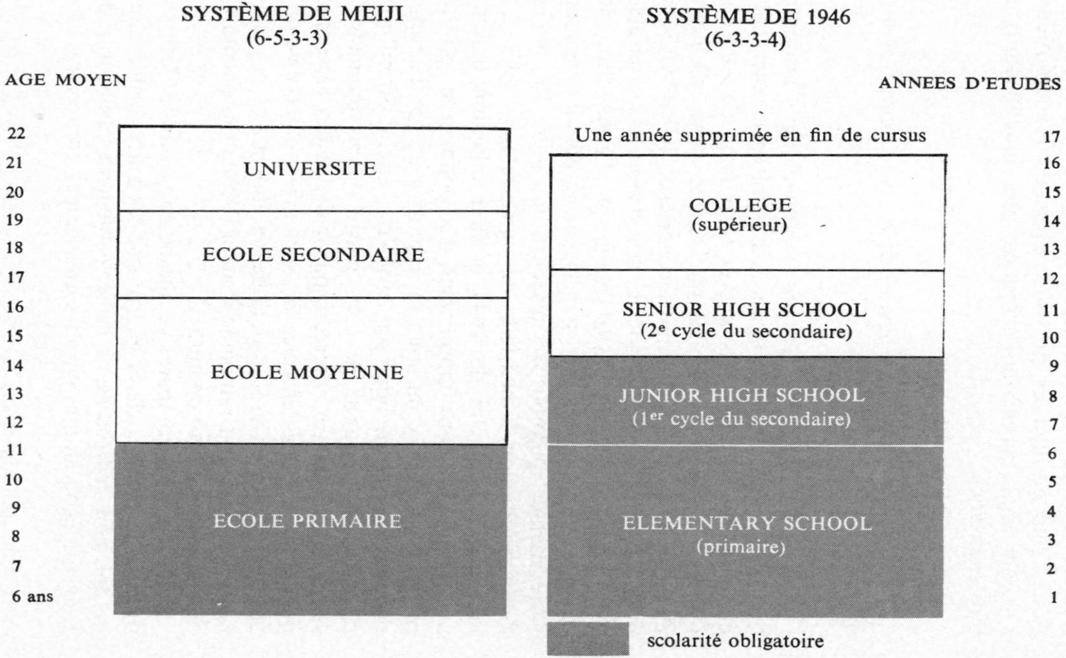

SYSTÈME DE MEIJI
(6-5-3-3)

SYSTÈME DE 1946
(6-3-3-4)

AGE MOYEN

ANNEES D'ETUDES

22
21
20
19
18
17
16
15
14
13
12
11
10
9
8
7
6 ans

UNIVERSITE

ECOLE SECONDAIRE

ECOLE MOYENNE

ECOLE PRIMAIRE

Une année supprimée en fin de cursus

COLLEGE
(supérieur)

SENIOR HIGH SCHOOL
(2e cycle du secondaire)

JUNIOR HIGH SCHOOL
(1er cycle du secondaire)

ELEMENTARY SCHOOL
(primaire)

17
16
15
14
13
12
11
10
9
8
7
6
5
4
3
2
1

scolarité obligatoire

une nouvelle génération de jeunes Japonais, plus catégoriques, plus désinvoltes, plus indisciplinés que leurs prédécesseurs, mais aussi plus critiques, plus indépendants et plus spontanés.

La guerre froide ou le retour à la souveraineté économique.

L'automne 1948 marque un revirement dans l'orientation de la politique d'occupation. La présence américaine dure depuis plus de trois ans et la plupart des grandes réformes ont été accomplies ou sont en passe de l'être. Désormais, la préoccupation essentielle du SCAP [1] est moins de transformer la société que d'assurer le redressement économique du pays. Tandis que l'application des réformes se poursuit sans heurts, on se demande encore si le malade japonais se rétablira un jour. Le niveau de la production industrielle ne représente en 1946 que le septième de celui de 1941 et la production agricole a diminué des deux cinquièmes. La population, gonflée par l'afflux de six millions de rapatriés et par le report des naissances provoqué par la guerre, atteint 80 millions d'habitants. La survie de cette masse d'êtres humains ne semble pouvoir être assurée à partir des seules ressources de l'archipel. Les réformes de structure ont contraint le gouvernement à vivre au-delà de ses moyens et la persistance de l'inflation rampante voue à l'échec toute tentative de stabilisation économique.

Une analyse comparative montrerait que le Japon a davantage souffert de la guerre que les autres belligérants et que son redressement est sensiblement moins rapide. L'avenir économique paraît sérieusement compromis. Les

1. Voir plus haut p. 12.

populations doivent se contenter d'un niveau de vie proche du minimum de subsistance. Elles dépendent entièrement de la générosité des Etats-Unis qui versent au Japon près d'un demi-milliard de dollars chaque année. Comment ne pas songer aux périls qu'une situation aussi précaire peut faire courir à la démocratie et à la stabilité des institutions? Quels peuvent être les résultats des meilleures réformes politiques et sociales dans un pays éternellement voué à la pénurie?

La conjoncture internationale va jouer un grand rôle dans le revirement de la politique d'occupation. A la fin de la guerre, le Japon était un pays vaincu et isolé, face à un monde uni et triomphant. Les Alliés disposaient de tout le temps nécessaire pour « rééduquer » leur élève et le redressement économique ne semblait préoccuper que les Japonais eux-mêmes. Mais au front uni des Alliés, succède bientôt la guerre froide. A l'automne de 1948, la victoire des communistes se confirme en Chine. Une grande partie de l'Asie se trouve plongée dans le chaos politique. Une nouvelle division du monde s'ébauche. Le Japon, par sa situation géographique et politique, se trouve précisément sur la ligne de partage des deux nouveaux blocs antagonistes. Il constitue dès lors un champ d'affrontement potentiel. Son ancienne puissance industrielle le désigne, en toute hypothèse, comme un élément important dans le rapport des forces mondiales.

Dans un tel contexte, le redressement économique prend figure d'impératif. Toutes les réformes risquant de lui faire obstacle sont révisées ou abandonnées. On décide de mettre un frein à la politique de démantèlement des trusts et on interrompt les démontages d'usines opérés au titre des réparations. Le gouvernement, s'appuyant sur les recommandations présentées en avril 1949 par la mission Dodge, ainsi nommée à cause du banquier de Détroit placé à sa tête, adopte un programme d'austérité budgétaire. Il parvient à stabiliser le yen au niveau de 360 yens pour un dollar; cette nouvelle parité traduit l'ampleur de la dépréciation enregistrée par rapport à l'avant-guerre où 3 yens équivalaient à un dollar. Les activités syndicales susceptibles de nuire à la production sont étroitement surveillées. Le 1er février 1947, les autorités d'occupation brisent une tentative de grève générale et, en juillet 1948, elles interdisent des grèves de fonctionnaires. En 1949, les industriels japonais profitent de la politique d'économies préconisée par la mission Dodge pour entreprendre ce que l'on a intitulé la « purge rouge » et éliminer de leurs firmes les éléments révolutionnaires.

Aussitôt, la gauche japonaise s'insurge et accuse les autorités d'occupation de trahir leurs engagements antérieurs. En effet, les hommes de gauche avaient accueilli les réformes avec d'autant plus d'enthousiasme qu'ils y avaient vu une première étape vers la réalisation d'une société socialiste ou communiste. Ils accusent maintenant l'occupant de forfaiture. Avec une violence croissante, ils dénoncent la politique américaine et s'attachent à en saper les fondements. Cet éveil de l'esprit critique n'est d'ailleurs pas l'apanage exclusif de la gauche. A mesure que s'estompent le désespoir et la confusion des premières années d'après-guerre, les Japonais s'aperçoivent que leurs desseins et leurs actes ne sont pas nécessairement mauvais et que les initiatives américaines sont loin d'être toutes excellentes. Dans bien des domaines, les autorités d'occupation se sont contentées de plaquer artificiellement des schémas américains sur la réalité japonaise. Elles ont parfois tenté d'opérer des transformations inopportunes ou inapplicables. La politique de l'occupant commence à être violemment critiquée. Le ressentiment se donne libre cours. On dénonce les privilèges et le luxe que certains Américains ont acquis aux dépens et aux frais des Japonais. De telles attitudes comparatives sont d'ailleurs inévitables dans un pays occupé; si elles ont singulièrement tardé à apparaître, elles deviennent bientôt une des composantes essentielles du climat psychologique et politique de l'archipel.

Le personnel d'occupation a en outre perdu le dynamisme des débuts. Les vétérans de la guerre sont remplacés tantôt par de jeunes conscrits peu disciplinés qui ont du mal à s'imposer aux Japonais, tantôt par des fonctionnaires et des officiers de carrière qui, en dépit de leur indiscutable conscience professionnelle et de leur dévouement, ne peuvent susciter autant d'enthousiasme que leurs prédécesseurs. La structure militaire des pouvoirs d'occupation est perçue de plus en plus comme un handicap à la poursuite des réformes qu'ils ont précisément pour mission de faire aboutir. N'y a-t-il pas au demeurant quelque paradoxe à recourir à une force militaire extérieure pour insuffler à une nation les principes de la démocratie?

Le moment semble décidément venu de mettre un terme à l'occupation. Par sa nature même et par les oppositions qu'elle commence à susciter, la présence américaine risque de compromettre le succès des réformes déjà accomplies. Il paraît irréaliste de vouloir maintenir indéfiniment l'archipel sous une férule étrangère. Les Japonais ont désormais besoin d'assimiler et d'acclimater sur leur sol les nouvelles normes établies par l'occupant; il leur faut faire l'expérience concrète d'une vie collective et d'un mode de gouvernement conformes à l'esprit des réformes. MacArthur n'avait pas eu tort d'évaluer à trois années la durée optimale de l'occupation américaine.

En 1947, le gouvernement de Washington tente de mettre fin à l'occupation par un traité de paix. Il rencontre immédiatement d'insurmontables difficultés liées à la division du monde en deux blocs. L'Union soviétique fait obstacle à la convocation d'une conférence internationale; elle demande que les conditions de paix soient fixées par les seules grandes puissances et exige d'avoir un droit de veto sur les décisions adoptées à l'égard du Japon. N'ayant aucun désir de voir l'expérience démocratique japonaise réussir, les Russes souhaiteraient grâce à leur veto pouvoir saboter le règlement de paix proposé par les Etats-Unis et leurs alliés. L'impasse est donc totale et il faut se résoudre à prolonger l'occupation de plusieurs années. Trois ans plus tard, les Etats-Unis se décident à régler le sort du Japon sans tenir compte des objections du gouvernement soviétique. En avril 1950, un futur secrétaire d'Etat, Foster Dulles, est chargé de préparer le traité de paix. En septembre, Washington annonce son intention d'aboutir dans les meilleurs délais. Foster Dulles mène une série de négociations bilatérales avec les différents pays intéressés et parvient à arrêter les dispositions du traité avant même la réunion de la conférence de la paix. Cette pratique diplomatique illustre les possibilités offertes par les nouvelles facilités de communication entre les grandes capitales.

San Francisco ou le retour à la souveraineté nationale.

En 1950, l'occupation entre dans sa phase finale. On se préoccupe de trouver des bases sur lesquelles pourra être liquidée une situation transitoire qui dure depuis près de six années. Japonais et Américains attendent avec impatience la restauration imminente de la souveraineté nippone. Des projets antérieurs au traité de paix avaient envisagé le maintien de certains contrôles alliés après la libération définitive du territoire. L'adoption tardive du traité rend désormais ces contrôles inopportuns et on décide de restituer au Japon l'intégralité de sa souveraineté. Rien ne l'empêchera de revenir sur les réformes des années d'après-guerre. Les derniers temps de l'occupation sont à tous égards une période de transition, au cours de laquelle les Japonais reprennent la responsabilité de leurs propres affaires et se réadaptent progressivement à l'autonomie retrouvée.

La transmission des pouvoirs va être précipitée par deux événements extérieurs. Le premier est l'invasion de la Corée du Sud par les forces communistes du Nord, le 25 juin 1950. A partir de cette date, les Etats-Unis se trouvent de nouveau en état de belligérance et reportent sur la Corée l'attention prioritaire qu'ils réservaient jusqu'alors au Japon. Simultanément, la guerre accélère le redressement économique de l'archipel en multipliant les achats américains de biens et de services japonais. Le retour à la prospérité réveille l'espoir des vaincus d'hier au moment même où les anciens vainqueurs sont contraints de relâcher leur vigilance.

Le second événement déterminant est le rappel de MacArthur le 11 avril 1951. Lié à la guerre de Corée, le départ du « commandant suprême » est accueilli avec appréhension par la population qui s'attend à un brusque revirement de la politique américaine à l'égard de l'archipel. Bientôt rassurée sur ce point, elle salue le renvoi de MacArthur comme une belle leçon politique. Longtemps les Japonais s'étonneront qu'un simple ordre du gouvernement civil américain ait suffi à mettre fin à l'autorité du proconsul militaire qu'ils croyaient tout-puissant. Beaucoup garderont le souvenir de cette dernière leçon de démocratie donnée par celui qui venait de présider à la régénération politique et sociale de leur pays.

Le général Ridgway succède à MacArthur comme commandant suprême des forces alliées et comme chef militaire du pays. Il a du mal à faire oublier l'image de son prédécesseur dont le rôle n'a guère d'équivalent dans l'histoire japonaise. Du moins Ridgway a-t-il la sagesse de ne pas s'essayer à imiter MacArthur. Il encourage les Japonais à reprendre la direction de leurs affaires en leur dispensant le minimum d'aide et de directives. L'acheminement vers l'indépendance se traduit par le rétablissement progressif de relations directes avec le monde extérieur et la réapparition des personnes ou des groupes éliminés par les purges. Le traité de paix, enfin signé à San Francisco le 8 septembre 1951, se présente comme l'aboutissement d'une longue phase de transition marquée par le dépérissement graduel des prérogatives reconnues aux autorités d'occupation. Précisant les modalités concrètes de passation des pouvoirs, il entre en vigueur le 28 avril 1952.

Parmi les 48 nations signataires, on ne trouve ni la Chine communiste, ni l'Union soviétique. Les deux principaux voisins de l'archipel récusent les conditions de l'accord. Si les représentants soviétiques se rendent à San Francisco, c'est pour signifier, à la surprise générale des participants, leur refus de ratification. Quant à la Chine, elle pose un épineux problème. Comme les Etats-Unis n'ont de relations qu'avec le gouvernement nationaliste de Formose [1] et que plusieurs autres pays signataires ont reconnu la Chine communiste, il est impossible de se mettre d'accord sur le partenaire à inviter. L'Inde, second pays d'Asie par la population, s'est également abstenue d'envoyer des délégués afin de protester contre l'exclusion de la Chine. Ce n'est qu'ultérieurement, que l'Inde et la Chine nationaliste signeront une paix séparée avec le Japon.

A San Francisco, le Japon reconnaît officiellement la perte de son empire, imposée par la Proclamation de Potsdam et consacrée par la capitulation. La Corée, quoique tragiquement divisée, acquiert son indépendance. Formose et les îles Pescadores sont restituées à la république de Chine et deviennent le dernier refuge des nationalistes chinois. Les îles du Pacifique nord conservent leur statut. Jadis confiées au Japon sous forme de mandat de la Société

1. Ou Taïwan. *(N.d.T.)*

des Nations, elles avaient été placées en 1949 sous tutelle américaine par les Nations unies. L'Union soviétique, conformément à l'accord de Yalta de février 1945, garde le sud de Sakhaline et les îles Kouriles, au nord de Hokkaïdo. De même, les Etats-Unis conservent les îles Ryukyu et les îles Bonin qu'ils avaient été les premiers à occuper. Enfin, le Japon renonce à toutes ses prétentions sur ces différents territoires; il accepte de voir sa souveraineté limitée aux quatre îles principales de l'archipel — Honshu, Kyushu, Shikok, Hokkaïdo — et aux petites îles immédiatement voisines.

Le traité oubliait de préciser le sort de quelques anciennes possessions nippones et laissait en suspens certains problèmes fondamentaux. La question des réparations n'était qu'évoquée. Du fait du déficit persistant de sa balance commerciale, le Japon restait tributaire de l'aide américaine. Le retour à l'indépendance ne modifiait guère la conjoncture économique et n'apportait que peu de changements à la situation militaire. Dès le départ des troupes américaines pour la Corée, l'archipel se dote d'une police nationale de réserve de 75 000 hommes. Cette armée embryonnaire, dérisoirement restreinte pour un pays de la taille du Japon, ne pouvait s'accroître tant que l'opinion publique restait résolument hostile à toute forme de réarmement. Seul un pacte de sécurité avec les Etats-Unis paraissait susceptible d'assurer la défense du Japon face à un monde asiatique troublé. Signé le jour même du traité de paix, il prévoyait le maintien de bases et de troupes américaines dans l'archipel.

Le Japon avait officiellement reconquis son indépendance mais il était loin d'avoir recouvré son autonomie. Incertain quant à son avenir économique, il était environné par un monde doublement hostile. D'une part la guerre embrasait toute l'Asie du Sud-Est, d'autre part ses anciennes conquêtes lui avaient aliéné l'amitié des peuples voisins. Les forces militaires américaines étaient toujours présentes sur son territoire. Pourtant les conditions d'existence s'étaient améliorées plus rapidement qu'il n'avait semblé possible dans l'immédiat après-guerre. Quant aux Américains, ils pouvaient également considérer avec satisfaction les années écoulées; ils avaient accompli davantage de réformes qu'ils n'avaient initialement espéré. Avec le recul du temps, l'occupation américaine devait se révéler, sans doute à cause de son inspiration quasi révolutionnaire, la plus belle réussite de la politique asiatique des Etats-Unis dans les années d'après-guerre.

12

Le redressement économique (1945-1960)

Les Américains ont eu tendance à s'attribuer tous les mérites des transformations opérées dans l'archipel au cours des quelques années d'occupation. C'est oublier que la plupart de ces changements auraient été irréalisables sans l'existence de solides traditions démocratiques au Japon même. La généralisation de l'éducation, l'efficacité de l'administration, les habitudes de travail et de coopération, l'expérience d'un demi-siècle de démocratie électorale et de pratique parlementaire avaient préparé la voie aux réformes de l'après-guerre. Si les autorités d'occupation ont souvent invoqué l'absence de conscience démocratique des Japonais, c'est pour mieux justifier l'audace de certaines réformes. Certes, leur présence dans l'archipel n'est pas entièrement étrangère au succès final de l'entreprise et la plupart des réformes auraient sans doute tourné court sans la situation exceptionnelle de l'archipel en 1945. Grâce à leur suprématie incontestée, les Américains ont pu faire office de tuteurs bienfaisants; curieusement, ils ont été servis dans la réalisation de leur programme par la désillusion des Japonais. En 1945, ces derniers désavouaient en bloc leur passé et, dans leur soif de changement, semblaient disposés à accepter toute directive extérieure. Lorsque plus tard les Américains essayèrent d'acclimater les mêmes principes démocratiques dans certains pays en voie de développement, ils s'aperçurent qu'ils avaient perdu ce qu'ils pensaient être leur don magique.

Au lieu de retrouver la docilité que leur avaient témoignée les Japonais, ils se heurtaient à un nationalisme ombrageux et volontiers agressif. Ainsi vérifiait-on *a contrario* que les dispositions psychologiques des Japonais avaient contribué au succès des réformes conçues et mises en œuvre par les Etats-Unis.

1945 : marasme national et pénurie collective.

En 1945, les habitants de l'archipel sont à bout de forces. Démoralisés par plusieurs années de souffrances et traumatisés par le choc de la défaite, ils se résignent à « supporter l'insupportable » et reportent leurs derniers espoirs sur le travail tenace et obstiné. Habitués depuis toujours à réparer les ravages de la nature — typhons ou séismes —, les Japonais s'emploient avec une détermination surprenante à reconstruire un pays que la guerre vient de transformer en un immense champ de ruines. Sur les décombres calcinés des grandes métropoles, s'édifient d'innombrables cabanes provisoires. Elles seront peu à peu remplacées par des constructions en dur. Les usines sinistrées sont réparées avec des moyens de fortune. Les épaves de matériel de guerre sont systématiquement récupérées et utilisées comme matières premières.

Les exploitations agricoles ont dans l'ensemble moins souffert de la guerre que les usines. Elles manquent cependant encore cruellement d'engrais et de matériel. L'agriculture japonaise n'est plus en état, même dans les meilleures années, de satisfaire les besoins d'une population en rapide augmentation. Ce sont naturellement les citadins qui souffrent le plus de la pénurie. La ration alimentaire moyenne descend à 1500 calories par jour, soit un niveau voisin du minimum de subsistance. Ceux dont le domicile n'a pas été détruit par les bombardements, sont contraints à d'incessants va-et-vient entre la ville et la campagne pour échanger, contre quelques denrées alimentaires, les derniers biens de famille qui leur restent. Obligés de se dépouiller une à une de leurs dernières richesses, les Japonais ne perdent pas pour autant leur sens de l'humour : beaucoup prennent l'habitude de surnommer cette période de leur existence « leur vie d'oignon ». Certains cherchent à compléter leur ordinaire grâce aux maigres récoltes qu'ils tirent du moindre lopin de terre ; un chemin abandonné, l'emplacement dévasté de leur ancien domicile, suffisent à leur fournir un jardin improvisé. Ils échappent ainsi partiellement aux conséquences de l'inflation galopante qui appauvrit inexorablement tous les salariés.

La pénurie bouleverse l'équilibre économique des campagnes et des villes. La plupart des paysans ont conservé leur vieille maison et produisent les denrées nécessaires à leur subsistance. En revanche, les citadins ont perdu dans les bombardements toutes leurs réserves économiques et souffrent de malnutrition chronique. Beaucoup ne parviennent à subsister que grâce aux livraisons massives de ravitaillement des Etats-Unis; les Japonais, habitués à un régime à base de riz, ont d'ailleurs du mal à s'adapter aux produits alimentaires américains. Le marché noir se développe dans les grandes villes; il est aux mains de gangsters professionnels et de Coréens venus pendant la guerre remplacer dans les mines et les usines les ouvriers envoyés au front. Après la défaite, 600 000 de ces Coréens choisissent de se fixer dans l'archipel pour profiter du statut de semi-vainqueur que leur réserve le régime d'occupation. Ils donnent alors libre cours à la haine accumulée contre l'ancien colonisateur et affectent souvent de se comporter en hors-la-loi. La conjoncture leur est favorable dans la mesure où aucun citadin ne peut à l'époque se dispenser de recourir au marché parallèle.

Ces trafics appauvrissent le pays et choquent profondément une population habituée à obéir scrupuleusement aux lois et aux coutumes. La crasse et la saleté du Japon d'après-guerre sont également une source de souffrance pour un peuple féru de propreté et soumis au rite du bain familial.

Les conditions matérielles et morales ne s'améliorent que très lentement. En 1946, le revenu par tête s'est effondré au niveau à peine imaginable de 17 dollars et il n'atteint que 132 dollars en 1950, soit un chiffre extrêmement modeste pour un pays industrialisé. Après 1950 toutefois le redressement économique se poursuit à un rythme plus soutenu. Les réformes préconisées par la mission Dodge au printemps de 1949 permettent de revenir à l'équilibre budgétaire, d'enrayer la spirale inflationniste et d'éliminer les manifestations les plus criantes du marché noir. L'assainissement financier rend possible un nouveau départ économique. Dans le même temps, le déclenchement de la guerre de Corée, en juin 1950, provoque une forte demande américaine de biens et de services japonais qui remet en marche l'ensemble de la machine industrielle.

1950 : le Jimmu boom.

Une fois la pompe réamorcée, la production japonaise progresse à vive allure. L'ardeur au travail, qui est un trait constant de la mentalité et de la morale nippone, le haut niveau de qualification de la main-d'œuvre, l'aspiration généralisée à une formation supérieure, constituent pour le Japon des atouts majeurs dans le combat pour le redressement économique. Ces éléments font défaut à la plupart des pays en voie de développement et même à beaucoup de pays industrialisés. D'autre part, l'archipel substitue progressivement aux équipements sinistrés ou hors d'usage des machines modernes qui vont bientôt assurer aux usines japonaises une supériorité technique sur les firmes occidentales tributaires de leur outillage vieilli. Les innovations technologiques apparues en Occident depuis 1937, date à laquelle l'archipel s'est trouvé isolé du monde par la guerre, sont introduites dans l'industrie et stimulent les différentes branches de l'activité économique. Le *know-how* * américain pénètre au Japon par la vente de brevets d'invention ou la création de filiales japonaises d'entreprises établies aux Etats-Unis. De même, les crédits américains, octroyés généreusement sous forme de prêts bancaires ou de prises de participation dans les affaires japonaises, permettent de remédier à la pénurie de capitaux. Enfin, les approvisionnements en produits énergétiques bénéficient de la baisse mondiale des prix de transport du pétrole. Acheminés depuis le golfe Persique grâce aux supertankers géants, les hydrocarbures compensent l'insuffisance des ressources hydro-électriques et houillères de l'archipel.

Le redressement industriel s'accompagne d'une reprise du commerce extérieur. Le rééquilibre de la balance des paiements est à la fois la résultante des progrès accomplis dans le domaine industriel et la condition indispensable à la poursuite de l'effort de reconstruction. Les anciens marchés d'Asie sur lesquels le Japon écoulait à bon marché ses produits manufacturés sont peu à peu reconquis. Des débouchés nouveaux sont trouvés aux Etats-Unis et dans le reste du monde. Les premiers succès industriels et commerciaux du Japon d'après-guerre se manifestent dans le textile et les industries légères déjà très florissants avant la guerre. Plus tard, les industriels japonais parviennent à se placer en bonne position dans les nouveaux secteurs de pointe : appareils photographiques, caméras, motocyclettes, constructions navales, électronique. Ces productions, qui exigent une main-d'œuvre nombreuse et hautement qualifiée, conviennent particulièrement aux Japonais. L'exceptionnelle compétence technique des travailleurs associée aux bas salaires constitue une véritable prime pour les exportateurs japonais vis-à-vis de leurs concurrents. Progressivement, l'image d'un Japon répandant sa « camelote » à travers les continents fait place à une réputation de qualité.

La productivité agricole, en dépit de conditions particulièrement défavorables, progresse. Le manque de terres exclut en effet toute extension des surfaces emblavées. Par ailleurs, la réforme agraire qui fait accéder la majorité des exploitants agricoles à la propriété foncière, accentue encore la parcellisation des terres et paralyse toute tentative de rationalisation des méthodes culturales. Seuls l'amélioration des techniques agricoles et l'accroissement des investissements consacrés à l'agriculture peuvent aboutir à des gains de productivité. En quelques années, les Japonais rattrapent leur retard agronomique sur les autres pays. Adoptant l'usage des insecticides et des engrais chimiques les plus modernes, ils se dotent d'un outillage agricole perfectionné : petites moissonneuses-batteuses à moteur ou motoculteurs, dénommés dans l'archipel « cultivateurs » (bean-tractors). Le fermier japonais des années d'après-guerre jouit d'un niveau de vie relativement élevé qui lui permet d'investir et de renouveler ses équipements. A partir de 1955, les récoltes atteignent chaque année un niveau record qu'il n'est pas possible d'attribuer aux seules conditions climatiques.

Certes, les revenus tirés de la croissance ne sont pas tous réinvestis dans des secteurs productifs. Beaucoup de Japonais prennent l'habitude de dépenser leurs ressources dans des salles de jeux où s'alignent d'interminables rangées de machines à sous. En outre, l'économie se trouve en permanence menacée de surchauffe*. Les tensions inflationnistes sont particulièrement inquiétantes au cours des années 1953, 1957 et 1961. A chaque alerte, le gouvernement adopte des mesures destinées à freiner l'activité économique. L'essor industriel accentue en outre la vieille distorsion entre secteur moderne et secteur traditionnel. L'agriculture, en dépit d'incontestables progrès, garde un rythme de croissance très inférieur à celui de l'industrie tandis que les vieux métiers traditionnels et les activités semi-artisanales accusent un retard encore plus sensible. Beaucoup de marchés étrangers restent fermés aux produits nippons. Les exportateurs japonais doivent effacer les souvenirs laissés par la période de guerre. Les pays d'Asie, l'Europe et même, dans une certaine mesure, les Etats-Unis, continuent à redouter l'expansion économique nippone. Ils se protègent des produits japonais en les frappant de mesures discriminatoires ou de limitations quantitatives.

Le retard en matière d'équipements collectifs est encore plus sensible. Il s'explique par la relative brièveté de la période de modernisation industrielle et par les terribles destructions de guerre. Le Japon des années d'occupation est un pays pauvre en capital financier, en capital technique et en infrastructures de base. Les équipements scolaires et hospitaliers sont gravement insuffisants. Le système d'égouts, les installations sanitaires et le réseau routier sont vétustes et inadaptés. La pénurie de logements résulte en partie des traditions architecturales nationales. La prédilection pour les constructions en bois, compréhensible dans un pays forestier et sujet aux tremblements de terre, explique que la plupart des habitations japonaises n'aient pas survécu à la tourmente de la guerre. L'absence d'un parc de constructions durables, héritées des siècles précédents, est partiellement responsable de la grande détresse des citadins japonais pendant les années d'occupation.

Malgré ces carences et ces difficultés, le redressement

global de l'économie apparaît impressionnant. Vers le milieu des années 50, le Japon est parvenu à rattraper les niveaux de production des années 30 et le revenu par tête d'habitant a dépassé le montant d'avant-guerre. Le PNB évalué en prix constants augmente en moyenne de 10 % par an. Même si l'on fait la part de l'érosion monétaire consécutive aux tensions inflationnistes périodiques, le Japon réussit à conserver un taux de croissance largement supérieur à celui jamais enregistré par aucun autre pays sur une période comparable.

En outre la pression démographique diminue constamment après le *baby boom* de l'immédiat après-guerre; l'accroissement annuel de la population se stabilise bientôt aux alentours de 1 %, ce qui correspond aux plus bas taux recensés dans le monde à cette époque. Le déclin de la natalité résulte de la loi eugénique de 1948 * qui légalise l'avortement et préconise la généralisation du contrôle des naissances. L'interruption prématurée de la grossesse, qui ne se heurte au Japon à aucun tabou social ou religieux, est systématiquement encouragée par l'Etat et les entreprises privées. Par ailleurs, de très nombreux parents préfèrent désormais donner une bonne éducation à leurs enfants afin de leur offrir les meilleures chances de réussite professionnelle. Dans tous les milieux sociaux, la famille conjugale * tend à remplacer la famille nombreuse de type traditionnel.

Un accroissement démographique limité à 1 % par an ne pèse pas lourd dans un pays qui bénéficie d'un taux de croissance annuel de 10 %. Dès lors que l'augmentation de la population n'absorbe qu'une modeste fraction du PNB, le revenu par tête d'habitant enregistre de substantiels progrès. Cette amélioration des niveaux de vie alimente la croissance. En effet, les Japonais ont une propension à épargner traditionnellement élevée qui permet de maintenir un haut niveau d'investissements productifs au moment même où la disparition des grandes concentrations financières d'avant-guerre risque de tarir les ressources d'autofinancement. Grâce aux gains de productivité, les travailleurs des industries de pointe bénéficient d'augmentations salariales qui peuvent atteindre 10 % par an. Ces hausses, en se diffusant dans les différents secteurs de l'économie, contribuent à l'élévation du niveau général des rémunérations. Vers le milieu des années 50, les Japonais désignent volontiers l'expansion de leur économie par l'expression « Jimmu Boom ». Ils entendent ainsi montrer que l'archipel traverse une période de croissance économique encore jamais connue depuis la fondation légendaire de la dynastie impériale par l'empereur Jimmu en 660 av J.-C.

1960 : le Japon première société de consommation en Asie.

Le « miracle économique », selon une expression devenue classique, produit un inévitable choc en retour sur la société et les comportements collectifs. Les destructions de la guerre et les bouleversements de l'occupation ont précipité le rythme du changement social; la croissance économique vertigineuse et le retour à l'abondance achèvent de modifier les contours de la société japonaise. La débâcle de la défaite fait peser un discrédit durable sur toutes les autorités et les valeurs établies. Les brassages de populations, provoqués par l'expansion impérialiste et la fuite devant les raids aériens, transforment les modes de vie. La pauvreté écrasante des premières années d'après-guerre demeure longtemps perceptible dans les statuts sociaux. Le retour à la prospérité s'accompagne d'une nouvelle mutation sociale d'une ampleur sans précédent : la proportion des citadins par rapport aux ruraux ne cesse d'augmenter, la mobilité professionnelle s'accélère grâce aux progrès de l'automation, l'extraction houillère décline avec le développement des importations d'hydrocarbures. En définitive, la prospérité est acquise au prix d'une désagrégation du système traditionnel de relations sociales et d'une accélération du rythme de la vie.

La famille japonaise se transforme radicalement et achève une évolution déjà amorcée avant la guerre. A la famille traditionnelle se substitue la famille conjugale * qui ne regroupe que le père, la mère et les enfants mineurs. Par ailleurs, les femmes et les adolescents tendent à s'affranchir de la tutelle du *pater familias*. Les réformes de la période d'occupation et la prospérité générale jouent un rôle décisif dans ce mouvement d'émancipation. D'autre part, la prolongation générale de la durée des études et la diffusion de la culture rendent de plus en plus difficile le maintien des anciennes contraintes sociales.

Le double déclin de l'autorité familiale et du rôle de l'Etat confère aux organes d'information une importance sans précédent. Les Japonais se sont toujours montrés passionnés de lecture. L'amélioration des niveaux de vie donne à l'édition un nouvel essor qui se traduit par une extension de la diffusion des magazines. Les revues mensuelles, déjà largement répandues avant la guerre, s'insèrent désormais dans une gamme variée d'hebdomadaires et de quotidiens. Les journaux commencent à prendre des dimensions impressionnantes et exercent une influence encore jamais atteinte. Les trois principaux journaux de diffusion nationale — *Asahi, Mainichi* et *Yomiuri* — parviennent à tirer conjointement à plus de dix millions d'exemplaires le matin et presque autant le soir. Le moindre journal régional tire à plus d'un million de numéros. La presse est dans l'ensemble d'excellente qualité, ce qui explique qu'elle exerce une véritable magistrature d'opinion dont on ne trouve d'équivalent dans aucun autre pays. Au cours des années 50, la télévision, que les Japonais appellent *terebi,* se répand dans tous les foyers. La rivalité entre les deux chaînes d'Etat, dont l'une ne diffuse que des émissions éducatives, et les cinq chaînes privées permet un grand éclectisme dans les programmes. L'équilibre entre émissions culturelles et émissions récréatives apparaît relativement satisfaisant.

Les années 1950 sont aussi marquées par un rapide progrès de l'urbanisation. Si les régions rurales tendent à se dépeupler, les grandes cités se développent à un rythme d'autant plus intense que leurs dimensions sont plus grandes. C'est dans les années 60, que Tokyo atteint le seuil des 11 millions d'habitants et devient la première ville du monde. Si l'on y ajoute la population de Yokohama et des diverses cités satellites qui l'entourent, ce chiffre augmente encore de plusieurs millions. Toutes les grandes villes deviennent le théâtre d'une intense fièvre de construction. Les audacieuses structures d'acier des quartiers d'affaires font place dans les banlieues lointaines aux *danchi,* alignements interminables d'immeubles de quatre à six étages dans lesquels les Japonais possèdent de minuscules appartements. Les grands magasins, déjà nombreux avant la guerre, se multiplient. Encombrés de marchandises et grouillant de monde, ils proposent à leur clientèle de nombreux services annexes. Beaucoup organisent par exemple des expositions d'œuvres d'art et installent sur leurs toits des aires de récréation pour les enfants.

Le Japon constitue une variante originale de la société de consommation sans doute moins prospère que les différentes versions occidentales, mais, pour cette raison même, plus vivante. Du spectacle des villes japonaises, se dégage une impression de vitalité, de gaieté et d'irrépressible vigueur. L'art, qu'il soit local ou d'inspiration occidentale, s'y affiche avec exubérance. Elles sont le foyer d'une intense activité intellectuelle qui se traduit par des œuvres d'une grande fécondité. La littérature et le cinéma explorent des voies originales où se révèlent toutes les ressources d'invention des écrivains et producteurs japonais. Le quartier d'amusement de Tokyo, avec ses boîtes de nuit, ses cabarets, ses bars et ses enseignes lumineuses multicolores, est sans doute plus gai et plus vivant qu'aucun autre au monde.

L'apparition de nouveaux biens matériels symbolise le changement de mode de vie. A la ville, comme à la campagne, la télévision pénètre dans tous les foyers. Appareils photographiques, machines à laver, réfrigérateurs deviennent d'usage courant. Chaque maîtresse de maison dispose d'une marmite à riz électrique et des divers instruments électro-ménagers susceptibles de simplifier les tâches domestiques. Beaucoup d'appartements et de maisons sont dotés d'appareils à air conditionné. Enfin, la voiture familiale fait une timide apparition, mais la médiocrité du réseau routier aboutit immédiatement à des résultats désastreux. Le mot anglais *leisure* (loisir) devient le vocable à la mode; on forge l'expression « boom des loisirs ». Une foule compacte envahit périodiquement les stations de sports d'hiver, les plages et les tribunes des stades où se déroulent des matches de base-ball professionnels. Le souvenir des années sombres de l'immédiat après-guerre se dissipe. Un nouveau mot *akarui* (brillant) est accolé à tous les substantifs et sert à désigner en particulier la vie ou la société japonaise. Le Japon rural ne reste pas à l'écart de ce bouillonnement. Dans chaque ferme, la télévision apporte un reflet de la vie urbaine; la motocyclette, la camionnette ou une ligne de téléphone groupée au siège de la coopérative agricole locale transforment profondément la vie des campagnes. Peu à peu, le fossé qui s'était créé entre villes et campagnes, commence à se combler.

La généralisation du bien-être a toutefois ses contreparties. Les villes japonaises atteignent les limites extrêmes de la surpopulation et sont menacées par la pollution atmosphérique. Les réserves d'eau de Tokyo descendent souvent en dessous de la cote d'alarme. Routes et autoroutes deviennent le cadre des plus gigantesques embouteillages jamais connus. Le nombre des morts et des blessés de la circulation augmente dans des proportions inquiétantes. L'exceptionnel réseau ferroviaire et les échangeurs routiers des villes sont perpétuellement engorgés. Enfin, les troubles psychologiques sécrétés par toute société industrialisée et urbaine, n'épargnent pas le Japon. Nombreux sont ceux qui, dans l'anonymat des cités modernes, éprouvent un sentiment aigu d'aliénation ou d'anomie *. La criminalité et la délinquance juvénile, sans atteindre l'ampleur qu'elles revêtent aux Etats-Unis, deviennent préoccupantes; autant de symptômes d'un âge nouveau qui angoissent un peuple formé à l'obéissance et au respect des liens sacrés de la famille.

Antagonismes sociaux et clivages idéologiques.

Il serait inexact de se représenter l'étonnant redressement japonais comme l'élan unanime de tout un peuple. La défaite et l'occupation ont accentué les divisions de la nation. Le désarroi de la débâcle engendre des blessures qui seront longues à cicatriser. Toutes les valeurs morales ou sociales semblent s'effondrer sans que soient proposés de nouveaux idéaux. Au milieu de cette dérive générale des normes et des systèmes de référence, une seule certitude s'impose : l'inéluctabilité d'un changement qui emporte le pays vers des voies inconnues. Pour avoir quelque idée de la rapidité de cette évolution, on peut se représenter l'ensemble des transformations survenues aux Etats-Unis de 1920 à nos jours et les affecter, dans le cas japonais, d'un coefficient multiplicateur de 3 ou 4.

Tant de bouleversements façonnent de nouvelles attitudes collectives. Les Japonais de l'après-guerre semblent avoir perdu tout idéal national et décident de ne plus jamais se laisser entraîner dans la guerre. Ils proscrivent systématiquement ce qui peut apparaître comme une manifestation verbale ou visuelle de nationalisme. Le drapeau national ne flotte qu'en de très rares occasions; quant à l'hymne national, on l'exécute si peu que les enfants qui l'entendent à la télévision lors des matches de lutte ou *sumo,* l'appellent le « chant du *sumo* ». Les jeunes en général considèrent tout ce qui transcende le cadre national avec un a priori favorable. Par une sorte de snobisme collectif, les Japonais de cette époque sont portés à se comparer aux nations occidentales les plus avancées. Cette attitude les conduit à sous-estimer le remarquable redressement qu'ils viennent d'opérer.

Le pacifisme idéaliste est le second trait qui caractérise les Japonais des années 50. Les désastres de la guerre semblent condamner définitivement la politique militariste. L'opinion se convainc de l'inanité du bellicisme. L'archipel prend l'engagement solennel de se tenir à l'écart des conflits futurs et s'oriente vers des positions résolument neutralistes. Les deux bombes atomiques de 1945 ont créé une véritable psychose de l'arme nucléaire. Les populations s'insurgent à l'idée que leur gouvernement puisse un jour l'utiliser à des fins défensives et elles organisent des mouvements de protestation contre les expériences nucléaires tentées à l'étranger, notamment aux Etats-Unis. La renonciation à la guerre, inscrite dans la Constitution, jouit de la faveur unanime. Même après le redressement complet de leur économie, les Japonais s'en tiennent à une diplomatie conciliante et se gardent de revenir à la « politique du bâton ». Etonnés de la profonde animosité suscitée par leurs conquêtes passées, ils observent la plus grande réserve à l'égard de leurs voisins asiatiques, même lorsque ceux-ci sollicitent leur aide ou leur expérience.

Pacifisme et refus du nationalisme sont à vrai dire les deux seuls thèmes autour desquels se rassemblent tous les citoyens japonais. Pour le reste, les divisions sont multiples. Les conflits de générations, déjà connus en Occident, revêtent dans l'archipel une particulière acuité. Il est vrai qu'entre l'adolescent des années 1950, son père qui a atteint la maturité vers 1920 et son grand-père qui a connu l'ère Meiji, les différences ne tiennent pas seulement au renouvellement des générations : tous trois sont en fait issus d'univers radicalement différents. Leur vision du monde a si peu de points communs qu'ils donnent l'impression de ne pas parler le même langage. Cette situation, qui n'a qu'un faible retentissement sur la vie familiale, engendre en revanche, en milieu universitaire et au niveau de la société globale, une série d'incompréhensions préoccupantes.

Les clivages professionnels constituent une autre source de conflits. Leur pesée sur la société japonaise est nettement plus perceptible qu'aux Etats-Unis où la mobilité sociale en atténue la portée. Le haut fonctionnaire, l'homme d'affaires vivent dans un monde qui se situe aux antipodes de celui de l'intellectuel. Ce dernier, que les Japonais désignent du terme prestigieux de *interi,* peut être un professeur d'université, un écrivain ou plus généralement tout homme de formation supérieure n'appartenant ni à la fonction publique ni au secteur privé. Bien qu'issus des mêmes universités et imprégnés du même goût germanique pour l'abstraction et l'idéalisme, les intellectuels et les hommes d'affaires cessent de se comprendre une fois entrés dans la vie active. Le monde de l'économie contraint les uns à devenir plus pragmatiques, tandis que la vie universitaire confine les autres dans des théories livresques qui ne seront jamais confrontées avec une réalité réputée sordide.

La distance sociale semble plus grande encore entre

les ruraux et les milieux intellectuels ou étudiants des villes. Le Japon provincial forme la citadelle des anciens partis politiques. La vie collective s'y articule autour d'une multiplicité de relations interpersonnelles, de clientèles, de liens de patronage et d'influences locales qui ne sont pas sans rappeler le pragmatisme de la démocratie américaine. Les intellectuels des grandes métropoles s'insurgent contre cette vie provinciale qu'ils qualifient de « féodale »; ils lui opposent un idéal démocratique, socialiste ou communiste, volontiers exprimé en termes doctrinaires.

Les relations entre la classe ouvrière et le patronat s'inscrivent dans un climat de suspicion mutuelle et d'hostilité réciproque. Cet antagonisme latent n'a pas les mêmes motifs qu'aux Etats-Unis. Dans le Japon d'après-guerre en effet, le monde du travail continue à offrir à l'individu une sécurité d'emploi héritée de l'ère préindustrielle. Les patrons estiment avoir une obligation morale à l'égard de leurs employés qu'ils doivent protéger tout au long de leur existence [1]. L'insuffisance de travail ou de rendement constitue rarement des motifs de licenciement. Ceci explique que le Japon de la fin des années 50 ne connaisse pas de problème de chômage aigu. Les salaires, en grande partie versés sous forme d'avantages annexes, sont modulés en fonction de l'ancienneté de service et des responsabilités familiales des travailleurs. Cette sollicitude toute paternaliste pour la situation personnelle de chaque employé, n'élimine pas pour autant les tensions sociales. Les toutes-puissantes centrales syndicales et le patronat se considèrent

1. On a souvent estimé que cette conception était une réminiscence de l'ancienne relation féodale *oyabun-kobun* (protecteur-client) qui traduisait un lien vassalique comportant une réciprocité de devoirs et d'obligations. Le système d'emploi permanent pratiqué par les entrepreneurs japonais est inséparable de ce contexte sociologique. *(N.d.T.)*

volontiers comme des ennemis. Les organisations de travailleurs croient peu aux vertus de la négociation et préfèrent concentrer leurs efforts sur la grande offensive salariale qu'ils lancent chaque année au printemps.

Les divisions et les tensions internes qui traversent la société japonaise se trouvent encore aggravées par les grands débats de politique générale, notamment le problème de la présence américaine. Les réformes politiques, économiques et sociales accomplies par l'occupant ont été conduites de manière pragmatique, sans qu'on se soit jamais attaché à en expliquer les fondements. Cette attitude est conforme à la tendance américaine à n'envisager les problèmes que sous leur angle pratique. En outre, il valait sans doute mieux que le régime militaire d'occupation ne se risquât pas à inculquer lui-même des principes de philosophie politique. Les Japonais des zones rurales apprécièrent donc la politique américaine exclusivement en fonction de son impact sur leur vie privée. Dans la majorité des cas, leur jugement fut favorable. En revanche, les intellectuels et certains citadins qui avaient une approche plus théorique, d'inspiration souvent marxiste, montrèrent davantage de réticence.

Les idées marxistes avaient gagné les milieux étudiants et intellectuels dès la fin de la Première Guerre mondiale. Elles avaient ensuite continué à se répandre malgré la réaction militariste des années 30. Comme la pensée conservatrice d'alors se résumait en une exaltation mystique de la « volonté impériale », les libéraux et les démocrates furent bientôt laminés entre cette doctrine obscurantiste et la montée du totalitarisme. Ne disposant d'aucun corps de doctrine solide et trop enclins aux compromissions, ils finirent par se discréditer en coopérant avec le régime des militaires. Seule l'extrême-gauche avait su se tenir à l'écart et préserver toute sa pureté doctrinale. Elle apparut bientôt comme la seule force capable d'assurer la relève de la dictature militaire. Lorsque les militaires et les partisans de l'empereur furent éliminés par la défaite, l'opinion japonaise interpréta leur disgrâce comme une justification a posteriori des idées défendues par la gauche. L'occupation américaine, en restaurant les libertés publiques, permit aux socialistes et aux communistes de prendre le contrôle de la presse, des universités et des associations d'étudiants. Le syndicat des instituteurs et des professeurs de l'enseignement secondaire fut bientôt dominé par l'extrême-gauche. Ainsi s'aggravait le hiatus entre la tradition libérale-démocrate dont s'inspiraient les réformes de la période d'occupation et l'idéologie marxiste dont se réclamaient de larges secteurs de l'opinion publique.

Le marxisme japonais restait attaché à la lettre de la doctrine énoncée par Karl Marx au milieu du XIXe siècle. A la différence des marxismes des autres pays développés, de régime communiste ou capitaliste, il continuait à s'appuyer sur une analyse empruntée aux premières sociétés industrielles d'Europe occidentale. A une étape de l'histoire appelée « capitalisme », définie par référence à la situation des pays industrialisés des années 1850, devait succéder inéluctablement une nouvelle étape historique dénommée « socialisme » et reflétant l'aspiration utopique à un avenir idéal. A ce stade ultime du développement historique, chacun travaillerait selon ses capacités et recevrait selon ses besoins. Le capitalisme était réputé engendrer l'impérialisme et l'impérialisme la guerre, de sorte que tous les conflits internationaux pouvaient être imputés au capitalisme. Le décalage entre cette théorie et les réalités de l'histoire du XXe siècle, pourtant observable au Japon même, ne semblait guère ternir la popularité et la vigueur du mouvement communiste japonais. Ses adeptes et de nombreux éléments conservateurs imprégnés par un marxisme diffus, paraissaient ne pas s'apercevoir que le capitalisme était devenu très différent de ce que Marx prévoyait et que les sociétés réputées socialistes se rapprochaient fort peu des rêves de l'auteur du *Capital*.

Le marxisme prospérait donc sur un terrain intellectuel pourtant peu propice. Les ruraux et les provinciaux gardaient une mentalité profondément conservatrice. Par ailleurs, les Japonais étaient dans l'ensemble trop pragmatiques pour nourrir des controverses doctrinales. Enfin, les stéréotypes nationaux jouaient en faveur des pays capitalistes et au détriment des pays socialistes. Nulle part, la crainte et la méfiance des Russes n'étaient plus répandues qu'au Japon. L'attitude à l'égard des Chinois comportait davantage de condescendance que de respect véritable. En revanche, les Etats-Unis et les démocraties d'Europe occidentale, suscitaient une vive admiration. La plupart des Japonais considéraient comme vitale la poursuite de relations amicales avec les Etats-Unis. Les couches populaires en particulier éprouvaient une réelle affection pour l'ancien occupant dont elles imitaient systématiquement les comportements et les attitudes.

Dès les premières années d'après-guerre, le Japon semblait attiré par deux courants divergents. Les réformes de la période d'occupation et les relations privilégiées avec les Etats-Unis ouvraient une première voie. A l'opposé, l'orientation marxiste des intellectuels et de nombreux citadins semblait engager le pays dans une seconde direction. Entre ces deux courants, la tension était inévitable. Elle fut portée au paroxysme par la guerre froide. La nation qui avait réformé la société nippone apparut désormais comme le principal adversaire d'un système politique auquel bien des Japonais étaient attachés. Dans de larges secteurs de l'opinion, on se mit à discuter avec un imperturbable sérieux sur le point de savoir si le principal ennemi du peuple japonais était « l'impérialisme américain » ou le « capitalisme monopoliste japonais ».

Cette situation eut pour effet d'aggraver ce que l'on

pourrait appeler la « fixation américaine » au Japon. La supériorité militaire et économique des Etats-Unis avait entraîné une véritable dépendance de l'archipel à l'égard de Washington. Cette allégeance de fait ne pouvait que heurter les sentiments de la fraction antiaméricaine de l'opinion nippone. Dans ces conditions, tous les grands débats de la politique japonaise interféraient plus ou moins directement avec la question des relations nippo-américaines. Même après le rappel des troupes, la présence américaine semblait avoir laissé une empreinte indélébile. Les Etats-Unis, pratiquement seuls, venaient d'occuper pendant près de sept années l'archipel. Le Japon démilitarisé restait tributaire de la défense américaine. La plupart des liens extérieurs contractés en matière culturelle et éducative étaient noués avec Washington. Des régions entières de l'archipel paraissaient envahies d'Américains. Rien de surprenant dès lors que les Japonais aient fini par voir un Américain en tout Occidental qu'ils rencontraient sur leur sol, sauf preuve formelle du contraire. Quant aux enfants, il ne leur venait pas à l'idée d'employer le terme de *gaijin* (*étranger*) pour désigner les Occidentaux qu'ils appelaient indistinctement « Américains ».

Les retentissants succès économiques de la fin des années 50 ne suffisent pas à effacer le sentiment de dépendance à l'égard des Etats-Unis. Rares sont les Japonais qui comprennent alors que l'extraordinaire croissance de leur économie résulte du très bas niveau de leurs dépenses militaires, rendu possible par le pacte de sécurité avec les Etats-Unis. A la différence de la plupart des pays européens qui consacrent entre 4 % et 5 % de leur produit national brut à leur défense, ou des Etats-Unis qui y consacrent 9 %, le budget militaire du Japon ne représente que 1 % de son PNB. D'autre part, les Etats-Unis ont apporté l'essentiel de la technologie et du capital nécessaires au redressement japonais. Ils fournissent à l'archipel près de 30 % de ses matières premières importées et absorbent environ le tiers de ses exportations. De tels chiffres rapportés aux dimensions de la puissance américaine qui contrôle à cette époque le tiers de l'activité économique mondiale, n'ont rien d'excessif; ils n'en montrent pas moins l'emprise globale des Etats-Unis sur l'économie nippone. Les Japonais qui craignent que leur pays ne passe sous la domination économique d'une puissance étrangère, songent d'abord aux banques et aux sociétés américaines. Les industriels qui redoutent que des mesures protectionnistes ne viennent frapper les produits nippons, pensent en premier lieu aux décisions que risque de prendre le Congrès américain.

Les Japonais d'après-guerre imputent volontiers aux Etats-Unis la responsabilité de leurs sujets de mécontentement. Les conservateurs incriminent les réformes de la période d'occupation et leurs conséquences. Les neutralistes et a fortiori les adeptes d'un alignement du Japon sur les pays communistes, s'insurgent contre l'alliance militaire et le maintien des bases américaines. Quant aux marxistes, ils dénoncent les relations privilégiées avec un pays qui se présente comme « le leader du bloc capitaliste ». Enfin, l'homme de la rue commence à trouver gênante la présence continuelle des troupes américaines; il attribue volontiers à la politique asiatique de Washington l'origine des tensions qui embrasent la scène internationale.

Le dépérissement de tout sentiment national provoque en outre une incertitude généralisée quant au sort présent et futur de l'archipel. Ceux qui craignent que le Japon ne soit en train de perdre son identité culturelle et son âme mettent en cause l'américanisation des mœurs. Ce problème s'avère beaucoup plus préoccupant pour les Japonais que pour les Français qui, à la même époque, dénoncent la colonisation par le Coca Cola et la pénétration du « franglais ». Au Japon toutefois, l'invasion des mots américains se heurte au rempart infranchissable de la langue; les termes anglais sont souvent utilisés sous des formes abrégées et cocasses ou dans un sens dérivé fort inattendu.

En définitive, la mobilisation des énergies au service de la reconstruction n'a pas suffi à éliminer toutes les sources de conflit. Au milieu des années 1950, de multiples principes de division traversent la société nippone. Conflits de générations, divergences entre intellectuels et élite économique, opposition des villes et des campagnes, antagonismes sociaux, controverses sur la présence américaine constituent autant de lignes de clivage autour desquelles s'articulent les débats et les luttes politiques de l'après-guerre.

13

La vie politique démocratisée (1945-1960)

Les antagonismes sociaux, les conflits idéologiques et le lancinant problème des relations nippo-américaines, expliquent les remous de la conjoncture politique d'après-guerre. Néanmoins, la vie politique perpétue bien des traits des années 1920-1930. En dépit de convictions largement répandues qui s'accordent à dater de 1945 le début d'une nouvelle ère de la vie politique nippone, les comportements et les structures politiques révèlent une étonnante stabilité. Les anciens partis fortement implantés en milieu rural et dans les petites villes de province, retrouvent leur leadership traditionnel; ils se partagent avec les milieux d'affaires et la bureaucratie la direction politique et économique du pays. Ces différents notables provinciaux cherchent à infléchir les réformes de la période d'occupation avec lesquelles ils se sentent souvent en désaccord.

En revanche, les intellectuels, les masses ouvrières et les éléments d'opposition sont plutôt favorables aux réformes d'après-guerre; mais en désaccord avec la politique américaine, ils deviennent de plus en plus critiques. Faute de pouvoir s'assurer une majorité à la Diète ou dans des élections locales, ils se tournent vers les méthodes d'opposition violente : obstruction parlementaire, grèves politiques, manifestations de rues. Beaucoup d'hommes de gauche sont peu attachés à la démocratie parlementaire qu'ils considèrent comme un moyen parmi d'autres d'accéder à une société socialiste. Selon une boutade de l'époque, le terme *demo,* un des vocables les plus ressassés dans l'après-guerre, aurait été forgé non à partir de « *demo*cracy » (démocratie) mais de « *demo*nstration » (manifestation). Le recours aux affrontements directs et la rhétorique violente de la presse de gauche confèrent à la vie politique japonaise une particulière véhémence que l'extrême stabilité des résultats électoraux et la continuité d'une gestion gouvernementale relativement efficace ne suffisent pas à masquer.

La renaissance de la démocratie parlementaire.

L'occupation avait correspondu pour l'archipel à une ère de parfaite stabilité politique. Les Américains, après avoir craint un moment qu'une révolution populaire ne renversât le gouvernement, s'étaient aperçus que les seules menaces de subversion provenaient de l'extrême-gauche et avaient alors interdit le recours à la violence. En fait, la véritable raison de la stabilité politique résidait sans doute dans le succès même des réformes qui, imposées de l'extérieur par une autorité incontestée, étaient plus aisément applicables que si elles avaient émané d'un gouvernement national issu des élections. En outre, l'entrée en vigueur des mesures nouvelles retirait beaucoup d'arguments aux adeptes d'un changement de société.

Dans les premiers jours de novembre 1945, soit deux mois seulement après le début de l'occupation, les vieux partis politiques qui avaient fusionné en 1940 au sein de l'Association nationale pour le service du trône, ressuscitent de leurs cendres. Le vieux parti *Minseito* [1], rebaptisé parti progressiste (*Shimpoto*), se donne pour président Shi-

1. Cf. tableau des partis politiques, t. I, pp. 192-193.

dehara. Ancien ministre libéral des Affaires étrangères dans les cabinets *Kenseikai-Minseito* des années 20, Shidehara succède le 9 octobre au prince impérial qui avait été choisi pour présider à la capitulation des forces armées. Le parti *Seiyukai* reprend le nom de *Jiyuto* (parti libéral) qu'il portait au XIXe siècle. L'ancien parti social des masses fait peau neuve sous l'étiquette de parti socialiste (*Shakaito*). Même le parti communiste (*Kyosanto*), qui n'avait plus d'existence légale depuis 1924, réapparaît le 1er décembre 1945. Réorganisé par d'anciens dirigeants récemment relaxés, il bénéficie de l'apport de nouveaux militants qui regagnent l'archipel après plusieurs années passées auprès des communistes chinois.

Les premières élections générales de l'après-guerre ont lieu le 10 avril 1946. La dispersion des forces politiques paraît désorienter le corps électoral car plus du tiers des suffrages se portent soit sur des candidats indépendants (20,4 % des voix), soit sur l'une des quelque soixante formations minoritaires (14,9 % des voix). Les socialistes doublent leur représentation par rapport à 1937, passant de 9,1 % à 17,8 % des voix. Les communistes, en dépit d'une intense propagande, ne totalisent que 3,8 % des suffrages. Les 43 % restants vont aux libéraux et aux progressistes, qui accusent une sensible régression par rapport aux 71 % qu'ils avaient obtenus aux élections de 1937. Même réduit, leur succès n'atteste pas moins une étonnante continuité politique par rapport à l'avant-guerre. Cette relative stabilité est d'autant plus remarquable que presque tous les anciens parlementaires affiliés à l'Association nationale pour le service du trône ont été éliminés par la purge de 1945. Il est significatif que 81 % des membres de cette première Chambre basse soient des hommes nouveaux.

Avec 140 sièges sur 466, le parti libéral dispose de la majorité relative à la Chambre des représentants. Son principal leader est Hatoyama, un vieux routier de la politique, que les autorités d'occupation écartent à la veille des élections. Il est accusé d'avoir destitué des professeurs d'université pour leurs opinions politiques, lors de son passage au ministère de l'Education nationale au début des années 30. Son successeur, Yoshida, ancien haut fonctionnaire des Affaires étrangères et ancien ambassadeur à Londres, a jadis pris publiquement position contre la guerre. Il devient Premier ministre le 22 mai.

Sur les huit premières années d'après-guerre, Yoshida va rester sept ans à la présidence du Conseil. Il incarne parfaitement tous les traits de la vie politique de son époque. Par ses origines, il appartient à cette génération de hauts fonctionnaires qui, s'apercevant que l'épicentre du pouvoir s'est déplacé, ont choisi tardivement la carrière politique. Formés par les meilleures universités, ils ont acquis dans l'administration une expérience concrète du gouvernement. Devenus responsables des partis conservateurs, ces hommes occuperont le devant de la scène politique pendant les vingt-cinq premières années de l'après-guerre, à l'exception d'une brève période de deux ans. Yoshida accepte de jouer le rôle de bras séculier des autorités d'occupation. Ce statut de médiateur agréé lui permet de se maintenir à la présidence du Conseil, même quand il ne dispose que d'une minorité à la Diète. Pendant toute cette période, la fonction de Premier ministre exige une excellente connaissance de l'anglais et ce n'est sans doute pas pur hasard si Shidehara, Yoshida et Ashida sont tous trois issus du ministère des Affaires étrangères. Les relations avec l'occupant permettent enfin à Yoshida d'adopter sur certaines affaires une attitude particulièrement énergique et autoritaire à laquelle il lui faudra renoncer après la signature du traité de San Francisco. Yoshida reste en définitive la seule personnalité politique marquante du Japon d'après-guerre. Sachant se rendre indispensable, il est bientôt surnommé « l'homme à tout faire du régime ».

En avril 1947, se déroulent une série de consultations électorales dans la perspective de l'entrée en vigueur le mois suivant de la nouvelle Constitution. Aux élections locales réapparaît la vieille tendance d'avant-guerre à éviter les étiquettes politiques : près des deux tiers des 46 préfets, plus des deux tiers des maires urbains et les neuf dixièmes des maires ruraux se font élire sous l'étiquette « indépendant ». Dans la première Chambre des conseillers, près de la moitié des élus se disent indépendants. Ces hommes sont en réalité très proches des partis conservateurs avec lesquels ils ont parfois des liens personnels. En dépit ou, au contraire, en raison même des profonds changements introduits par l'occupation, le Japon s'affirme comme une nation essentiellement conservatrice.

Les secondes élections législatives, qui se tiennent le 20 avril 1947, marquent un reclassement général des forces politiques. Une nouvelle formation, le parti coopératiste (*Kyodoto*), recueille 7 % des suffrages, tandis que les autres partis secondaires et les candidats indépendants ne remportent plus que 11 % des voix. Le vote communiste reste stationnaire au niveau de 3,7 % et les 78 % restants se répartissent à égalité entre les trois grands partis dominants : parti socialiste, parti libéral et parti progressiste qui s'intitule désormais démocrate (*Minshuto*).

Cette consultation est également la première dans laquelle la distribution de prébendes n'ait joué aucun rôle appréciable. Avant-guerre, le parti au pouvoir disposait de fonds électoraux qui lui permettaient de stipendier les électeurs compréhensifs. Désormais, le régime d'occupation fait la chasse à la corruption. Les libéraux doivent donc se contenter des seules ressources de leur parti, au moment même où il leur faut répondre à des critiques dirigées contre la politique de l'occupant. Ils perdent ainsi

9 sièges tandis que les socialistes avec un nombre de suffrages légèrement inférieur au leur, obtiennent la majorité relative (143 sièges). Le 24 mai, ils constituent avec les démocrates et le parti coopératiste un cabinet de coalition présidé par l'ancien socialiste chrétien Katayama.

Ce gouvernement à dominante socialiste est en réalité extrêmement composite. Il lui est difficile en régime d'occupation d'appliquer à son gré une véritable politique socialiste. C'est néanmoins lui qui essuie désormais les critiques adressées à la politique d'occupation. Enfin, les anciennes divisions du mouvement socialiste réapparaissent et, devant une révolte de l'aile gauche de son propre parti, Katayama doit démissionner. Il est remplacé le 10 mars 1948 par le chef du parti démocrate Ashida. Ancien diplomate, ce dernier forme un nouveau cabinet de coalition qui regroupe les trois mêmes partis. Cette seconde combinaison connaît bientôt le sort de la précédente. Après sept mois passés au pouvoir, Ashida doit se retirer devant la défection des socialistes et sous l'accusation générale de corruption.

Yoshida revient alors à la présidence du Conseil le 15 octobre 1948. Comme il ne s'appuie que sur une minorité à la Diète, il dissout la Chambre basse pour provoquer de nouvelles élections. Le scrutin du 23 janvier 1949 consacre la déroute des deux gouvernements sortants. Les trois partis jusqu'alors au pouvoir — démocrate, socialiste et coopératiste — n'obtiennent respectivement que 15,7 %, 13,5 % et 3,4 % des suffrages. Les voix qu'ils perdent ne profitent que faiblement aux candidats indépendants et aux petites formations, mais elles se reportent massivement sur les deux principaux partis d'opposition. A gauche, les communistes doublent le nombre de leurs suffrages et recueillent 9,7 % des voix. A droite, les libéraux, avec 44 % des voix disposent de 264 sièges; ils sont ainsi le premier parti depuis la guerre à obtenir la majorité absolue au sein de la Chambre basse. Cette victoire permet à Yoshida de conserver le pouvoir jusqu'au terme de la période d'occupation. Il sera encore Premier ministre au moment de la promulgation du traité de paix.

Les partis politiques d'après-guerre.

Le retour de Yoshida en octobre 1948 coïncide avec le revirement de la politique d'occupation. L'année suivante, le gouvernement japonais retrouve une partie de sa souveraineté. Les mesures d'exclusion frappant les personnes privées sont peu à peu rapportées au cours de l'année 1951; elles sont définitivement levées après l'entrée en vigueur du traité de paix, le 28 avril 1952. Le transfert des pouvoirs intervient d'ailleurs à temps, car l'opinion japonaise supporte de plus en plus difficilement la présence étrangère. La tension accumulée éclate à l'occasion du 1er mai qui suit le retour à l'indépendance; la fête du travail donne lieu à une émeute au cours de laquelle sont saccagés des biens appartenant aux Américains.

Le départ des autorités d'occupation incite Yoshida à provoquer des élections anticipées qu'il fixe au 1er octobre 1952. Ses amis libéraux améliorent légèrement leur score. Bien que les hasards de la répartition territoriale des suffrages restreignent leur effectif parlementaire à 240 membres, ils conservent une confortable majorité. Le parti démocrate, qui a repris le nom de parti progressiste *(Kaishinto)* qu'il portait dans les années 1880, et qui vient d'absorber le petit parti coopératiste, se relève lentement de sa débâcle électorale de 1949. Les partis de gauche apparaissent comme les grands perdants de la consultation.

Les communistes sont discrédités aux yeux de l'opinion qui leur impute la responsabilité d'une série d'actes de violence survenus au cours de l'été 1949. Depuis la guerre, les Japonais désapprouvent toute forme d'agitation entraînant mort d'homme. Six mois plus tard, en janvier 1950, Moscou condamne ouvertement la ligne de conduite adoptée par le parti communiste japonais. On lui reproche, outre son attitude trop molle, de s'accommoder de l'institution impériale et de chercher à donner de lui-même une image trop attrayante. Le parti revient alors à l'intransigeance qui lui fait perdre une fraction de son audience et lui attire diverses mesures répressives de la part des autorités occupantes. Son journal est frappé d'interdiction et une purge atteint les principaux dirigeants qui doivent se réfugier dans la clandestinité. Aux élections de 1952, les candidats communistes n'obtiennent que 2,6 % des voix et aucun siège.

La situation des socialistes est de nature toute différente. La renaissance des rivalités idéologiques de l'avant-guerre a provoqué la chute du cabinet Katayama. En octobre 1951, la querelle du traité de paix consomme la scission du parti. L'aile droite se sépare de l'aile gauche qui refuse un traité que ni l'Union soviétique ni la Chine n'ont voulu signer. Les deux factions se rendent séparément à la bataille électorale de 1952 où elles présentent des candidats distincts. Les résultats accordent aux deux tendances réunies 21 % des suffrages et 111 sièges, avec une légère avance pour l'aile droite. Sans être catastrophiques, ils sont assurément très inférieurs à ceux qu'eût donnés l'unité de candidature.

La scission du parti socialiste est liée à la division des centrales syndicales. Ces dernières fournissent au parti l'essentiel de ses moyens d'organisation, la moitié de sa représentation parlementaire et une large part de ses suffrages; l'influence qu'elles exercent sur les décisions du parti est hors de proportion avec leur importance numérique. Depuis le début de l'occupation, communistes et socialistes s'affrontent pour la direction du mouvement ouvrier. Les communistes, fortement organisés et disciplinés, n'éprouvent aucune difficulté à établir leur contrôle nominal sur les syndicats; mais les aspirations de la base à une réelle démocratisation, jointes à certains courants anticommunistes, tendent à ramener la plupart des unions sous une direction socialiste. Les syndicats socialistes éclatent en deux catégories : ceux qui regroupent les ouvriers de l'industrie privée préfèrent recourir aux grèves ou à des négociations sectorielles destinées à arracher des hausses de salaires, tandis que les syndicats de « cols blancs » et de fonctionnaires préconisent une action politique plus globale et la lutte directe contre le gouvernement. C'est à partir des syndicats de « cols blancs » que se constitue le *Sohyo*, qui s'impose dès 1950 comme la principale centrale se réclamant de la gauche marxiste non communiste. Les éléments plus modérés, qui préfèrent les revendications de type économique, forment en 1954, le *Zenro*. Au début des années 60, le *Zenro* fusionne avec d'autres organisations [1] au sein d'un nouvel organisme, le *Domei*. Quelques centrales restent sous contrôle communiste tandis que beaucoup refusent toute affiliation à une organisation nationale ou rejoignent le groupe des « syndicats neutres ».

Les partis conservateurs sont aussi confrontés au problème de l'unité. Plus proches du club de parlementaires que du grand parti structuré de type moderne, ils sont mal implantés dans le pays, comme en témoigne le succès

1. Le *Zenro*, organisation dissidente du *Sohyo*, rejoint alors la *Sodomei* qui se situe dans la tradition réformiste des premiers syndicats japonais d'inspiration sociale-chrétienne. Toutes choses égales d'ailleurs, le *Domei* peut être comparé à notre CGT-FO, tandis que le *Sohyo* se rapprocherait de la CGT. *(N.d.T.)*

écrasant des candidats indépendants à chaque élection. Localement, les partis conservateurs reposent sur deux éléments : l'autorité personnelle de chaque parlementaire (*jiban*) et les organisations qui soutiennent son action (*koenkai*). Le concours des notables et des groupes influents joue un rôle prépondérant et tend à éclipser les grands débats d'intérêt national au profit d'affaires purement locales. Les partis conservateurs japonais s'appuient donc davantage sur un réseau de relations personnelles, comme aux Etats-Unis, que sur une organisation nationale centralisée comme en Grande-Bretagne. Il en résulte une relative autonomie de chaque parlementaire à l'égard de son propre parti. Le goût de l'indépendance est d'ailleurs renforcé par le manque de ressources financières des partis de droite et par la nature du système électoral. Ce dernier, qui permet à trois, quatre ou cinq membres d'un même parti de se présenter concurremment dans une même circonscription, entraîne paradoxalement une lutte plus serrée entre les différents candidats conservateurs qu'entre la droite et la gauche. De même que dans nos pays occidentaux le parlementaire qui aspire à devenir ministre entre en lice avec les membres de son propre parti, de même le candidat japonais à la députation doit affronter des hommes qui défendent son propre programme.

Une telle situation pouvait nuire à la discipline de vote et rendre la Diète ingouvernable. Mais l'esprit de soumission propre aux Japonais et la survivance des anciens modes de relations sociales préservent toujours l'homogénéité du parti. Le député conservateur s'aligne généralement, avec une docilité toute « féodale », sur les chefs de file de son groupe parlementaire. Il espère ainsi qu'on lui accordera des fonds pour sa réélection ou qu'on l'appuiera pour obtenir un portefeuille ministériel. Le factionnalisme * constitue dès lors un des traits permanents de la vie politique nippone. Les partis se trouvent sans cesse menacés par la sécession de groupes entiers. Ces factions ont plus un caractère personnel qu'idéologique et ne sont pas l'apanage exclusif de la droite. Le parti socialiste, en dépit de ses assises syndicales et de sa plus grande cohésion doctrinale, est également touché par le phénomène. De même que certains conservateurs oscillent alternativement entre le parti démocrate-progressiste et le parti libéral, les socialistes sont tour à tour sollicités par l'aile gauche et par l'aile droite de leur parti.

Dès le départ des Américains, Yoshida se trouve confronté au problème du factionnalisme. L'ancien chef du parti libéral, Hatoyama, que les autorités d'occupation avaient évincé, refait alors surface et tente de ressaisir la direction du parti. Comme Yoshida refuse de lui céder la place, Hatoyama quitte le parti libéral avec ses amis en mars 1953. Cette défection désagrège la majorité parlementaire et contraint Yoshida à dissoudre la Diète pour provoquer de nouvelles élections. Au scrutin du 19 avril, le parti libéral ne recueille que 39 % des voix et 199 sièges, perdant ainsi la majorité absolue au Parlement. Les progressistes viennent immédiatement après avec 76 sièges. Yoshida ne dispose plus désormais que d'un pouvoir précaire qu'il ne conservera que dix-huit mois.

A l'automne 1954, Hatoyama reprend l'offensive. En novembre, il conclut un accord avec les progressistes et réorganise leur parti sous le nom de parti démocrate. Dans le même temps, un autre vétéran de la politique, Ogata, essaye de réunir les deux partis conservateurs sous son autorité; la tentative échouant, il menace de retirer son soutien à Yoshida qui, en décembre 1954, doit finalement céder la présidence du Conseil à Hatoyama. Ce dernier s'efforce de consolider sa position par des élections qui se déroulent le 25 février 1955. Les libéraux perdent des voix et n'obtiennent que 26,6 % des suffrages, tandis que les démocrates s'imposent comme le parti majoritaire avec 36,6 % des voix et 185 sièges.

Les candidats indépendants, les communistes et les autres petits partis ne recueillent que 7,5 % de l'ensemble des suffrages. La vie politique japonaise semble donc organisée autour de 4 pôles formés par les deux partis conservateurs et les deux partis socialistes. Dans chacun des deux clans, l'unification paraît impérative. Les socialistes sont les premiers à y parvenir; ils se fédèrent le 13 octobre 1955 et un mois plus tard, le 15 novembre, les conservateurs fusionnent à leur tour sous le nom de parti libéral-démocrate (*Jiyu-Minshuto* ou, en abrégé, *Jiminto*). Le régime bipartiste des années 20 se trouve ainsi reconstitué. Hatoyama conserve la présidence du Conseil et est élu au printemps suivant premier président du nouveau parti conservateur unifié.

Les grands leaders d'avant-guerre disparaissent de la scène politique. Ogata meurt en 1956 et Hatoyama doit quitter la présidence du Conseil pour raison de santé en décembre. Il est remplacé par Ishibashi, un vieux politicien qui, à son tour, tombe malade et cède la place le 25 février 1957 à son principal rival Kishi. Ancien bureaucrate, Kishi avait été tenu à l'écart pendant l'occupation pour avoir participé au cabinet de guerre du général Tojo. Aux élections du 22 mai 1958, les candidats de son parti, le parti libéral-démocrate, s'assurent une solide majorité avec 57 % des suffrages et 287 sièges, contre 166 aux socialistes.

Les grands débats : remilitarisation et réinsertion diplomatique.

Depuis le retour de Yoshida au gouvernement en octobre 1948, les conservateurs dominent le pays. A partir du printemps 1952, ils sont libérés de la tutelle américaine et envisagent de restaurer l'ancienne société japonaise. En dépit de leur espoir d'en finir rapidement avec les réformes de la période d'occupation, la politique de réaction reste très modérée. En effet de nombreuses réformes, telles que la démocratisation de l'enseignement, ont créé des intérêts acquis sur lesquels il paraît difficile de revenir. Malgré les sarcasmes de certains contre les petites universités de province, les députés se gardent bien de mécontenter leur électorat en votant leur suppression. D'autre part, le passé national inspire une telle réprobation que l'opinion est en alerte dès qu'on fait allusion à un éventuel retour au *statu quo ante*. Les socialistes et les communistes combattent sans merci les plus anodines propositions législatives de peur qu'elles ne reviennent sur les acquis de la période d'occupation. C'est ainsi qu'ils s'opposent à l'établissement d'examens nationaux. Ils estiment qu'un tel système, en permettant d'identifier à travers les résultats des élèves les mauvais professeurs, fournirait un alibi pédagogique pour éliminer les enseignants engagés politiquement.

Les dirigeants conservateurs souhaitent aussi réviser la Constitution dont l'empreinte américaine est pour eux une source d'irritation constante. Par un double paradoxe, ce sont les conservateurs, favorables au maintien de l'alliance avec les Etats-Unis, qui trouvent la Constitution « trop américaine », alors que les partis de gauche, violemment antiaméricains s'opposent à toute révision constitutionnelle.

La campagne révisionniste lancée par les conservateurs en 1954 porte sur deux points : le rétablissement de la souveraineté de l'empereur et la création d'une force de défense. En 1956 est désignée une commission de révision qui ne déposera son rapport que tardivement. A partir de 1955, la gauche qui dispose de plus du tiers des sièges dans chacune des Chambres, peut bloquer tout amendement. D'autre part, les jeunes générations se soucient peu du statut politique de l'empereur et espèrent parvenir à la remilitarisation par le biais d'une interprétation spécieuse de la Constitution. On se souvient qu'au cours de l'été 1950, une police nationale de réserve de 75 000 hommes avait été créée pour remplacer les troupes américaines envoyées en Corée. En août 1952, soit peu de temps après l'entrée en vigueur du traité de paix, Yoshida lui adjoint une force nationale de sécurité comprenant un petit contingent naval. En février 1954, les effectifs militaires sont de nouveau augmentés et fractionnés en trois catégories, respectivement intitulées : « forces d'autodéfense au sol », « forces d'autodéfense maritime » et « forces d'autodéfense aérienne ». Un Commissariat à l'autodéfense est chargé d'administrer l'ensemble. L'argutie juridique utilisée pour justifier cette infraction au pacifisme intégral, consiste à expliquer que la renonciation à la guerre inscrite dans la Constitution ne signifie pas l'abandon du droit d'autodéfense. Le commissaire à l'autodéfense est admis au rang de secrétaire d'Etat et bénéficie du statut de ministre sans portefeuille. En 1954, le principe de la décentralisation totale des forces de police est abandonné. Par ailleurs, deux ans plus tard, le ministère de l'Education nationale réaffirme son autorité en décidant que les membres des conseils d'administration des établissements d'enseignement jusqu'alors élus, seront désormais nommés.

Dans trois secteurs aussi fondamentaux que la défense, la police et l'éducation, la politique des conservateurs est donc en net retrait par rapport aux réformes de la période d'occupation. Une multitude de mesures secondaires interviennent dans d'autres domaines. Accueillies avec satisfaction par les uns et avec consternation par les autres, elles suscitent l'opposition farouche de la gauche qui choisit alternativement pour terrain d'expression la tribune parlementaire et la rue. Rétrospectivement pourtant, ces mesures ne semblent pas exclusivement dictées par la nostalgie du passé. Dans bien des cas, elles permettent d'opérer une utile décantation parmi la foison de réformes de l'immédiat après-guerre en ne laissant subsister que les meilleures.

Le Japon entreprend également de régler son contentieux diplomatique en rétablissant des relations normales avec ses voisins. Après l'entrée en vigueur du traité de San Francisco, Yoshida signe une paix séparée avec Formose et manifeste ainsi l'identité des positions japonaise et américaine à l'égard de la Chine. En novembre 1954, le Japon conclut avec la Birmanie un accord sur la question des réparations qui n'avait pas été réglée à San Francisco. Les cinq années suivantes, des accords similaires sont passés avec les Philippines, l'Indonésie et le Sud-Vietnam.

Les Japonais souhaitent ardemment retrouver une place dans la communauté internationale. Ils désirent surtout disposer d'un siège à l'ONU. Vers le nouvel organisme convergent tous les espoirs d'un peuple qui a perdu confiance dans les valeurs et les institutions purement nationales. Mais l'Union soviétique, qui a refusé de signer le traité de paix de 1952, demeure officiellement en guerre contre l'archipel et oppose un veto systématique à la candidature japonaise. En 1955, le Japon réussit cependant à se faire admettre au sein du GATT (General Agreement on Tariffs and Trade *). Hatoyama comprend que l'entrée de son pays à l'ONU est subordonnée à l'accord des Soviétiques. Les principaux points du contentieux entre les deux pays portent sur les prisonniers japonais et les îles du Pacifique nord. Les populations de l'archipel gardent un vif ressentiment à l'égard des Russes; une grande partie des prisonniers de guerre japonais ne sont en effet jamais revenus des camps de Sibérie. D'autre part le Japon, qui à San Francisco avait cédé aux Soviétiques les Kouriles, leur reproche de s'être emparé d'un chapelet d'îles rattachées en fait à Hokkaïdo. Le Japon revendique en outre la fraction méridionale de l'archipel des Kouriles qu'il avait jadis découverte et mise en valeur. Ces prétentions heurtent les Soviétiques qui font obstacle à la conclusion d'un traité. En octobre 1956 toutefois, Hatoyama parvient à une « normalisation » des rapports avec l'Union soviétique qui lui ouvre deux mois plus tard la porte des Nations unies.

L'amélioration des relations nippo-soviétiques constitue un incontestable succès pour les conservateurs, mais elle porte le germe de nouveaux conflits intérieurs. Au moment même où la réunification des partis socialistes et des partis conservateurs aggrave les tensions entre la gauche et la droite, la rentrée du Japon dans le concert des nations multiplie les occasions d'affrontements au sujet de la politique étrangère. Au fur et à mesure que l'archipel se dégage de l'influence politique américaine, les neutralistes et les hommes de gauche réclament l'établissement de relations tant avec les pays communistes qu'avec le « monde libre ». L'accord conclu entre Hatoyama et l'Union soviétique ne répond que partiellement à leurs aspirations. Le problème de la Chine communiste reste au cœur du débat.

Les Japonais ont toujours éprouvé à l'égard de l'immense continent chinois cette sorte d'attachement sentimental que l'on porte au berceau de sa propre civilisation; d'une certaine manière, la Chine leur tient lieu d'antiquité gréco-latine. Cette attitude procède à la fois de la mauvaise conscience héritée de leur comportement en Chine pendant la guerre et d'une condescendance qui les porte à excuser systématiquement les faiblesses de leur grand voisin. D'autre part, l'attrait exercé par un marché potentiel de plusieurs centaines de millions de consommateurs est très puissant auprès des hommes d'affaires japonais. Les secteurs économiques les moins dynamiques comptent sur l'adroite diplomatie des conservateurs pour leur ouvrir ce débouché prometteur. Le gouvernement nippon cherche surtout à assurer l'avenir économique en nouant des relations commerciales avec tous les pays, sans égard pour leur obédience politique. Pour justifier face à la Chine communiste la reconnaissance de Formose, il lance le slogan « séparation du politique et de l'économique ». Pékin est resté cependant longtemps réticent et a cherché à profiter des avances des Japonais pour faire pression sur leur politique intérieure. Prenant argument d'un incident mineur survenu à Nagasaki en mai 1958 et au cours duquel un jeune militant d'extrême-droite avait déchiré le drapeau de la Chine communiste, Pékin rompt pour plusieurs années les relations commerciales avec l'archipel. Les Japonais ne perdent cependant pas espoir et attribuent les difficultés qu'ils rencontrent sur le continent à l'intransigeance de la politique américaine à l'égard de la Chine. Certains leaders socialistes et communistes déclarent, de concert avec les autorités chinoises, que l'impérialisme américain représente « l'ennemi commun » du peuple japonais et du peuple chinois. Parmi ces déclarations, la plus célèbre reste celle que prononce en 1959 Asanuma, l'ardent secrétaire général du parti socialiste japonais.

Les hommes de gauche se montrent de plus en plus irrités du maintien des liens militaires avec les Etats-Unis. L'homme de la rue ne supporte plus la présence des bases et des soldats américains. De nombreux Japonais estiment que la sécurité du pays serait mieux assurée par un authentique neutralisme et un véritable désarmement que par une alliance militaire avec la grande nation capitaliste. Sa nature même, pensent les marxistes, l'incline inéluctablement à la guerre. Ces dispositions d'esprit vont être à l'origine d'une multitude d'incidents, de frictions et de poussées d'indignation populaire. Il suffit d'un accident militaire, d'un embouteillage provoqué par des mouvements de troupes, d'un délit commis par un soldat américain ou d'un conflit survenant entre travailleurs japonais et autorités d'occupation, pour déclencher de violentes manifestations antiaméricaines. Les affrontements les plus rudes surgissent avec les propriétaires fonciers. Dans un pays où la terre est aussi rare qu'au Japon, les fermiers appuyés par la gauche, se mobilisent chaque fois que l'occupant réquisitionne des terrains pour installer un champ de tir ou une piste aérienne. En 1955, s'engage un interminable conflit à propos de la base aérienne de Tachikawa dans la banlieue ouest de Tokyo.

L'opinion continue à réagir avec une vive émotion au problème atomique. Le 1er mars 1954, les retombées radioactives d'une expérience nucléaire américaine sur l'atoll de Bikini dans le Pacifique central, provoquent la mort d'un membre de l'équipage du bateau de pêche *Fukuryu-Maru n° 5* qui s'était aventuré dans la zone dangereuse. Les Japonais en éprouvent une véritable commotion collective. Etablissant un parallèle avec Hiroshima et Nagasaki, ils n'hésitent pas à assimiler l'incident de Bikini à une troisième attaque nucléaire. Les traditionnels rassemblements organisés le 6 août, en commémoration de l'explosion d'Hiroshima, donnent lieu cette année-là à une gigantesque manifestation de protestation contre les essais nucléaires américains. L'indignation est si intense que l'opinion, sans prêter attention aux expériences parallèles de l'Union soviétique, réclame la dénonciation immédiate de l'alliance américaine.

Kishi et la prorogation de l'alliance américaine.

Le redressement économique, la création des forces d'autodéfense et l'impopularité des bases américaines convainquent les autorités du Japon et des Etats-Unis de l'urgence de réviser les traités signés en 1951. Reflétant un rapport de forces désormais révolu, le traité permettait au Pentagone de disposer librement des bases qu'il possédait dans l'archipel pour « garantir la paix internationale, maintenir la sécurité en Extrême-Orient et assurer la défense du Japon ». Le gouvernement nippon pouvait, quant à lui, faire appel aux forces américaines « pour réprimer les émeutes graves et les atteintes à l'ordre public du pays ». Ces différentes dispositions, jointes à l'absence de terme prévu à l'application de cet accord, évoquaient trop pour les Japonais un protectorat de type semi-colonial.

En septembre 1958, les deux gouvernements annoncent leur intention de réviser le pacte de sécurité. Après des négociations prolongées, ils signent le 19 janvier 1960, un nouveau traité de sécurité mutuelle et de coopération. Cet accord impose aux Etats-Unis de consulter Tokyo avant d'utiliser leurs bases japonaises pour des opérations militaires en Asie (comme pendant la guerre de Corée) ou avant d'introduire des armes nucléaires sur le territoire de l'archipel. La durée d'application du pacte est fixée à dix années à l'issue desquelles chacune des parties signataires pourra se retirer sur un simple préavis d'un an. Tout donnait à penser que la gauche japonaise accueillerait favorablement le nouveau traité. Elle le jugea en fait pire que l'ancien car, à la différence de ce dernier qui avait été « imposé » par les vainqueurs, l'accord de 1960 était le fruit d'une négociation menée par un gouvernement libre et agissant de son plein gré. La gauche mena immédiatement campagne contre la ratification du traité.

Etant donné la solide majorité parlementaire dont disposaient les libéraux-démocrates, l'opposition de la gauche aurait pu rester sans conséquences si certains événements fortuits n'étaient survenus au même moment. Le 1er mai 1960, un U2 américain fut abattu pour avoir survolé le territoire soviétique et le Kremlin manifesta son indignation en reportant une conférence au sommet prévue entre Eisenhower et Khrouchtchev. Les Japonais éprouvèrent une grande contrariété de cet incident qui leur rappelait soudain leur dépendance à l'égard des Etats-Unis. Un peu plus tard, la visite du président Eisenhower, prévue pour le 19 juin 1960, dut être annulée in extremis en raison de l'émotion populaire qu'elle suscitait au Japon. Pour que le traité puisse entrer en vigueur avant l'arrivée du président américain, Kishi, pressé par le délai légal de 30 jours, avait demandé à la Chambre des représentants un vote surprise dès les premières heures de la matinée du 20 mai. Les socialistes qui, depuis quelque temps, essayaient par tous les moyens, y compris le boycottage des sessions et les mesures dilatoires, de retarder le vote, accusèrent Kishi d'avoir « forcé la main » à la Chambre en utilisant un procédé sinon anticonstitutionnel, du moins antidémocratique. Au sein de son propre parti, Kishi dut faire face à la défection de deux chefs de faction qui feignirent de s'offusquer de ne pas avoir été informés du vote impromptu.

Bien que Kishi ait su prévoir et écarter dans la nuit du 19 au 20 mai les obstacles juridiques qui s'opposaient à une ratification, il ne put empêcher la montée de l'indignation populaire. Aux clameurs contre le traité lui-même, s'ajoutaient désormais les protestations contre l'attitude du Premier ministre japonais et contre la visite du président américain. Beaucoup de modérés descendirent dans la rue pour protester contre la précipitation « antidémocratique » de Kishi, qui avait empêché l'opposition de s'exprimer sur une affaire importante et controversée. On vit même des personnes favorables aux Etats-Unis s'opposer à la visite présidentielle qui constituait à leurs yeux une ingérence abusive dans la politique intérieure nippone à partir du moment où elle semblait liée à la querelle de la ratification. La presse attisa encore les passions en condamnant unanimement Kishi.

Les communistes, les socialistes et les différentes organisations de gauche en profitèrent pour tenter d'effacer leurs échecs passés. Ils entretinrent une incessante agitation autour de la triple opposition au traité, à Kishi et à la visite présidentielle. Les citadins répondirent nombreux à leur appel, en particulier les étudiants encadrés par le *Zengakuren* *, le fameux Syndicat national des associations d'étudiants. Fondée en 1948, cette dernière organisation était restée sous contrôle communiste jusqu'en 1957 et regroupait depuis lors divers éléments gauchistes allant des trotskystes aux anarchistes. Ses militants virent avec surprise la masse généralement apathique des étudiants leur emboîter le pas et organiser des défilés en forme d'interminables « serpents » qui dégénéraient fréquemment en affrontements avec les forces de l'ordre. De leur côté, les syndicats mobilisèrent dans le calme leurs adhérents tandis que des mères de famille, des commerçants, des professeurs d'université et des catégories sociales habituellement passives descendaient à leur tour dans la rue.

Au cours du mois de juin, les cortèges rassemblaient dans l'ordre et la bonne humeur des centaines de milliers de personnes. Les Américains continuaient à se promener dans les rues sans être inquiétés et les déprédations matérielles restaient très limitées. On déplora toutefois quelques blessés légers, principalement parmi les activistes du *Zengakuren*. Le seul incident grave se produisit au cours de la nuit du 15 juin où une étudiante de l'université de Tokyo mourut piétinée dans un mouvement de foule. Etudiants et communistes réussirent à intimider le gouvernement qui, le 16 juin, pria le président Eisenhower de bien vouloir annuler sa visite. Le gouvernement américain conscient de la gravité de la situation s'empressa d'accepter.

Pendant les émeutes de mai et juin, beaucoup avaient

cru la démocratie menacée. De nombreux Japonais voyaient leur pays au bord du chaos. Après l'entrée en vigueur du traité le 19 juin, et l'échange des ratifications entre les deux pays le 23 juin, l'agitation cessa comme par enchantement. Le Japon tournait enfin la page des années difficiles et semblait entrer dans une phase plus paisible de son histoire.

14

La haute croissance des années 1960

Une fois tombée la fièvre du printemps 1960, la société japonaise semble brusquement libérée des multiples tensions qui l'agitaient depuis plusieurs années. Du jour au lendemain, les attitudes collectives et le climat politique se transforment radicalement. Ce revirement soudain tient à plusieurs raisons. Tout d'abord, les zones rurales n'ont pas été touchées par l'effervescence générale : la crise de 1960 est restée circonscrite à la capitale et aux principales villes. En second lieu, l'apaisement des passions permet une analyse plus lucide de la situation. Parmi ceux qui sont descendus dans la rue pour protester contre la politique « antidémocratique » de Kishi, beaucoup redoutent l'escalade de la violence. Seule une poignée d'extrémistes considère le recours à la pression populaire comme un moyen normal d'imposer sa politique.

D'autre part, les journalistes opèrent, comme disent les Japonais, un sérieux « retour sur eux-mêmes ». Depuis les années 1870, ils ont pris l'habitude de censurer publiquement les gouvernements généralement tout-puissants. Les événements de 1960 montrent l'extrême vulnérabilité du pouvoir face aux attaques de l'opinion et de la presse. Après cette date, les journaux japonais adoptent un ton plus mesuré et entreprennent une critique constructive de la politique gouvernementale.

Ikeda et l'expansion économique.

L'apaisement politique consécutif à la crise de 1960 s'explique aussi par le départ de Kishi qui cède bientôt la présidence du Conseil au modéré Ikeda. Ce dernier, ancien fonctionnaire des Finances, dirige au sein du parti libéral-démocrate une faction centriste qui se situe beaucoup moins à droite que celle de Kishi. Ikeda devient Premier ministre le 15 juillet 1960 et annonce qu'il observera une attitude « modeste [1] » : il promet de se mettre à l'écoute de l'opinion et de se montrer plus attentif aux aspirations de l'opposition. En évitant les affrontements politiques brutaux, Ikeda espère réaliser progressivement un large consensus national; soucieux de ne brûler aucune étape, il préfère la stratégie de la tortue à celle du lièvre. Il met d'ailleurs fin aux controverses en annonçant solennellement son intention de « doubler le revenu national japonais en dix ans ». L'avenir devait prouver que cette ambition n'avait rien d'irréaliste et qu'Ikeda s'était montré une fois de plus un expert financier de grande valeur.

Les élections organisées le 20 novembre 1960 apportent la preuve que le tumulte du printemps précédent n'a nullement entamé les positions du parti libéral-démocrate. Il obtient avec 57, 5 % des suffrages un score très voisin de celui de 1958 et bénéficie d'une légère augmentation du nombre de ses sièges à la Diète (296). Une fois de plus on enregistre l'existence d'une tendance de fond relativement stable qui donne à la vie politique japonaise une coloration nettement conservatrice.

La disparition des tensions politiques et sociales des années 1950 s'explique aussi par les exceptionnelles performances économiques de l'archipel. La croissance du

1. Les Japonais parlent de « posture basse ». *(N.d.T.)*

PNB se poursuit à un rythme vertigineux qui étonne autant les experts nippons que les observateurs étrangers. Avec l'abondance retrouvée, les Japonais réapprennent l'estime d'eux-mêmes et le goût de la vie.

On s'aperçoit bientôt qu'Ikeda s'est montré insuffisamment ambitieux en préconisant le doublement du revenu national en dix ans. Le PNB double en un peu plus d'un lustre et continue à progresser ensuite au rythme de 10 % à 14 % par an. Avant la fin des années 1960, le Japon rattrape l'Allemagne occidentale et lui dispute la place de troisième puissance économique, immédiatement après les Etats-Unis et l'Union soviétique. Le PNB approche de 200 milliards de dollars et le revenu par tête d'habitant dépasse largement 1 000 dollars. Le Japon rétablit l'équilibre de son commerce extérieur grâce à un excédent de sa balance des opérations courantes évalué, vers la fin des années 60, à un milliard de dollars. Sa capacité globale de production représente le quadruple de celle du continent africain et le double de celle de l'Amérique latine; elle n'est pas loin d'égaler celle de l'ensemble des autres pays asiatiques réunis, y compris le colosse chinois, l'Inde et le Moyen-Orient avec ses fabuleuses richesses pétrolières.

Le niveau de la vie mesuré en termes monétaires ne représente encore que la moitié de celui de l'Europe du Nord et du Nord-Ouest et que le quart de celui des Etats-Unis; il est cependant supérieur à celui de l'Europe méridionale et progresse à un rythme exceptionnellement rapide. Les experts s'accordent à penser que le Japon a toutes les chances de conserver pendant un certain temps le record du dynamisme économique, même si son taux de croissance accuse un fléchissement dans les prochaines années. Certains futurologues s'aventurent même à prédire qu'avant la fin du XXe siècle, le Japon aura dépassé le revenu par tête d'habitant de l'Europe du Nord et du Nord-Ouest et que sa production intérieure brute égalera celle de l'Union soviétique.

Cette propriété résulte en grande partie de l'étonnante expansion industrielle. L'archipel fournit à lui seul plus de la moitié du tonnage maritime mondial, vient en troisième position pour la production d'acier ou de véhicules à moteur et au second rang pour l'électronique. L'industrie lourde, la chimie, l'électronique et la mécanique de précision constituent les secteurs de pointe. En revanche, les textiles et les industries légères traditionnelles sont concurrencés par les autres pays asiatiques qui tiennent désormais le rôle qui avait été celui du Japon un demi-siècle auparavant. Les productions qui réclament beaucoup de travail et peu de capital technique sont souvent confiées à des filiales établies dans des pays à bas salaires mais disposant néanmoins d'une main-d'œuvre industrielle qualifiée; toutes les régions d'Asie dont les populations ont une éducation et une éthique professionnelle comparables à celles des Japonais (la Corée, Formose, Hongkong, Singapour), accueillent en nombre croissant des filiales d'entreprises nippones.

Les progrès de l'industrie sont largement dus au renouvellement des équipements depuis la guerre. Le puissant ministère du Commerce extérieur et de l'Industrie — Ministry of International Trade and Industry, en abrégé MITI — veille soigneusement à ce que les firmes japonaises n'empruntent à l'étranger que les meilleures innovations technologiques et aux conditions les plus avantageuses possible. Les traditions de coopération entre le gouvernement et le secteur privé permettent à l'Etat d'intervenir dans la vie économique plus judicieusement que dans les autres pays industrialisés; la politique conjoncturelle atteint au Japon une grande précision, qu'il s'agisse des mesures de freinage adoptées en cas de « surchauffe », des stimulants utilisés pour faire face à une menace de récession ou des avantages accordés aux entreprises de pointe. Contrairement aux autres pays, le Japon est perpétuellement menacé de surcroissance : son problème majeur est d'éviter que le PNB ne progresse à un rythme supérieur aux capacités d'adaptation de la société. Lorsque le gouvernement se fixe pour objectif un taux de croissance de 7 à 8 % en termes réels, il constate généralement en fin d'exercice que les résultats excèdent de 2 à 3 points ses prévisions initiales.

Paradoxalement, l'insuffisance de matières premières constitue pour le Japon un avantage supplémentaire. Les aciéries, entièrement localisées en bord de mer pour pouvoir s'alimenter à la source d'énergie la moins chère du monde, importent leur minerai de fer d'Australie ou d'Inde et leur charbon à coke des Etats-Unis; grâce à la baisse mondiale des taux de fret maritime, elles produisent un acier compétitif avec l'acier américain qui pourtant n'utilise que des matières premières locales...!

L'esprit d'organisation, le haut niveau de qualification et l'ardeur au travail de la main-d'œuvre japonaise sont des atouts décisifs pour l'archipel. La classe ouvrière partage les fruits de la croissance économique tandis qu'une certaine pénurie de travailleurs commence à se faire sentir. L'immense réservoir de main-d'œuvre rurale semble en passe de se tarir, sans que les offres d'emploi diminuent parallèlement. En effet, les entreprises prestataires de services continuent à utiliser davantage de main-d'œuvre qu'aux Etats-Unis et elles accordent à leurs employés une retraite relativement précoce. Le manque de jeunes travailleurs conduit les patrons japonais à se disputer âprement les diplômés de l'enseignement supérieur et plus encore ceux de l'école moyenne qui ne représentent qu'un cinquième du monde du travail. On s'arrache aux enchères étudiants et écoliers en leur faisant signer, bien avant la fin de leur scolarité, un contrat de travail.

La pénurie de main-d'œuvre permet de résoudre indirectement certains problèmes liés à la *structure dualiste* de l'économie. Certes, l'écart entre la productivité du secteur moderne et celle du secteur traditionnel continue à s'élargir. A l'intérieur du secteur moderne se dessine en outre un nouveau clivage entre les ouvriers des grandes firmes et les travailleurs temporaires des entreprises sous-traitantes qui ne bénéficient ni de l'emploi permanent ni des avantages annexes que les trusts accordent à leurs employés. En dépit de ces inégalités persistantes, les salaires du secteur traditionnel augmentent par suite de la rareté de la main-d'œuvre et de la ponction permanente exercée par la grande industrie. Les problèmes nés du dualisme économique sont pourtant loin d'être tous réglés : leur solution définitive impliquerait l'absorption d'une fraction accrue de la main-d'œuvre par le secteur moderne et la rationalisation du secteur traditionnel, en remplaçant par exemple les épiceries de quartier par des supermarchés encore peu nombreux au Japon.

La situation des agriculteurs s'améliore également malgré la superficie dérisoire de leurs exploitations. Leur relative aisance ne provient pas d'un nouveau bond en avant de la technologie agricole comme dans l'immédiat après-guerre; elle résulte surtout de la protection des hommes politiques conservateurs qui, pour se faire réélire, n'hésitent pas à fixer pour le riz des prix d'intervention atteignant le double des cours mondiaux. Cette garantie de revenus, jointe à la rapide diminution de la population agricole, assure aux campagnes japonaises une prospérité satisfaisante. L'exode rural, lié à la généralisation de la scolarisation, atteint dans certaines régions 90 % des classes de fin d'études. Les fils aînés qui héritent de la ferme familiale éprouvent souvent des difficultés à trouver une épouse. Beaucoup d'adultes, attirés par le travail industriel mieux rémunéré, vont chercher de l'embauche à la ville voisine; lorsqu'ils sont établis dans des régions reculées, ils occupent des emplois saisonniers dans la métropole la plus proche. Selon une expression japonaise, l'agriculture devient « l'activité de maman, de grand-mère et de grand-père [1] »; lorsque ces derniers ont disparu, c'est « maman » toute seule qui continue à cultiver le lopin familial. L'agriculture, qui absorbait environ la moitié de la main-d'œuvre jusqu'à la Seconde Guerre mondiale, n'emploie plus dans les années 1960 que 20 % de la population active.

Le soutien des cours des produits agricoles, les travaux d'appoint à la ville et la diminution du nombre de bouches à nourrir, assurent aux fermiers japonais une incontestable aisance par rapport à ceux des autres pays asiatiques. Beaucoup font l'acquisition d'une voiture; certains s'offrent des vacances à Hong-kong, aux Hawaii et même en Europe où, en rangs serrés, ils effectuent d'impressionnants marathons touristiques. Dans l'immédiat, de nombreuses difficultés subsistent. Le manque d'hommes en milieu rural n'est pas sans poser de graves problèmes sociaux. Des pères de famille, retenus à la ville par leur travail saisonnier, contractent des alliances clandestines avec des citadines et mettent en péril l'équilibre de leur foyer. A long terme, les problèmes sont encore plus sérieux. Il semble impossible de faire subventionner indéfiniment par le consommateur et le contribuable une riziculture que la taille minuscule des exploitations rend inefficace. Ce n'est pas avec des propriétés d'un hectare et des champs en terrasses à flanc de montagne que l'agriculture pourra répondre aux besoins d'un marché de 100 millions de consommateurs. La meilleure solution consisterait sans

1. Les Japonais parlent de « l'agriculture des trois *san* », puisqu'elle n'emploie que l'épouse (*oku-san*), la grand-mère (*oka-san*) et le grand-père (*oji-san*). *(N.d.T.)*

doute à remembrer les exploitations en des unités viables et à abandonner les terres les moins productives. D'ores et déjà, certaines régions particulièrement reculées cessent d'être emblavées.

En définitive, l'expansion économique, tout en bénéficiant au plus grand nombre, a aggravé certains problèmes. Les hausses de salaires, plus rapides que les gains de productivité, provoquent une augmentation continue du niveau général des prix : la croissance économique engendre des tensions inflationnistes. Le prix de l'immobilier à Tokyo n'a d'équivalent que celui des quartiers résidentiels de Manhattan. Cependant, les revenus de toutes les catégories socio-professionnelles progressent, tandis que le nivellement des comportements et l'élimination des grosses fortunes d'avant-guerre tendent à réduire les inégalités sociales.

Les rançons d'une croissance « sauvage ».

Entre le beurre et les canons, les gouvernements des années 30 avaient choisi les canons. Désormais, les dirigeants nippons préfèrent multiplier les usines plutôt que d'accroître les niveaux de vie. En augmentant les investissements industriels, ils frustrent le consommateur japonais d'une partie des fruits de la croissance et créent des germes de sérieuses tensions sociales. Les équipements collectifs sont déficients par rapport aux investissements directement productifs. Le Japon abrite quelques-unes des plus belles usines du monde, mais les logements, les routes et les écoles restent insuffisants et inadaptés. Le paternalisme des employeurs supplée difficilement les carences des services sociaux qui accusent un sensible retard sur ceux des pays d'Europe occidentale. Le développement de l'enseignement supérieur se heurte au manque de crédits. La pollution de l'air et de l'eau prend des proportions d'autant plus alarmantes que les espaces verts demeurent très réduits. La plupart des logements sont incroyablement exigus et les routes généralement étroites et congestionnées. Dans les agglomérations, le tissu urbain se modifie de façon parfois anarchique : la construction de préfectures modernes, d'hôtels de ville et de vastes auditoriums transforme l'aspect traditionnel des principales métropoles. La suppression des maxima de hauteur longtemps imposés pour éviter des catastrophes en cas de tremblement de terre, favorise à Tokyo la construction de gratte-ciel de quarante étages qui voisinent avec des hôpitaux ou des écoles vétustes et mal entretenus.

La saturation des moyens de communication menace constamment de paralyser le pays. La situation devient particulièrement critique au début des années 1960 lorsqu'est lancé, en prévision des Jeux olympiques de Tokyo, un plan d'équipement routier et ferroviaire. Il en résulte une fièvre de construction qui, dans un premier temps, aggrave encore le chaos général. Une fois les travaux terminés, la situation connaît cependant quelque amélioration. Les voies surélevées construites à Tokyo et Osaka, jointes aux transports souterrains déjà existants, permettent de décharger les lignes de chemins de fer. Des autoroutes à grande vitesse sont créées entre Tokyo, Nagoya, Kyoto et Osaka, tandis que le nouveau train express du Tokaido *, avec sa moyenne horaire de 170 km permet entre les différentes cités du sud de Honshu des liaisons rapides, efficaces et étonnamment respectueuses des horaires.

La croissance économique a pour effet d'accuser la dépendance de l'archipel à l'égard du commerce international. Les étonnantes performances industrielles s'expliquent partiellement par la taille d'un marché intérieur de 100 millions de consommateurs venant immédiatement après ceux des Etats-Unis et de l'Union soviétique. Mais le dixième de l'économie nippone reste étroitement tributaire du commerce international. Plus de la moitié des ressources énergétiques, la quasi-totalité des matières premières industrielles (minerais, coton, laine, bois de construction, pâte à papier) et la plupart des denrées alimentaires doivent être importées et financées en contrepartie par des exportations. L'industrie de la pêche, que le nombre de prises place au second rang après le Pérou, couvre les besoins en protéines de la population nippone. Grâce aux subventions gouvernementales, le Japon commence à produire sur son sol le riz nécessaire à ses habitants. On observe toutefois un fléchissement de la consommation globale de riz au profit du pain, de la viande et des produits laitiers. Cette transformation qualitative des habitudes alimentaires tend à modifier les caractères physiologiques des jeunes générations : il n'est pas rare de voir des enfants dépasser d'une tête leurs parents. Le problème du déficit alimentaire n'est pas résolu pour autant; le Japon continue à importer du blé américain ou australien, de la viande australienne ou néo-zélandaise ainsi que des plantes fourragères pour la nourriture du bétail, des graines de soja pour la production d'huile et un certain nombre d'autres denrées américaines. Plus de 20 % des produits alimentaires consommés au Japon proviennent de l'étranger.

La plupart des pays fournisseurs sont géographiquement éloignés de l'archipel. Les deux Amériques, l'Europe occidentale, l'Australie, l'Afrique et le Moyen-Orient fournissent plus des trois quarts des importations du Japon et absorbent les deux tiers de ses exportations. Aucune de ces régions ne se trouve à moins de 3 000 km des côtes nippones. En diversifiant ainsi ses partenaires commerciaux, l'archipel est devenu solidaire de l'ensemble du monde. Si le Japon des années 60 avait limité ses relations commerciales aux seuls pays jadis englobés dans la « sphère de coprospérité de l'Est asiatique », sa croissance économique eût été à coup sûr beaucoup moins spectaculaire.

Epanouissement national et vitalité culturelle.

Avec le retour de la prospérité et l'éloignement des années de pénurie, les Japonais reprennent confiance en leur destin. La croissance apporte un démenti aux prédictions de la gauche qui annonçait une catastrophe économique. Les partenaires sociaux, absorbés par la conquête d'un bien-être désormais à portée de la main, retrouvent le chemin de la paix sociale. Le principal conflit du travail de l'après-guerre — celui des mines de charbon de Miike à Kyushu — trouve son dénouement le 1er novembre 1960 lorsque les mineurs grévistes doivent se reconvertir en raison de la concurrence des pétroles du Moyen-Orient. De plus en plus, les syndicats préfèrent aux manifestations de rue les négociations techniques destinées à arracher des augmentations de salaire. A partir de l'année 1960, les relations entre syndicats et patronat perdent de leur véhémence. Chaque année « l'offensive de printemps » appuyée par des défilés de routine, débouche sur les traditionnelles négociations salariales. Au fil des ans, le 1er mai se mue en pacifique fête populaire à laquelle les travailleurs prennent l'habitude d'amener leurs jeunes enfants.

La généralisation du bien-être favorise une réhabilitation des valeurs nationales. On ne répugne plus à exhiber le drapeau japonais et l'on joue volontiers l'hymne national. Si le vocable de « patriotisme » n'est toujours utilisé que par les extrémistes de droite, le terme de « nationalisme » retrouve une certaine respectabilité. Pour se démarquer du régime discrédité des années 1930, les Japonais remplacent l'ancien mot correspondant à nationalisme par son équivalent anglais et parlent en toute liberté de *nashonarizumu*. Ce nouvel état d'esprit frappe tous les visiteurs des Jeux olympiques de Tokyo à l'automne 1964. Décidés à faire de ces 18e Jeux une manifestation mémorable, les Japonais mobilisent leurs énergies et leurs talents d'organisateurs au service de cette entreprise. Le succès de ces olympiades et leur rayonnement mondial apportent au pays un vent d'euphorie et un regain de fierté nationale.

Les Japonais sont de plus en plus nombreux à considérer avec un légitime orgueil le redressement de l'archipel. Les conditions d'existence des autres populations asiatiques les convainquent aisément qu'il fait bon vivre au Japon. Même l'Occident leur paraît quelque peu assoupi et prisonnier de ses habitudes. Les hommes d'affaires, les touristes et les étudiants qui parcourent le monde regagnent l'archipel sans déplaisir. L'étudiant avancé qui effectue une année d'études complémentaires dans une université américaine, en retire l'impression d'être transplanté dans un univers atonique, à moins qu'il ne soit à New York même. Peu de villes au monde peuvent en effet prétendre rivaliser avec Tokyo pour l'animation de la vie sociale et l'activité culturelle.

Les attitudes d'esprit et les structures mentales se modifient insensiblement. Les jeunes, formés par une éducation de type libéral et délivrés des traumatismes du passé, s'affranchissent des cadres intellectuels de leurs aînés. Les sciences économiques répudient peu à peu les schémas de l'analyse marxiste au profit d'interprétations moins doctrinaires. La jeunesse universitaire aborde les problèmes politiques, internationaux ou militaires avec une liberté d'esprit mêlée de pragmatisme qui donne bientôt le ton aux différents journaux.

Les forces d'autodéfense apparues dans les années 50 malgré les protestations de la gauche, commencent à être acceptées du grand public. Comprenant 250 000 hommes,

500 navires moyens et un millier d'avions à réaction, elles représentent un potentiel modeste mais efficace. La plupart des Japonais restent cependant attachés au pacifisme et affichent une hostilité de principe à l'égard de tout réarmement. Curieusement, ce sont souvent ces mêmes hommes qui réclament le droit à l'autodéfense et s'accommodent de la pseudo-remilitarisation opérée sous ce vocable.

Le Japon des années 1960 manifeste un irrépressible dynamisme culturel comme en témoignent plusieurs événements littéraires et artistiques. En 1968, Kawabata est le premier écrivain non occidental à recevoir le prix Nobel de littérature. Des architectes, des savants et des universitaires japonais acquièrent une réputation mondiale. Chaque année, de multiples congrès internationaux se tiennent dans l'archipel. La musique traditionnelle connaît une faveur nouvelle; d'autre part, Tokyo peut se vanter de posséder cinq orchestres symphoniques professionnels. La capitale comprend une inépuisable variété de cafés et de restaurants qui offrent souvent un programme musical à leurs clients. Première métropole mondiale, Tokyo est aussi une des principales villes universitaires où se concentre près de la moitié de la population estudiantine de l'archipel.

Les personnes âgées redoutent que le Japon ne perde son identité culturelle au contact de la civilisation technicienne d'inspiration occidentale. En revanche, les jeunes façonnés par la société moderne, s'inquiètent davantage de la qualité de la vie que de la disparition des anciens modes d'existence. Ils estiment au demeurant qu'un Japon modernisé peut néanmoins rester pleinement japonais. L'archipel parvient d'ailleurs à réaliser une synthèse étonnamment féconde entre tradition et modernisme.

Ce syncrétisme n'est pas propre au Japon. Tous les pays non occidentaux craignent que le processus de modernisation ne ternisse leur originalité culturelle et les débuts de l'industrialisation justifient souvent leurs appréhensions. Le Japon, en se situant délibérément à la pointe du progrès technique et économique sans rien renier de son passé, administre la preuve que tradition et modernité peuvent coexister. La mutation des comportements opérée en 1945 s'apparente en tout point aux transformations réalisées dans les pays occidentaux. Seul diffère le rythme du changement : l'archipel accomplit en quelques mois une évolution qui s'est étagée ailleurs sur plusieurs décennies. L'osmose des traditions nationales et des emprunts étrangers explique la surprenante vitalité de la civilisation nippone dans la seconde moitié du XXe siècle.

La culture japonaise exerce dans les années 1960 une profonde influence sur le monde extérieur, en particulier sur les Etats-Unis. Dans ce dernier pays, les arts appliqués et le *design* s'inspirent davantage des conceptions esthétiques nippones que de modèles occidentaux; de nombreux ateliers de céramique imitent les potiers de l'archipel. L'art des jardins, la décoration florale et le cinéma japonais acquièrent une réputation universelle tandis que certaines disciplines physiques ou mentales — le Zen *, le judo et le karaté — attirent un nombre croissant d'adeptes dans tous les pays.

Le passage de la société traditionnelle à la société moderne n'a guère altéré l'originalité culturelle du Japon. Le maintien de cette spécificité irréductible constitue parfois un handicap dans un monde où les distances sont abolies et où les solidarités économiques transcendent les frontières nationales. Entre l'archipel et le reste du monde, la barrière linguistique dresse un obstacle qu'aucun autre pays, à l'exception de la Chine, ne connaît au même degré. Comme peu d'étrangers parlent ou lisent leur langue, les Japonais doivent malgré eux devenir polyglottes.

L'anglais est, depuis l'époque Meiji, le principal moyen de communication avec le monde extérieur. En dépit des efforts fournis par les écoliers japonais tout au cours de leur scolarité et du travail intense des 60 000 professeurs d'anglais exerçant à plein temps dans l'archipel, les résultats sont décevants. Peu de professeurs d'anglais parlent correctement la langue qu'ils enseignent et beaucoup pratiquent une pédagogie routinière et inefficace. Il en résulte que seuls les cadres scientifiques, les hommes d'affaires des entreprises d'import-export et les employés de l'industrie du tourisme sont capables de tenir une conversation ordinaire en anglais. Le fait que de nombreux Japonais s'essayent à lire des ouvrages britanniques ou américains ne suffit pas à compenser le handicap linguistique. Le gouvernement de Tokyo parvient difficilement à faire entendre sa voix dans les différentes instances internationales. L'assistance technique et culturelle au tiers-monde ou les contacts commerciaux butent aussi sur l'obstacle du langage. La pensée et la science nippones demeurent assez isolées des grands courants mondiaux, exception faite des sciences de la nature. Les œuvres japonaises ou étrangères pâtissent souvent lourdement des inévitables déformations que leur fait subir la traduction en une autre langue.

Apaisement politique et consensus social.

En dépit du problème linguistique et de certaines difficultés persistantes, le climat politique et social ne cesse de s'améliorer au cours des années 1960. Le contexte international contribue d'ailleurs à l'apaisement général. Le président Kennedy exerce sur les Japonais une extraordinaire séduction. Comme partout dans le monde, il suscite surtout l'admiration des jeunes. Ce prestige explique l'accueil chaleureux réservé à Robert Kennedy lors de ses deux visites au Japon en janvier 1962 et en janvier 1964.

Grâce aux Kennedy, l'image de marque des Etats-Unis auprès de la population nippone connaît une sensible amélioration.

Tokyo et Washington tentent de faire oublier la tourmente soulevée par le traité de sécurité en estompant l'aspect militaire de leurs relations. Les rapports entre les deux pays prennent un tour plus égalitaire et Okinawa reçoit l'autonomie locale [1]. En novembre 1962, un comité du commerce et des affaires économiques, rassemblant des ministres des deux gouvernements, tient sa première réunion annuelle dans l'archipel. Grâce à la médiation américaine, le Japon obtient en juillet 1963 son admission à l'OCDE (Organisation de coopération et de développement économique). Il sera le seul pays développé extérieur au bloc atlantique à siéger dans cet organisme. C'est dans ce climat de coopération nippo-américaine que sont liquidées en juin 1961 les dettes japonaises à l'égard des Etats-Unis. L'archipel accepte de rembourser 490 millions de dollars en échange des secours et des prestations de toute nature reçus pendant l'occupation au titre du plan GARIOA (Government and Relief in Occupied Areas). Cette somme représente, comme dans le règlement financier signé l'année précédente avec l'Allemagne, environ un tiers de la dette originelle. Les populations nippones accueillent avec réserve le remboursement des dettes, mais elles manifestent moins de ressentiment à l'égard de l'ancien occupant. Les incidents liés à la présence des bases et des soldats américains se raréfient au fur et à mesure que l'opinion adopte des dispositions plus amicales à l'égard du grand voisin installé de l'autre côté du Pacifique.

1. Principale île de l'archipel des Ryu-Kyu, Okinawa sera officiellement restituée au Japon le 15 mai 1972, à l'issue de difficiles négociations commencées en 1969 entre le président Nixon et le gouvernement Sato. *(N.d.T.)*

Dans le même temps, l'évolution des pays communistes provoque un certain désarroi idéologique au sein de la gauche japonaise. Au début des années 1960, la rupture entre l'Union soviétique et la Chine de Mao embarrasse les socialistes et plus encore les communistes qui désormais oscilleront entre l'alignement sur Moscou, le soutien à Pékin et le refus de toute forme d'inféodation. L'attaque chinoise contre l'Inde, dont la gauche japonaise admirait le neutralisme sans équivoque, aggrave le malaise. A partir de 1964, les expériences nucléaires de la Chine détériorent encore la situation. Des retombées radioactives portées par les vents dominants atteignent les côtes nippones qui n'avaient jamais été touchées par les expériences américaines. Ces événements accentuent les divisions des forces de gauche jadis unies dans la lutte contre l'arme atomique. Les plus modérés des socialistes, qui avaient fait sécession en janvier 1960, boudent les cérémonies annuelles du mois d'août et constituent en 1961 un parti distinct. Deux ans plus tard, les socialistes condamnent globalement toutes les expériences nucléaires, qu'elles émanent des Etats-Unis ou des pays communistes. Ils engagent une lutte sévère contre le parti communiste nippon.

Dans les années qui avaient suivi l'accession au pouvoir de Mao Tsé-toung en 1949, beaucoup de Japonais se déclaraient partisans de la « voie chinoise » qu'ils estimaient plus riche d'avenir que la politique d'occupation américaine. Un revirement se manifeste au début des années 1960, lorsque le « grand bond en avant » annoncé par Pékin, se solde par un incontestable échec économique. La révolution culturelle de 1965, les excès des gardes rouges à partir de la fin de l'été 1966 et les nouveaux mécomptes économiques achèvent de ternir l'image de la Chine maoïste aux yeux de ceux qui la considéraient comme un leader mondial potentiel. Les exactions des gardes rouges rappellent fâcheusement aux Japonais le comportement de leurs « jeunes officiers » dans les années 1930. Enfin, le décalage entre les niveaux de vie, qui varient du simple au décuple entre la Chine et le Japon, enlève toute crédibilité au modèle de développement chinois.

15

Usure politique, percée diplomatique

La vie politique japonaise subit le contrecoup des transformations économiques et des nouvelles attitudes à l'égard du monde extérieur. Les fluctuations des relations nippo-américaines expliquent dans une large mesure l'éclatement des forces de gauche.

Les divisions de la gauche.

La scission des socialistes, qui est antérieure aux émeutes de 1960, se produit, comme en 1951, au sujet de l'attitude à adopter vis-à-vis des Etats-Unis. Trente-trois parlementaires issus de l'ancienne aile droite du parti font sécession parce qu'ils désavouent la campagne menée contre le traité de sécurité. Préférant dénouer progressivement les liens avec le Pentagone, ils entendent circonscrire leur opposition au plan strictement parlementaire. En janvier 1960, ils fondent le parti démocrate-socialiste (*Minshu Shakaito,* en abrégé *Minshuto*) sous l'autorité de l'ancien chef syndicaliste Nishio. Les élections qui ont lieu en novembre de la même année ne rapportent à la nouvelle formation que 17 sièges et 8,7 % des suffrages, soit moins du tiers des voix obtenues par le parti socialiste en dépit du soutien du *Zenro* (le futur *Domei* [1]). Malgré ce demi-échec, les

1. Cf. *supra* chapitre 13, p. 67.

démocrates-socialistes persévèrent dans leur défection; comme la plupart des partis socialistes d'Europe occidentale, ils se montrent davantage attachés à la démocratie parlementaire qu'à la réalisation des objectifs économiques socialistes. Leur sécession affaiblit l'ensemble du mouvement socialiste sans entamer profondément ses positions électorales.

Aux élections de 1960, le vote socialiste passe de 32,9 % à 27,5 % des suffrages; ce recul entraîne la perte de 21 sièges. Certaines tensions, que la dissidence des démocrates-socialistes ne suffit pas à lever, subsistent au sein du parti socialiste; elles portent sur la ligne politique et la direction du parti. De nombreux socialistes de l'ancienne aile droite se sentent en désaccord croissant avec leur propre parti que les options de politique étrangère et le recours à des formes d'opposition extra-parlementaires rapprochent des communistes. Ce modérantisme crée des affinités avec les démocrates-socialistes et la masse des électeurs socialistes généralement moins avancée que les dirigeants. Par un étrange mouvement de balancier, le parti socialiste japonais a tendance à glisser vers des positions extrémistes chaque fois qu'il tient un congrès national et à revenir vers le centre à chaque consultation électorale.

Une crise de succession se produit en octobre 1960 lorsqu'il faut remplacer Asanuma qui, à peine porté à la présidence du parti, est poignardé par un activiste d'extrême-droite devant toutes les caméras de télévision. Pour apaiser l'antagonisme des factions rivales, le choix se porte sur un chrétien de l'ancienne aile droite, Kawakami, qui est élu président en mars 1961. Malheureusement, le secrétaire général chargé de l'assister, Eda, ne fait guère l'unanimité. Egalement issu de l'aile droite du parti, il déchaîne une opposition farouche de l'ancienne aile gauche en préconisant une « politique de changement structurel » : il s'agit pour lui de réaliser progressivement le socialisme en s'en remettant à l'évolution démocratique des institutions et en faisant l'économie d'une révolution. Selon Eda, le Japon de l'avenir devra combiner en une synthèse originale les hauts niveaux de vie américains, le système de protection sociale soviétique, la démocratie parlementaire britannique et le pacifisme intégral nippon.

Ce secrétaire général hétérodoxe est bientôt remplacé par un personnage plus neutre, Narita. Le président Kawakami meurt à la fin de 1965; sa succession, qui écherra finalement au socialiste de droite Sasaki, contribue encore à accentuer les divisions du parti. La manière autoritaire de Sasaki indispose le groupe parlementaire socialiste qui, en août 1967, parvient à l'éliminer au profit d'un modéré d'origine bureaucratique, Katsumata. Ce dernier se trouve à son tour discrédité par la perte de 8 sièges socialistes lors des élections de juillet 1968 à la Chambre des conseillers. Les divisions des socialistes éclatent au mois de septembre lorsque la convention nationale du parti doit se séparer sans avoir pu désigner ses dirigeants. De nouvelles assises convoquées le mois suivant aboutissent à un fragile compromis. Narita, apparemment disposé à ménager l'aile gauche du parti, accède à la présidence, tandis que Eda redevient secrétaire général.

En dépit de leurs querelles intestines, les socialistes pouvaient raisonnablement espérer conquérir un jour le pouvoir. Les transformations de la société semblaient jouer en leur faveur. On assistait en effet depuis la fin de la guerre à une érosion régulière du vote conservateur. Le parti libéral-démocrate (*Jiyu-Minshuto*) regroupait deux courants très anciennement implantés dans le corps électoral japonais. Il s'appuyait à la fois sur les milieux d'affaires et les propriétaires fonciers; il s'était de ce fait aliéné les ouvriers, les intellectuels, les employés et plus généralement les citadins qui, comme contribuables, supportaient la charge de la politique de soutien des prix agricoles et souffraient du retard des équipements sanitaires et sociaux. Les électeurs des villes qui, déjà avant la guerre, avaient eu des positions politiques avancées, étaient de plus en plus nombreux à donner leurs voix aux partis de gauche. Or, la population citadine ne cessait d'augmenter par suite du mouvement d'urbanisation et d'industrialisation au moment même où l'exode rural menaçait de tarir l'électorat libéral-démocrate.

Le déclin régulier du vote conservateur au profit de la gauche s'explique ainsi par les mutations économiques et sociales liées au processus de modernisation de l'archipel. Les suffrages recueillis par les partis de gauche qui, aux élections de 1952 ne représentent que 26,5 % du total, augmentent d'élection en élection pour atteindre 39,4 % en 1960, soit une progression moyenne de l'ordre de 2 % par an. Si la tendance se prolongeait, la gauche pouvait espérer obtenir une confortable majorité avant 1970. Mais le mouvement se renverse après 1960. Aux élections de 1963, le vote de gauche ne progresse que de 1 % par rapport aux trois années précédentes; aux élections de janvier 1967, il enregistre une légère régression. Tandis que le mouvement d'urbanisation se poursuit à un rythme accéléré, la représentation des partis de gauche tend à plafonner à un niveau encore assez éloigné de la majorité relative. Fait nouveau, la jeunesse commence à se détourner de la gauche à laquelle elle avait jusqu'alors apporté un soutien indéfectible. Les leaders socialistes et communistes dénoncent l'embourgeoisement des jeunes générations plus préoccupées de leur confort personnel et de leur foyer que des grands débats politiques et sociaux de leur époque.

La persistance des divisions partisanes reste l'obstacle majeur au succès électoral des forces de gauche. La vieille rivalité entre socialistes et communistes, la dissidence des démocrates-socialistes et les antagonismes internes du parti socialiste aboutissent à un éclatement général des formations de gauche. A la division tripartite existante (communistes, socialistes, démocrates-socialistes), certains espèrent substituer une opposition binaire regroupant d'une part les communistes et l'aile gauche du parti socialiste, d'autre part, les démocrates-socialistes et l'aile droite socialiste. L'union de la gauche paraît irréalisable à moyen terme.

L'opinion publique commence en outre à se lasser de ces interminables querelles intestines, de la pérennité des principaux leaders politiques et de leur attachement à une rhétorique de plus en plus démodée. Prisonniers d'une conception apocalyptique de l'histoire et tributaires d'une analyse irréaliste des relations internationales, les dirigeants des partis d'opposition perdent certains électeurs en transposant artificiellement le vocabulaire anachronique de la lutte des classes à une population que l'accession généralisée au bien-être porte à épouser les réflexes des classes moyennes. Au lieu de canaliser les aspirations concrètes des masses japonaises menacées par l'inflation, la gauche continue à débattre abstraitement des destinées générales du capitalisme et du socialisme. Cette rigidité idéologique explique le déclin électoral des socialistes. Aux élections de 1967, ils perdent 4 % des voix, 4 sièges à la Chambre basse et redescendent avec 140 élus au niveau de leur plus faible représentation parlementaire depuis le milieu des années 50. Par ailleurs, l'appui des forces syndicales perd en efficacité. Le *Sohyo,* principale centrale japonaise, qui soutient habituellement les socialistes, atteint son effectif maximum en 1965 avec 4 250 000 adhérents avant d'amorcer une lente régression. En revanche, le *Domei,* qui regroupe certains travailleurs de l'industrie privée et apporte son appui aux démocrates-socialistes, bénéficie d'une rapide croissance; vers la fin des années 60, il atteint presque la moitié de la taille du *Sohyo.*

LES ÉLECTIONS À LA CHAMBRE DES REPRÉSENTANTS DEPUIS 1946 :

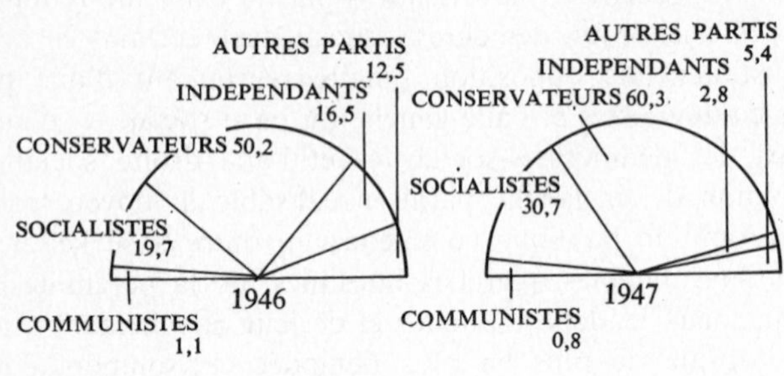

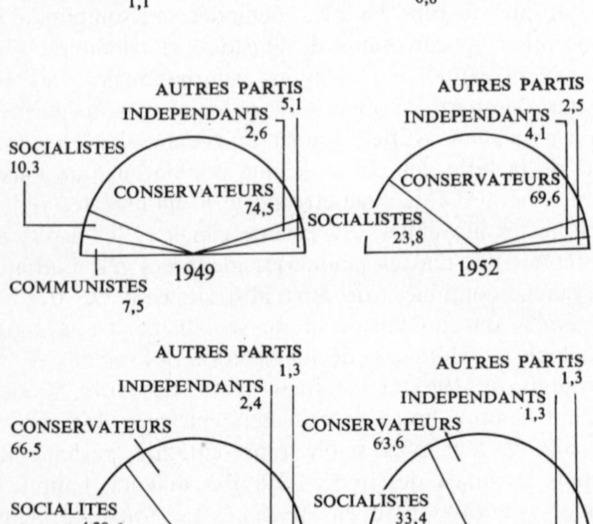

POURCENTAGE DES SIÈGES OBTENUS PAR CHAQUE FORMATION

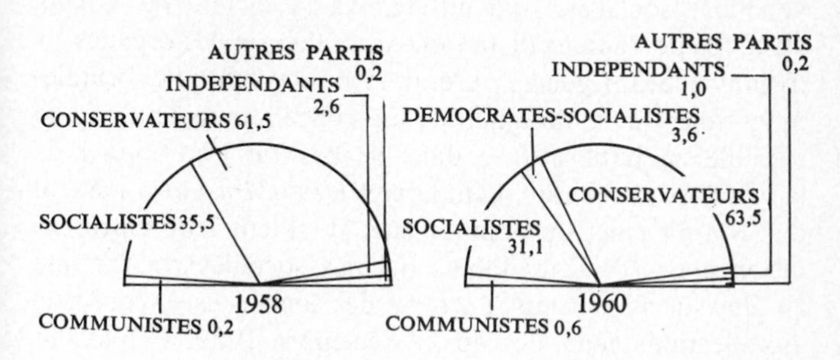

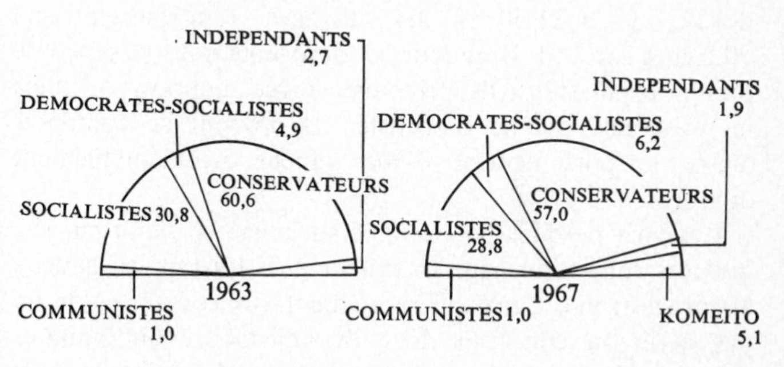

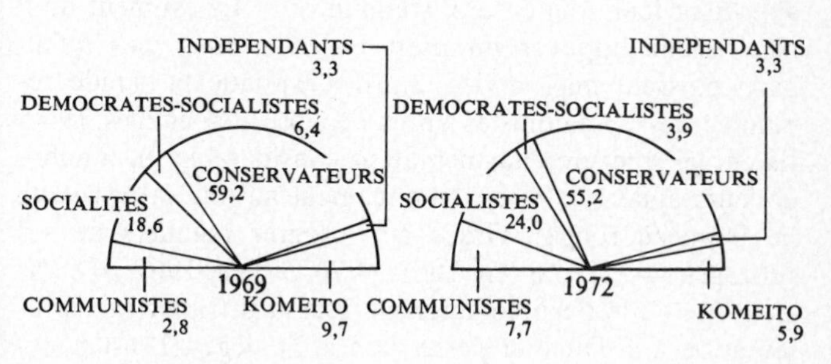

Les espoirs socialistes se réveillent en 1967 avec l'élection du professeur Minobe à la mairie de Tokyo. Cet universitaire socialiste, qui enseigne à la faculté de Tokyo, est le fils de l'auteur de la fameuse « théorie des organes [1] » formulée avant-guerre. L'enthousiasme retombe brutalement lors de la désignation du conseil municipal de la capitale en juillet 1969; dans ce bastion traditionnel de la gauche, les libéraux-démocrates (*Jiyu-Minshuto*) passent de 38 à 54 élus; les communistes doublent leur représentation avec 18 sièges tandis que les socialistes n'ont que 24 élus sur 45 sortants. Le recul des socialistes se confirme aux élections générales du 27 décembre 1969. Ils passent de 27,9 % à 21,44 % des suffrages et ne gardent que 90 sièges sur 140. Il ne leur est désormais plus possible de prétendre au statut de principale force d'opposition dans un éventuel système bipartiste; ils devront se contenter d'être le pôle central d'une gauche irrémédiablement divisée.

Les voix perdues par le parti socialiste se reportent sur diverses formations qui se situent à la fois sur sa gauche et sur sa droite. Ceux qui reprochent aux socialistes de ne pas avoir su conserver leur dynamisme révolutionnaire apportent leur soutien aux communistes. Ils estiment qu'il vaut mieux appuyer un parti restreint mais uni, qu'un parti puissant mais divisé. Ainsi s'explique la rapide remontée des communistes après l'éclipse des années 1950. Ils enregistrent une augmentation considérable du nombre de leurs adhérents et des abonnement au journal *Akahata* (le Drapeau rouge). Grâce aux progrès réguliers de ses suffrages — 2,9 % en 1963, 4,76 % en 1967, 6,8 % en 1969 —, le parti communiste réussit à tripler sa représentation à la Diète et passe de 5 à 14 sièges. Il est pourtant encore loin de faire le plein des voix qui s'étaient

1. Cf. *supra* tome I, ch. 9, p. 204 et chap. 10, p. 231.

portées sur lui en 1949 où il avait obtenu 9,7 % des suffrages et 35 sièges.

Le parti socialiste subit un grignotage plus sensible encore sur sa droite que sur sa gauche. Curieusement, les bénéficiaires du recul socialiste ne sont pas les démocrates-socialistes; passant de 8,7 % des suffrages en 1960 à 7,37 % en 1963, ces derniers opèrent une faible remontée en 1967 où ils gagnent 7 sièges à la Chambre basse grâce à une meilleure estimation du nombre des candidats présentés dans chaque circonscription. Ils réalisent un infime progrès aux élections de 1969 en obtenant 7,74 % des voix et 31 sièges portés ultérieurement à 32 par suite de l'affiliation d'un candidat indépendant.

De nombreux transfuges du parti socialiste rejoignent le « parti de la justice et de l'intégrité » ou *Komeito* *. Ce dernier se présente comme l'expression politique du mouvement religieux *Soka Gakkai* * qui se réclame du bouddhisme prêché par Nichiren au XIIIe siècle [1]. Parmi les différentes sectes politico-religieuses apparues au lendemain de la guerre, le *Soka Gakkai* occupe une place privilégiée grâce à sa clientèle qui compte plusieurs millions de disciples ardents. Répondant davantage à un besoin d'intégration sociale qu'à des aspirations religieuses, le *Soka Gakkai* apporte un encadrement à beaucoup de Japonais qui se trouvent désorientés par les mutations de l'après-guerre ou se sentent perdus dans l'anonymat de la société de masse. Le *Soka Gakkai* professe une doctrine simple et exige une adhésion sans réserve de ses membres auxquels il fait miroiter des avantages matériels immédiats. Il utilise un prosélytisme de choc qui, à plusieurs siècles de distance, renoue avec l'intransigeance de Nichiren. L'ensemble du mouvement est solidement structuré par de jeunes militants doués de remarquables talents d'organisa-

1. Cf. *supra* tome I, chapitre 4, p. 77.

tion et de mise en scène. Il recrute principalement dans les classes populaires et dans la fraction inférieure des classes moyennes urbaines, c'est-à-dire précisément parmi la clientèle habituelle des partis de gauche.

Jusqu'à ce jour, le *Soka Gakkai* ne s'est engagé qu'avec précaution dans le combat politique et a adopté une ligne d'action qui demeure quelque peu ambiguë. Hostile au parti libéral-démocrate, il met l'accent sur les questions internationales et utilise un vocabulaire qui le rapproche de l'opposition de gauche. Au-delà de cette terminologie, beaucoup de dirigeants du *Soka Gakkai* sont en réalité des conservateurs attachés à des conceptions régressives. Mouvement de classes moyennes, le *Soka Gakkai* attire d'ailleurs peu les intellectuels ou les militants ouvriers. C'est aux élections locales de 1955 que le mouvement *Soka Gakkai* présente pour la première fois des candidats; l'année suivante, il remporte six sièges aux élections à la Chambre des conseillers. Grâce à sa solide organisation, le *Soka Gakkai* sait évaluer avec précision le pourcentage des suffrages qu'il peut recueillir et parvient à une répartition optimale de ses candidats entre les différentes circonscriptions. Un tel discernement donne d'excellents résultats lors des élections à la Chambre haute car la moitié des conseillers sont élus par la nation tout entière. Il n'est pas rare que le *Soka Gakkai* parvienne à faire une estimation si précise des voix qui lui reviendront que tous ses candidats sont élus. C'est ainsi qu'il remporte en 1962 15 sièges sur 125 à la Chambre des conseillers. A partir de 1964, son organisation sous forme de parti politique (*Komeito*) lui permet d'améliorer encore sa représentation qui passe à 20 sièges en 1964 et à 24 en 1968. Avec 15 % des suffrages en 1968, le *Komeito* attire tout un électorat flottant qui ne veut voter ni pour les conservateurs ni pour la gauche. Aux élections municipales de Tokyo en juillet 1969, le *Komeito* obtient 25 sièges sur

126, soit un siège de plus que les socialistes. Deux ans auparavant, il avait présenté pour la première fois des candidats à la Chambre basse et recueilli 5,38 % des suffrages et 25 sièges. Aux élections générales de décembre 1969, il devient le troisième parti de la Diète avec 10,9 % des suffrages et 47 sièges. Une telle ascension ne laisse pas d'être inquiétante, même si les politicologues soulignent la précarité de l'expérience et la vulnérabilité du mouvement. Rien, hormis les prises de position tranchées en matière internationale, ne permet de préjuger de ce que serait la politique du *Komeito* s'il devait un jour accéder au pouvoir.

La gestion discrète des conservateurs.

L'éclatement de l'opposition en quatre tendances rivales permet aux libéraux-démocrates de se maintenir constamment au pouvoir au cours des années 60. La double réunification en 1955 des socialistes et des conservateurs n'a pas permis de revenir au bipartisme des années 20. Le contrôle du gouvernement est en réalité monopolisé par le parti libéral-démocrate (*Jiyu-Minshuto*), ce qui donne aux Japonais l'impression de vivre dans un « système à un parti et demi ».

Le Premier ministre, Ikeda, laisse l'image d'un chef de gouvernement avisé et généralement populaire qui réussit à faire régner un calme relatif pendant les quatre années de son passage au pouvoir. Après sa réélection à la tête du parti libéral-démocrate pour un second mandat de deux ans, il provoque des élections générales le 21 novembre 1963. La conjonction des suffrages libéraux-démocrates et des voix recueillies par les différents candidats indépendants de nuance conservatrice lui assure, en dépit de l'érosion persistante des bastions conservateurs, une nette majorité à la Chambre basse (59,44 % des voix; 283 sièges libéraux-démocrates plus 12 sièges indépendants sur un total de 467 sièges à pourvoir). Ikeda, qui était arrivé au pouvoir en plein malaise politique, laisse le pays dans l'euphorie des Jeux Olympiques lorsqu'il se retire, rongé par un cancer, à l'automne de 1964.

Le 9 novembre 1964, Ikeda est remplacé par Sato, un autre ancien bureaucrate qui se trouve être le frère de Kishi (ce dernier avait changé de nom à la suite de son adoption par une autre famille). Ce lien de parenté avec Kishi s'accompagne d'affinités idéologiques : Sato dirige au sein du parti libéral-démocrate une faction d'extrême-droite proche de celle de son frère aîné. Tous ces traits indisposent l'opinion contre le nouveau Premier ministre qui ne bénéficiera jamais de la popularité d'Ikeda. Il va cependant réussir sans trop de heurts à se maintenir à la présidence du Conseil pendant plusieurs années.

A la suite d'Ikeda, Sato entreprend de régler le contentieux avec la Corée méridionale. Les négociations s'avèrent particulièrement délicates. La haine accumulée par les Coréens à l'égard du Japon et la division de la péninsule en deux régimes antagonistes multiplient les sources de friction. Les délégations abordent successivement le problème des réparations, la controverse sur les droits de pêche entre les deux pays, le statut des 600 000 Coréens établis au Japon et les relations mutuelles de Pyong-yang et de Séoul. Finalement, la normalisation intervient en 1965, malgré l'opposition des socialistes et des communistes qui soutiennent la Corée du Nord. L'accord nippo-coréen prévoit l'octroi par le Japon d'une subvention de 300 millions de dollars et de divers prêts financiers dont une avance de 200 millions de dollars remboursable avec un faible taux d'intérêt. En retour, les Japonais conservent l'intégralité de leurs droits commerciaux en Corée méridionale et demeurent libres de leurs relations avec la Corée du Nord.

Accueillie avec suspicion par l'opinion publique des deux pays signataires, cette normalisation produit d'emblée des effets très bénéfiques. Le rapide essor du commerce bilatéral et les investissements massifs effectués par les Japonais en Corée du Sud apportent un stimulant immédiat à la croissance économique de la péninsule.

Sato poursuit aussi les efforts d'Ikeda qui tendaient à développer l'influence japonaise en Asie orientale. Des accords de réparation sont conclus avec plusieurs autres pays asiatiques dont le Japon devient le principal partenaire commercial. Par l'octroi d'indemnités, de dons ou d'investissements, l'archipel entend créer de futurs débouchés pour ses exportations. A l'instar des principaux pays développés, il entreprend de consacrer chaque année 1 % de son PNB à l'aide au tiers-monde; vers la fin des années 1960, il dépasse même ce pourcentage du moins si l'on s'en tient aux normes internationales assez laxistes en la matière puisqu'elles rangent sous la rubrique « aide », tous les investissements commerciaux et industriels. La contribution japonaise au capital de la Banque pour le développement asiatique créée en 1965, équivaut à celle des Etats-Unis (200 millions de dollars); c'est la première fois depuis la fin de la guerre, qu'un pays rivalise avec Washington dans une entreprise d'aide aux pays en voie de développement. Plus tard, lorsqu'un vaste consortium est constitué pour sauver l'Indonésie du désastre financier, les Etats-Unis et le Japon apportent chacun le tiers des fonds tandis que les autres pays développés se partagent le reste. Chaque année plus d'un millier de stagiaires originaires de différents pays asiatiques viennent se former au Japon. Par ailleurs, l'archipel constitue un corps de coopérants de plus de 300 volontaires qui participent à diverses missions de développement en Asie méridionale et en Afrique. En 1966, le Japon devient membre de l'ASPAC (Asian and Pacific Council) dominé à l'origine par la Corée du Sud.

Les Japonais insisteront toujours pour que cet organisme et les autres unions régionales dans lesquelles ils siègent ne soient pas transformées en organisations militaires ou anticommunistes.

Réélu en 1966 président de son parti pour un second mandat de deux ans, Sato organise des élections générales le 29 janvier 1967. Pour la première fois depuis sa création, le parti libéral-démocrate recueille moins de la moitié des suffrages exprimés. L'érosion de ses assises sociologiques ne suffit pas à expliquer cette lente décroissance. Les conservateurs dissidents, qui se présentent sous l'étiquette « indépendant » faute d'avoir obtenu l'investiture officielle du *Jiyu-Minshuto,* remportent plus de voix qu'à l'accoutumée; mais ils rejoignent en majorité le groupe parlementaire libéral-démocrate après les élections. Par ailleurs, le *Komeito,* expression politique du *Soka Gakkai,* mord sur l'électorat conservateur. Enfin, l'ensemble de l'opinion s'indigne du vent de corruption qui éclabousse le gouvernement Sato. Les scandales dénoncés, même s'ils ne mettent en cause que quelques individus isolés sans doute plus naïfs que malhonnêtes, expliquent partiellement le reflux du vote conservateur. Globalement cependant, ce dernier représente encore 54,35 % de l'ensemble des suffrages en totalisant les voix obtenues par les libéraux-démocrates et les candidats indépendants. La division quadripartite de l'opposition assure aux libéraux-démocrates une solide majorité à la Chambre basse avec 277 sièges auxquels il conviendrait d'ajouter les 9 sièges détenus par des candidats indépendants.

A la fin de 1968, Sato est réélu pour la troisième fois président de son parti. Il profite du climat favorable créé par les négociations de novembre 1969 sur Okinawa pour organiser de nouvelles élections générales. L'érosion du vote libéral-démocrate semble presque enrayée puisque les amis de Sato obtiennent 47,6 % des suffrages contre

48,8 % en 1967. Les trois formations de gauche ne retrouvent en revanche que 36 % des voix au lieu de 40 % précédemment. L'éclatement de l'opposition entre quatre formations d'importance identique permet aux libéraux-démocrates de faire passer le nombre de leurs sièges de 277 à 288. Les candidats indépendants, dont la plupart sont en réalité des libéraux-démocrates trop jeunes pour pouvoir obtenir l'investiture du parti, parviennent à remporter 16 sièges. Douze d'entre eux rejoignent immédiatement le parti de Sato et portent la majorité gouvernementale à 300 sièges sur 386. Les libéraux-démocrates s'assurent ainsi la plus forte majorité jamais atteinte par aucun parti japonais depuis la guerre. Ils peuvent espérer conserver le pouvoir jusqu'aux élections suivantes et même au-delà, à condition toutefois de faire porter leur effort sur les problèmes des grandes villes et de regagner ainsi une fraction de l'électorat urbain.

Persistance de l'hypothèque américaine.

Au cours des années 1960, les Japonais semblent être parvenus à un équilibre politique relativement satisfaisant; ils comptent à leur actif de belles réussites économiques et culturelles et peuvent se flatter d'avoir pleinement atteint les objectifs qu'ils s'étaient fixés après la guerre. Beaucoup cependant ne se contentent pas de performances quantitatives et estiment que l'accession de leur pays au rang de troisième puissance économique mondiale ne constitue pas un but ultime. Le Japon des années 1960, frémissant de vie et de dynamisme, semble aux hommes de gauche une contrefaçon de la société socialiste dont ils rêvent et il ne correspond pas davantage à la résurrection du « vieux » Japon dont les conservateurs ont la nostalgie. Les jeunes générations réagissent contre le milieu matérialisant sécrété par l'abondance et estiment que la société japonaise ne pourra survivre sans un « supplément d'âme ».

Certains suggèrent que la nation s'assigne de nouveaux desseins. Ils proposent que l'archipel se consacre désormais à améliorer la qualité de la vie et à promouvoir la paix internationale. Ces deux objectifs dont on néglige souvent de préciser les modalités concrètes d'application, connaissent soudain un succès considérable. Pourtant le Japon continue à observer au sein des diverses instances internationales une prudente réserve qui rappelle l'attitude d'un adolescent timide allant s'asseoir au fond de la classe pour ne pas se faire remarquer. Ainsi s'explique la médiocre estime que la plupart des étrangers portent à l'archipel. Les Européens disent avec mépris que le Japon n'est qu'un « animal économique » et le général de Gaulle qualifie le ministre japonais des Affaires étrangères de « commis-voyageur en transistors ». Certes la diplomatie japonaise tend essentiellement à développer les exportations du pays et à réduire corrélativement toutes les autres formes d'engagement. Cette prépondérance accordée aux mobiles économiques limite la portée des interventions nippones sur la scène internationale. Pourtant, les Japonais se résignent mal à jouir auprès de l'opinion mondiale d'un prestige inférieur à celui de la Chine qu'ils considèrent avec condescendance ou de l'Inde de Nehru à laquelle ils portent un mépris à peine dissimulé.

Dès lors, les succès économiques et le dynamisme culturel ne peuvent empêcher la persistance d'un malaise sous-jacent dont la responsabilité est volontiers imputée aux Etats-Unis. Au fur et à mesure que les performances économiques se multiplient, la question des relations avec l'extérieur revêt une importance politique croissante. Certes, d'urgents problèmes intérieurs subsistent, comme l'inflation, la crise du logement, la corruption parlementaire, la saturation des moyens de transport, la pollution ou l'agitation universitaire; mais, à la fin des années 1960, la plupart des Japonais s'accordent à estimer qu'il convient de renverser les priorités en privilégiant la politique sociale et la défense de la qualité de la vie au détriment de la croissance industrielle et de l'expansion commerciale. L'accord est en revanche beaucoup moins général sur la politique extérieure.

De nombreux Japonais ont le sentiment que l'archipel vit à l'ombre des Etats-Unis et qu'il leur aliène sa liberté diplomatique. Beaucoup redoutent que leur dépendance commerciale à l'égard de Washington ne les rende solidaires, malgré eux, des aléas de la politique américaine en Extrême-Orient. La compétition nucléaire entre les deux grands, le conflit sino-soviétique et l'escalade de la guerre au Vietnam menacent en permanence de compromettre la paix mondiale. Face à cette montée des périls, les Japonais cherchent à s'affranchir de l'emprise américaine. Avec l'assurance que leur donne la prospérité retrouvée, ils protestent contre le maintien des bases militaires et contre la tutelle que Washington continue de faire peser sur un million de leurs concitoyens résidant à Okinawa et dans les îles Ryu-Kyu [1]. Dans le domaine économique enfin, ils redoutent que les Etats-Unis ne frappent les exportations japonaises de mesures protectionnistes et ils mettent tout en œuvre pour se prémunir contre la pénétration des entreprises et du capital américains.

La seconde moitié de la décennie 1960-1970 est marquée par un net renforcement des attitudes critiques à l'égard des Etats-Unis. L'escalade américaine au Vietnam à partir de 1965 constitue à cet égard un tournant décisif. La masse de la population traduit sa désapprobation de l'aventure vietnamienne en multipliant les manifestations de rue. Beaucoup croient reconnaître dans cette guerre

1. Cf. *supra* chapitre 14, p. 96. *(N.d.T.)*

l'illustration du schéma d'analyse marxiste : n'y voit-on pas la principale puissance capitaliste du monde se muer en force impérialiste et se laisser entraîner dans l'engrenage d'un conflit généralisé? Si la guerre s'étend à la Chine ou même à l'Union soviétique, le jeu des alliances militaires conduira inexorablement l'archipel à une belligérance à laquelle il se refuse pourtant vigoureusement. La gauche semble avoir vu clair en considérant le traité de sécurité davantage comme une source de menaces que comme un instrument de protection.

Les Japonais comparent volontiers l'enlisement américain dans le bourbier vietnamien au sort de leurs propres armées en Chine dans les années 1930. Si les Etats-Unis peuvent espérer gagner quelques batailles grâce à la supériorité des armes, le nationalisme asiatique est assuré de triompher à long terme. D'autre part, les bombardements américains leur rappellent ce qu'ils ont connu pendant la Seconde Guerre mondiale; bien qu'ils se sentent plus proches culturellement des Américains que des Vietnamiens, ils ne peuvent s'empêcher de s'identifier inconsciemment à tout autre peuple de race jaune. Enfin, la presse japonaise avec son goût de l'information à sensation et les différentes chaînes de télévision fournissent au grand public les mêmes témoignages visuels qui, de l'autre côté du Pacifique, agissent profondément sur l'opinion américaine. Par l'intermédiaire des *mass-media*, l'image des Etats-Unis qui était redevenue favorable sous la présidence de Kennedy, recommence à se dégrader.

Certains facteurs mineurs contribuent également à tendre les relations avec les Etats-Unis. Les émeutes raciales qui se multiplient dans plusieurs villes américaines impressionnent fortement les Japonais. Leurs réactions sont cependant moins vives que dans le reste du monde : habitués à l'extrême homogénéité ethnique de leur propre pays, ils manifesteront dans l'ensemble plus de compassion que de réprobation devant les problèmes posés aux Etats-Unis par l'existence d'une société multiraciale.

En revanche la renaissance du sentiment national japonais joue un rôle décisif dans l'altération des rapports nippo-américains. L'impossibilité d'établir des relations régulières avec la Chine communiste est perçue comme une aliénation de la liberté diplomatique de l'archipel. Les Japonais dénoncent l'égoïsme des Américains qui, retranchés en toute sécurité de l'autre côté du Pacifique et pourvus de nombreuses ressources naturelles, n'éprouvent aucun dommage à isoler la Chine en lui manifestant une hostilité indéfectible. Il en va tout autrement du Japon qui ne peut se permettre d'ignorer son plus proche voisin dont la population représente le cinquième de l'humanité. Tout au cours de l'histoire, la Chine a été pour le Japon une pourvoyeuse de techniques et de savoirs avant de devenir dans les années 30 un débouché économique irremplaçable. Beaucoup de Japonais aspirent dès lors à une amélioration des relations avec Pékin et accusent les Etats-Unis de faire obstacle à tout rapprochement.

La reconnaissance officielle de Formose en 1952 et l'opposition réitérée de Tokyo à l'admission de Pékin aux Nations unies traduisent l'étroite dépendance de la diplomatie nippone à l'égard de Washington. Cependant, à partir du milieu des années 60, la pression américaine se relâche. Grâce à la formule « séparation du politique et de l'économique », l'archipel rétablit des échanges avec la Chine continentale. En 1966, il est devenu le principal partenaire commercial de Pékin avec un trafic total évalué à 621 millions de dollars. Ces échanges sont réalisés en partie sous le couvert d'accords semi-officiels conclus entre les deux gouvernements et en partie par l'entremise de sociétés privées, constituées spécialement dans ce but. Grâce à cet artifice, les firmes japonaises sont assurées de pouvoir commercer directement avec la Chine sans compromettre leurs relations avec leurs partenaires américains. En fait, à la fin des années 60, aucun pays, pas même les pays communistes, n'entretient avec la Chine des relations plus étroites que le Japon.

Les Etats-Unis ne font plus obstacle à ces échanges. Désormais, les principales entraves au développement des relations entre Tokyo et Pékin émanent de Formose et accessoirement de certains autres partenaires commerciaux du Japon, comme la Corée méridionale. Les Formosans, qui représentent pour les Japonais un partenaire commercial comparable à la Chine continentale, craignent que l'amélioration des relations entre Tokyo et Pékin ne se réalise à leurs dépens. Ils menacent l'archipel de représailles économiques s'il vient à octroyer à la Chine de Mao des crédits ou des investissements analogues à ceux opérés sur leur propre territoire.

Les désordres politiques et les difficultés économiques de la Chine communiste provoquent un fléchissement du commerce sino-japonais à partir de 1966. Même au cours de cette dernière année où les échanges entre les deux pays atteignent leur maximum, le commerce avec la Chine ne représente que 3 % du commerce extérieur japonais; plus encore que les entraves d'ordre politique ou diplomatique, le faible niveau de développement économique de la Chine et son manque de produits d'exportation font obstacle au développement des échanges. Vers la fin de la décennie 1960-1970, le commerce avec la Chine ne compte plus que pour 2 % en moyenne dans l'ensemble du commerce extérieur japonais.

Les années 1960 sont aussi marquées par la détente Est-Ouest dont le Japon ressent bientôt les conséquences. Parallèlement, le schisme sino-soviétique provoque un complet revirement de l'attitude de Moscou à l'égard de l'archipel. Les Soviétiques s'avisent que les Japonais, tout en se sentant intellectuellement proches d'eux, ont aussi de très puissantes affinités sentimentales avec les Chinois. Ils inaugurent à l'égard de Tokyo ce que les Japonais ont apppelé la « diplomatie du sourire ».

Les Kouriles, que les Soviétiques refusent toujours de rétrocéder au Japon, restent la principale pomme de discorde entre les deux pays. Pourtant les relations ne cessent de s'améliorer et deviennent en certaines occasions presque chaleureuses. Les échanges commerciaux se développent constamment et des pourparlers sont entrepris en vue d'une mise en valeur de la Sibérie orientale par les Japonais. Cette question suscite un intérêt passionné, tant chez les Japonais qui escomptent trouver en Sibérie les ressources naturelles dont ils manquent, que chez les Soviétiques qui espèrent que l'aménagement de cette vaste région sous-peuplée leur permettra de résister plus efficacement à une éventuelle attaque chinoise. Malgré cette convergence d'intérêts, la rigidité de la politique soviétique et les différences entre les systèmes économiques des deux pays compliquent la conduite des négociations.

Au moment même où s'améliorent les relations avec les pays socialistes, les rapports avec les Etats-Unis tendent à se durcir. Plus que jamais, le pacte de sécurité et les bases américaines indisposent l'opinion nippone qui y voit une source d'humiliation nationale.

Les dirigeants conservateurs, qu'ils soient issus de la classe politique, de la bureaucratie ou du monde des affaires, avaient toujours défendu l'alliance américaine. A la suite de Yoshida, tous s'étaient employés à démontrer que le pacte de sécurité répondait à d'impérieuses nécessités stratégiques et qu'il évitait à l'archipel de supporter les frais de sa propre défense. Les conservateurs avaient freiné l'ouverture commerciale en direction de la Chine communiste par souci de préserver un certain équilibre entre Pékin et Formose. D'aucuns redoutaient un rapprochement sino-américain qui les eût placés dans une position particulièrement délicate. A l'égard de la question vietnamienne, les dirigeants japonais se rangeaient volontiers parmi les « faucons [1] » en souhaitant ouvertement que les Etats-Unis intensifient la guerre pour en accélérer le terme. Loin de s'opposer au traité de sécurité, ils craignaient que sa remise en cause ou sa révision n'entraînât un retrait inopiné des forces américaines et ne laissât l'archipel sans appui face à une Asie secouée de convulsions.

L'ensemble de l'opinion nippone reste pourtant globalement hostile à l'alliance défensive. Les forces d'opposition adoptent sur cette question trois attitudes différentes : les communistes préconisent un alignement sur l'Union soviétique, les socialistes prônent le neutralisme intégral et la démilitarisation, les démocrates-socialistes et le *Komeito* réclament la résorption progressive des troupes américaines et s'opposent à la reconduction de l'alliance militaire.

En matière de défense, la divergence ne cesse donc de s'accentuer entre les conceptions des milieux dirigeants et celles de l'homme de la rue. Jusqu'à présent, les leaders conservateurs avaient toujours esquivé les grands débats de politique étrangère en alléguant que la faiblesse du Japon le contraignait de toute façon à s'accommoder des exigences américaines. En invoquant la tutelle étouffante de Washington, ils évitaient de rendre compte de leur politique extérieure qu'ils savaient peu populaire et pouvaient ainsi consacrer tous leurs efforts aux questions intérieures moins controversées. Dans l'apaisement du début des années 1960, Ikeda avait amorcé un changement d'attitude en annonçant une politique étrangère « autonome »; mais

1. Dans le langage politique américain, « faucon » (partisan de l'intervention militaire) s'oppose à « colombe » (pacifiste). *(N.d.T.)*

il en était resté au stade des intentions et une nouvelle vague d'antiaméricanisme traversait le pays. Il était désormais trop tard pour entreprendre une campagne d'éducation de l'opinion sur le thème de la solidarité d'intérêts du Japon et des Etats-Unis.

La guerre du Vietnam créait en effet un climat de tension aggravé par la question d'Okinawa [1]. Sur ce dernier point, on pouvait d'ailleurs s'étonner que la 47e préfecture japonaise isolée du reste du pays en 1945 et contrôlée depuis lors par Washington, n'ait pas été revendiquée plus tôt. En fait, les problèmes de l'après-guerre et l'effort de reconstruction économique avaient longtemps éclipsé toute autre préoccupation. Quant aux Okinawais, ils montraient une attitude ambiguë. Parlant un dialecte assez proche de l'ancien japonais, ils avaient gardé leurs propres souverains jusqu'à la fin du XIXe siècle. Ils ne pardonnaient pas aux Japonais de leur avoir accordé un statut inférieur à celui des habitants de l'archipel et de les avoir entraînés dans la guerre. Cependant l'occupation militaire américaine avait modifié leurs dispositions d'esprit : en quelques années, ces sujets indociles étaient devenus plus patriotes que les Japonais eux-mêmes. Ils réclamaient leur rattachement à la mère patrie avant même que les autorités nippones ne songeassent à s'en préoccuper.

Dans le traité de paix de 1952, le Japon avait promis qu'Okinawa deviendrait une base stratégique sous mandat américain; comme il était rapidement apparu que les Nations unies n'y consentiraient jamais, le secrétaire d'Etat Foster Dulles avait pris l'habitude de parler de la « souveraineté résiduelle » du Japon sur les îles Ryu-Kyu.

1. Pour toute l'affaire d'Okinawa, consulter Pierre Fistié : *La Rentrée en scène du Japon*, Paris, 1972, A. Colin, *Cahiers de la FNSP*, n° 21, p. 49 et s. Voir aussi *supra*, note p. 96. *(N.d.T.)*

L'expression fut interprétée comme la promesse d'une restitution ultérieure d'Okinawa dès que les conditions stratégiques de l'Asie orientale le permettraient.

A partir de 1965, l'intensification de la guerre au Vietnam s'accompagne d'une recrudescence d'agitation au sujet d'Okinawa. En juin 1968, le retour à la mère patrie des îles Bonin aggrave encore le climat de tension. Beaucoup de Japonais jugent inadmissible que près d'un million de leurs concitoyens soient gouvernés par des Américains et qu'Okinawa forme la seule colonie créée dans le monde depuis la Seconde Guerre mondiale. Le fait que les Etats-Unis n'aient jamais osé imposer une pareille tutelle à leurs alliés européens, semble montrer que les Américains restent tributaires de certaines arrière-pensées racistes et qu'en tout état de cause, ils ont su tirer parti du désarroi psychologique des Japonais d'après-guerre. Le gouvernement de Tokyo, soucieux de ne pas aggraver inutilement la détérioration des relations nippo-américaines provoquée par l'arrivée à expiration en 1970 du traité de sécurité, réclame un règlement accéléré de la question okinawaise.

Plusieurs obstacles retardent le transfert de souveraineté. La concentration des bases américaines et des populations autochtones sur la portion méridionale de l'île, pose de délicats problèmes. Plus épineuse encore est la question du sort des bases militaires elles-mêmes. Elles constituent, avec celle de Yokosuka près de Yokohama, les plus importantes installations américaines en Asie orientale. La prolongation de la guerre du Vietnam interdit aux Etats-Unis de fixer une quelconque limitation à leur utilisation. Or, si Okinawa repasse sous la souveraineté japonaise, les limitations aux armements prévues par le traité de sécurité de 1960 lui deviendront applicables *ipso facto*. Les Etats-Unis devront alors se soumettre au principe de « référence à l'archipel » (*Hondo Nami*), c'est-à-dire que tout entreposage d'engins nucléaires ou toute utilisation des bases pour une action militaire contre un autre pays seront subordonnés à l'agrément préalable du Japon.

Le problème est finalement résolu par le communiqué Nixon-Sato du 21 novembre 1969 qui prévoit la restitution d'Okinawa au cours de l'année 1972. Le texte stipule qu'à cette date les limitations prévues par le traité de sécurité deviendront applicables aux bases américaines d'Okinawa. Les délais d'entrée en vigueur (1972) sont suffisamment éloignés pour permettre de résoudre les complexes modalités techniques du transfert de souveraineté; ils sont également destinés à rassurer l'opinion américaine qui redoute que la perte d'Okinawa ne se traduise par une détérioration de la position des Etats-Unis dans le conflit vietnamien. Les Japonais, désormais investis d'un droit de veto sur certaines actions militaires du Pentagone, sont invités à définir clairement la place qu'ils souhaitent voir jouer aux forces américaines en Asie du Sud-Est.

Le Premier ministre Sato répond en rappelant l'attachement de son pays au maintien de la paix et de la sécurité en Extrême-Orient, en particulier dans la zone coréenne et la région de Formose, et en soulignant le rôle décisif qui revient au traité de sécurité en ce domaine. Les observateurs s'attendent à ce que l'opinion japonaise, habituée depuis longtemps à dénoncer le pacte de sécurité comme un instrument de domination américaine, ne se mobilise de nouveau et n'empêche le gouvernement de laisser aux Etats-Unis la libre disposition de leurs bases japonaises. Mais Sato, persuadé que l'opinion lui emboîtera le pas, agit avec assurance. Rompant avec la tactique chère aux libéraux-démocrates, qui consistait à escamoter les débats de politique étrangère au profit de questions intérieures, il axe toute sa campagne électorale de décembre 1969 sur les problèmes extérieurs. Il profite du succès qu'il vient de remporter dans le règlement de l'affaire d'Okinawa pour défendre le maintien de relations amicales avec les Etats-Unis. Les résultats favorables que son parti obtient dans la consultation confirment *a posteriori* l'opportunité de la tactique choisie.

Crise étudiante et controverses commerciales.

Après le règlement de l'affaire d'Okinawa, l'arrivée à expiration, le 23 juin 1970, de la première période décennale d'application du traité de sécurité devient la principale source d'agitation politique. A partir de 1970, chacune des parties contractantes peut, moyennant un préavis d'un an, dénoncer l'alliance. D'autre part, l'entrée prochaine des bases d'Okinawa dans le champ d'application du traité constitue un motif supplémentaire de s'intéresser au sort du pacte. L'opposition compte retrouver en 1970 l'occasion manquée de 1960 et espère, à la faveur d'une remise en cause des relations avec le partenaire américain, éliminer les conservateurs du pouvoir. A l'approche de l'échéance fatidique, les passions politiques se déchaînent. Certains groupes vont jusqu'à préparer consciemment et systématiquement « la crise de 1970 ».

C'est en particulier le cas du Syndicat national des étudiants, le *Zengakuren* *. Ce dernier, qui a éclaté en 1960, comporte alors trois factions extrémistes dont chacune contrôle une partie du mouvement étudiant. Il n'est pas rare que différentes universités ou même différents départements d'une même université, relèvent de factions antagonistes du *Zengakuren*. Dans les manifestations, les militants étudiants se reconnaissent aux casques de couleurs vives qu'ils portent comme les ouvriers du bâtiment; en guise d'armes, ils utilisent des pieux carrés et occasionnellement des cocktails molotov. La majeure partie du mouvement étudiant est d'obédience communiste : disciplinée et respectueuse des directives, elle épargne ses forces dans l'attente de « la crise de 1970 ». Une minorité appartient à la tendance socialiste.

Au cours de la seconde moitié des années 1960-1970, les manifestations d'étudiants se multiplient et prennent un tour plus violent. En 1969, de nombreuses universités connaissent des troubles sérieux : occupation de locaux, déprédations, batailles rangées avec la police, séquestration de professeurs ou de personnel administratif que l'on traduit ensuite devant des tribunaux irréguliers. Pendant plus d'un an, la prestigieuse université de Tokyo est mise hors d'état de fonctionner; d'autres universités doivent suspendre leurs cours pendant plusieurs mois consécutifs. Les professeurs se trouvent entièrement désarmés devant une telle situation. Depuis 1945, la défiance de l'opinion publique à l'égard du « bourrage de crâne » et de la police est telle que les professeurs japonais répugnent à saisir la justice ou les forces de l'ordre même pour réprimer une situation qui tourne au chaos. D'autre part, le poids des traditions d'autonomie perceptibles jusque dans les établissements contrôlés par l'Etat et l'exclusivité reconnue au corps enseignant dans la gestion des universités, font obstacle au recours à toute autorité extérieure ou d'émanation gouvernementale. Le ministère, alarmé par la détérioration de la situation, fait alors voter la loi du 17 août 1969 qui prévoit des retenues de traitement pour les enseignants des universités touchées par l'agitation et préconise la dissolution des établissements qui ne parviendront pas à rétablir l'ordre. Le texte contraint les facultés à s'opposer plus fermement aux violences des étudiants et son application entraîne une sensible réduction du nombre des universités. Il reste que, tout en s'attaquant avec succès aux effets de la crise, la nouvelle loi n'apporte aucun remède aux causes profondes de l'agitation étudiante.

Les violences dans les universités répondent à l'évidence à certains objectifs politiques; les leaders de la jeunesse étudiante mobilisent leurs troupes chaque fois qu'ils peuvent mettre en cause la présence américaine au Japon. Et les occasions ne manquent pas : vieux problème des bases militaires, visites sans cesse plus nombreuses de sous-marins atomiques américains dans les ports japonais, acheminement de pétrole destiné au ravitaillement des navires américains, admission à l'hôpital militaire de Tokyo de blessés du Vietnam réputés porteurs de maladies tropicales contagieuses, départ du Premier ministre Sato pour une tournée en Asie du Sud-Est et aux Etats-Unis, construction d'un nouvel aéroport civil à l'est de Tokyo dont on fait courir le bruit qu'il sera utilisé par des avions militaires américains.

Au-delà de ces mobiles idéologiques, l'agitation estudiantine s'explique par d'autres raisons plus profondes. La jeunesse japonaise, comme celle des autres sociétés urbaines hautement industrialisées, se montre de plus en plus préoccupée de la qualité de la vie. Le Japon s'est mué en une société relativement égalitaire et ouverte où le niveau d'éducation est devenu le principe essentiel de stratification sociale. A partir du moment où le sort d'un individu dépend exclusivement du type d'éducation qu'il a reçu, la compétition universitaire s'intensifie. L'accès aux universités est commandé par un système d'examens qui privilégie le goût du formalisme et crée, dès l'école primaire, un véritable « esprit de concours ». Les jeunes Japonais parlent volontiers de « l'enfer des examens » car ils doivent se représenter indéfiniment aux concours d'entrée auxquels ils ont échoué. Ces « bêtes à concours » sont appelées dans le jargon universitaire des *ronin* *, par analogie avec les samouraï errants de la période Tokugawa. Une fois franchi le seuil de l'université, les étudiants s'aperçoivent que l'enseignement dispensé y est ennuyeux et que les diplômes sont accordés de façon quasi automatique. Hormis les concours d'entrée, les examens sont peu sélectifs et portent sur des questions trop générales pour assurer un filtrage convenable des talents. Beaucoup d'étudiants peuvent dès lors se consacrer tout à loisir à l'agitation politique ou à des activités analogues. A l'issue du cursus universitaire, se produit l'entrée dans la vie professionnelle qui constitue un dernier motif d'insatisfaction. L'insertion dans la vie active s'opère en effet par le biais de nouveaux examens qui conditionnent l'accès au secteur privé comme l'entrée dans la fonction publique. Une fois cette dernière étape franchie, le jeune travailleur est assuré de conserver son emploi pour le reste de son existence. Ainsi, la vie universitaire se présente-t-elle comme un répit momentané entre la folle compétition en vue des concours d'entrée et la routine d'un métier immuable.

Enfin les conditions matérielles du travail universitaire sont souvent très dégradées. En quelques années, les effectifs ont progressé de plus de 20 % dans les deux premiers cycles de l'enseignement supérieur. Or les équipements n'ont pas augmenté au même rythme que les étudiants. Bon nombre de nouveaux établissements d'enseignement public pâtissent de dotations insuffisantes en matériels et en personnels. Quant aux universités privées, elles doivent faire face à un afflux sans précédent de candidats. La guerre, en éliminant les très grosses fortunes, a tari la source des donations qui leur permettaient de survivre; en outre, les rares mécènes potentiels sont découragés par un régime fiscal qui ne leur réserve aucun avantage en échange de leur générosité. Les universités privées ne peuvent donc compter que sur le montant des frais de scolarité et des droits d'examens pour subsister et accueillir près de 75 % de la population étudiante. A titre de comparaison, seulement 40 % des étudiants américains sont inscrits dans des universités privées, et la proportion est infime en Europe occidentale. Enfin, l'enseignement dispensé dans les universités japonaises reste marqué par la tradition germanique accordant à la recherche le primat sur l'enseignement, ainsi que par de farouches habitudes d'autonomie qui tendent à faire prévaloir les intérêts propres des universitaires et paralysent les innovations et l'essor des nouvelles disciplines. Beaucoup d'étudiants japonais se plaignent de cet enseignement de masse impersonnel, avec son organisation et ses programmes démodés, et dont les moyens paraîtraient insuffisants à des pays sensiblement moins développés. L'éducation universitaire constitue décidément un des points sensibles de la vie sociale japonaise.

Au cours des années 1968-1970, les relations économiques avec Washington forment le second sujet de controverses. Depuis le début des années 1950, les rapports commerciaux nippo-américains n'ont cessé de s'envenimer bien qu'ils aient procuré de très substantiels avantages aux deux pays. La valeur globale des échanges a fini par atteindre le chiffre record de 7 milliards de dollars, qui représente le plus fort commerce transocéanique jamais connu dans l'histoire du monde. Le Japon est ainsi devenu le second partenaire commercial des Etats-Unis, immédiatement après le grand voisin canadien. Ces heureux résultats n'empêchent pas les Japonais de s'inquiéter des éventuelles restrictions que les autorités américaines risquent d'apporter à leurs exportations. Pendant longtemps, les bas salaires ont permis à l'archipel de conquérir une fraction importante du marché américain, notamment pour certaines industries légères utilisant beaucoup de main-d'œuvre. Cette pénétration commerciale avait provoqué de graves difficultés économiques dans certaines régions des Etats-Unis. Les pressions exercées sur le Congrès pour obtenir des mesures protectionnistes avaient incité les Japonais à restreindre « volontairement » leurs exportations de textiles et de produits manufacturés. Au début des années 1960, un accord applicable au Japon et à plusieurs autres pays, réglait la question des textiles. Quant aux « restrictions volontaires » qu'on prit l'habitude de désigner par l'euphémisme de « mise en ordre des marchés », elles étaient étendues à de nouveaux secteurs d'activité au fur et à mesure que les Japonais grignotaient le marché américain de l'acier, de l'automobile et de l'industrie lourde.

Le Japon avait d'ailleurs mauvaise grâce à dénoncer le protectionnisme des autres. Dans son gigantesque effort de reconstruction économique, il avait soigneusement protégé ses industries en édifiant des barrières douanières sensiblement plus élevées que celles de tout autre pays industrialisé. Les automobiles américaines et de très nombreux objets manufacturés ne pouvaient atteindre le marché japonais alors que la plupart des denrées nippones s'écoulaient librement sur le marché américain. Les Etats-Unis refusaient d'être réduits à n'exporter au Japon que des denrées non concurrentielles comme certaines matières premières (charbon, ferrailles, coton, tabac, bois), certains produits alimentaires (germes de soja, blé, fourrages) ou quelques instruments de mécanique de haute précision. Les magnats de Detroit considéraient d'un mauvais œil l'afflux d'automobiles japonaises aux Etats-Unis, alors que leurs propres voitures ne pouvaient pénétrer dans l'archipel. Les mesures protectrices, compréhensibles dans les années 50 où l'avenir économique du Japon restait incertain, n'avaient plus de justification à la fin des années 60 après l'avènement du pays au rang de grande puissance mondiale. Des discriminations analogues frappaient les investissements américains au Japon. N'y avait-il pas quelque contradiction à refuser aux autres un désarmement tarifaire dont on réclamait pour soi-même le bénéfice?

Washington dénonçait de plus en plus le caractère inégalitaire de ses relations économiques avec Tokyo. Le commerce extérieur américain avec l'archipel se soldait par un

LE COMMERCE EXTERIEUR JAPONAIS

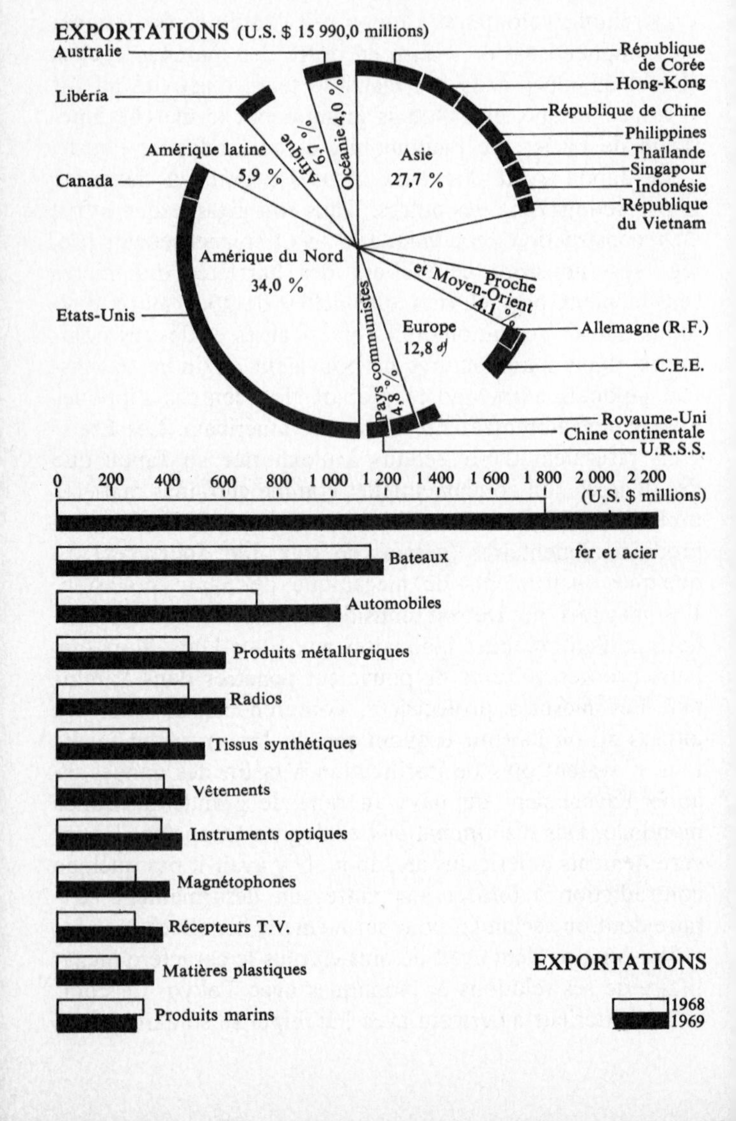

PAR CONTINENT, PAR PAYS ET PAR TYPE DE PRODUIT

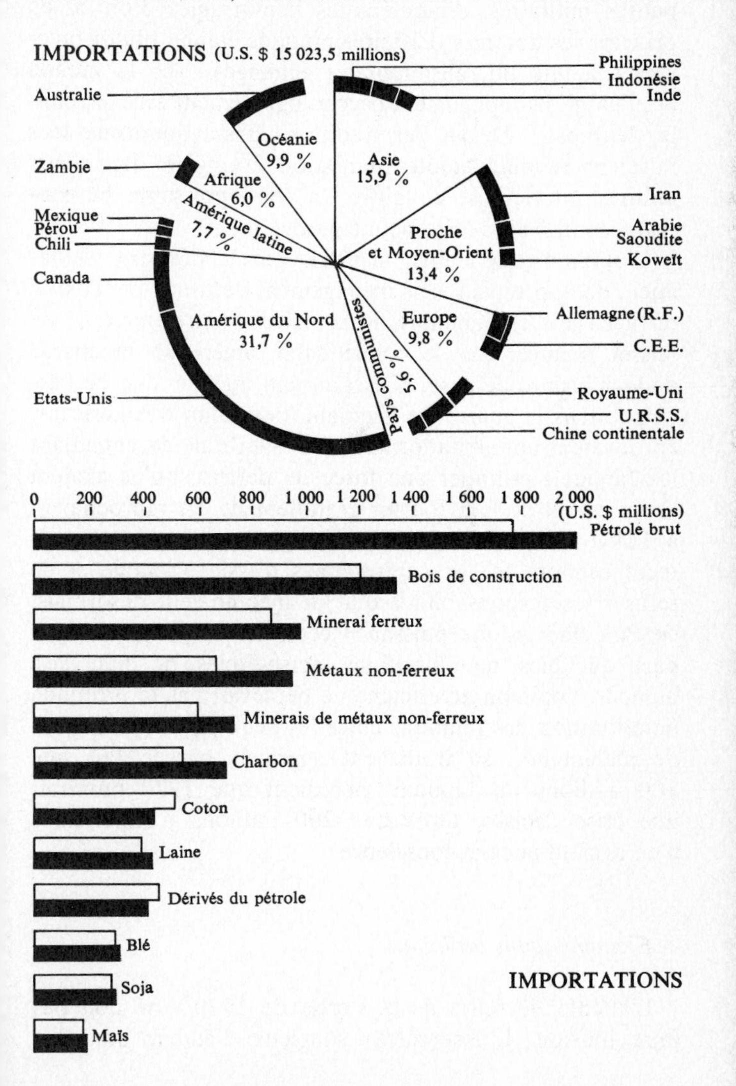

déficit d'un milliard de dollars et entraînait, avec les dépenses militaires, d'inquiétantes hémorragies d'or. Si en principe les hommes d'affaires nippons étaient plutôt favorables à une libéralisation des échanges avec le monde occidental, ils répugnaient psychologiquement à déverrouiller leur pays. De vieilles traditions d'isolationnisme leur faisaient redouter toute immixtion étrangère dans leurs affaires intérieures; en outre, la toute-puissante bureaucratie continuait à faire bonne garde.

L'opinion américaine, meurtrie par le désastre vietnamien, désapprouvait sans ménagement l'attitude de Tokyo; on accusait les Japonais de se faire « entretenir » et de laisser financer par le contribuable américain la charge de leur propre défense. N'escomptant aucune aide de l'archipel dans la guerre du Vietnam, beaucoup d'Américains éprouvaient une irritation mêlée d'amertume en entendant les Japonais critiquer une force de défense qu'ils avaient le sentiment de leur fournir gratuitement. Ils reprochaient à Tokyo de prendre une part insignifiante au développement économique des autres pays d'Asie orientale et de refuser les responsabilités qui lui incombaient désormais, en tant que grande puissance économique. Cependant, à part quelques manifestations épisodiques de mauvaise humeur, l'opinion américaine ne percevait pas la profonde détérioration des relations entre les deux pays. Les risques de malentendu se trouvaient aggravés par le fait que 100 millions de Japonais pensaient que 1970 ouvrirait une crise décisive alors que 200 millions d'Américains n'en avaient aucune conscience.

Eléments pour un bilan.

L'attente fiévreuse de la « crise de 1970 » ne doit pas faire illusion. L'observateur soucieux d'établir un bilan est obligé de constater qu'au seuil des années 1970, les Japonais jouissent d'une raisonnable aisance et qu'ils manifestent un goût de la vie illustré par une étonnante vigueur culturelle. Personne ne doute que la croissance économique ne se poursuive, sauf dans l'hypothèse d'une catastrophe mondiale qui n'épargnerait alors aucun autre pays. Hormis la grande débâcle universitaire, le Japon semble faire face aux problèmes des sociétés industrialisées avec autant d'efficacité que les pays occidentaux. Ses habitants travaillent à améliorer leur image collective en se préparant à la grande exposition internationale d'Osaka, prévue pour l'été 1970.

Si les affrontements à propos de la politique étrangère se multiplient, la politique intérieure est marquée par une grande stabilité. En dépit de l'absence de traditions démocratiques profondément enracinées, peu de Japonais envisagent de vivre sous un autre régime que celui qui fonctionne dans le pays depuis vingt ans. Dans tous les secteurs de l'opinion, l'attachement à la Constitution reste écrasant et nul ne songe à réhabiliter les pratiques totalitaires et impérialistes du passé. Les leaders d'extrême-droite de l'avant-guerre ne constituent plus qu'une infime minorité discréditée, à la frange du personnel politique. Les hommes de gauche continuent à utiliser le langage du marxisme révolutionnaire, sans parvenir à convaincre les Japonais qu'un autre système économique puisse donner de meilleurs résultats que le subtil dosage d'initiative privée et de contrôle étatique qu'ils connaissent chez eux. Les débats économiques portent moins sur les réformes de structure et les principes que sur la nature des interventions conjoncturelles, la politique des prix et la progression des salaires.

L'évolution politique ne paraît pas devoir réserver de surprise au cours de la décennie 1970-1980. Les libéraux-démocrates risquent de perdre leur majorité à la Diète, sans que les socialistes aient de grandes chances d'accéder au pouvoir. La répartition des forces sur l'échiquier politique semble susceptible de subir deux types de modifications. La première éventualité consisterait en un déplacement général de la majorité vers le centre, entraînant la formation corrélative d'une coalition tripartite (libéraux-démocrates, démocrates-socialistes, Komeito). La seconde issue probable est une redistribution de l'ensemble des forces politiques débouchant sur une assemblée kaléidoscopique; recourant à la conjonction des centres, les socialistes de droite seraient alors conduits à s'associer avec les démocrates-socialistes et avec l'aile gauche du parti libéral-démocrate. Quelle que soit l'évolution appelée à prévaloir, elle ne semble guère de nature à affecter profondément la vie politique nippone. La démocratie parlementaire, acclimatée dans l'archipel depuis les années 20, paraît plus apte que jamais à survivre aux crises politiques.

La seule incertitude reste la place du Japon dans le monde. La « crise de 1970 » jointe aux effets de la guerre du Vietnam, altère les relations avec les Etats-Unis. Beaucoup redoutent que des troubles comparables à ceux de 1960 n'aboutissent à une remise en cause des accords de défense. On peut craindre qu'un tel revirement, associé aux déceptions de la politique vietnamienne et à certaines difficultés intérieures, ne fasse naître aux Etats-Unis une réaction isolationniste et n'entraîne un retrait américain de la zone du Pacifique central. La disparition des bases japonaises risque de conduire le Pentagone à reconsidérer l'ensemble de son attitude à l'égard de la Corée et de provoquer dans ce pays une résurgence provisoire de la guerre que Tokyo redoute plus que quiconque. La position stratégique de la Corée aux confins de trois puissances d'envergure mondiale — Chine, Union soviétique, Japon — peut éveiller des convoitises et entraîner une escalade débouchant sur un conflit généralisé. Enfin, le retrait de la 7e flotte américaine du Pacifique occidental, en compromettant la liberté de navigation, menace de perturber les circuits d'approvisionnement du Japon en pétrole du Moyen-Orient.

Devant cette montée des périls, de nombreux Japonais souhaitent que l'archipel renforce sa propre défense. Les générations d'après-guerre ont à l'égard des problèmes militaires une attitude moins crispée que leurs aînées. Certes, tout réarmement massif demeure exclu dans l'immédiat : le gouvernement n'a nulle envie de relancer l'agitation de rue, ni de compromettre à l'intérieur la croissance économique et à l'extérieur « l'image de marque » du pays toujours suspecté de visées annexionnistes. Si le Japon réarme, il devra réduire son aide à ses voisins asiatiques qui, privés simultanément de l'aide américaine, verraient alors s'aggraver leurs tensions politiques et leur retard économique sur les pays développés.

En 1970, la détention de la force atomique était devenue le pivot de toute politique de réarmement. On estimait dans certains milieux qu'une puissance comme le Japon ne pourrait se dispenser longtemps de l'arme nucléaire. L'industrie atomique avait déjà réalisé des progrès spectaculaires; en juin 1969, l'archipel avait lancé son premier navire nucléaire expérimental et il poursuivait un programme spatial doté de puissants crédits. Axé sur la fabrication de fusées, ce programme pouvait à tout instant faire l'objet d'une reconversion vers la recherche nucléaire. Troisième puissance économique mondiale, le Japon risquait, en optant pour le réarmement, de provoquer une extension sans précédent de la prolifération des armes nucléaires.

Toutefois, aucune de ces sombres perspectives n'était en passe de se réaliser à la fin des années 60. Tout permettait de croire au contraire que la « crise de 1970 » et la restitution d'Okinawa en 1972, favoriseraient un assainissement des relations entre les Etats-Unis et l'archipel et assureraient à ce dernier une place enviable dans le concert des puissances. Peut-être même les deux partenaires parviendraient-ils, en réglant leur contentieux, à mieux percevoir leur interdépendance de fait.

Les Etats-Unis et le Japon avaient en effet pour principal trait commun d'être dotés d'antennes commerciales planétaires. Leur double intérêt était dès lors de défendre la liberté des échanges et d'éviter la reconstitution de blocs antagonistes analogues à ceux que le Japon et l'Allemagne avaient tenté de former trente ans plus tôt et que la bipolarisation du monde perpétuait encore dans une large mesure. Il leur fallait construire une communauté internationale de pays indépendants et pacifiques disposés à respecter librement un système de conventions interétatiques. Japon et Etats-Unis avaient tout à gagner au maintien de la paix mondiale. Cette convergence d'intérêts économiques s'accompagnait d'un même attachement à la démocratie politique et d'un mélange analogue d'initiative privée et d'intervention publique.

Enfin, les deux partenaires, le Japon surtout, étaient intéressés au premier chef par le développement économique et institutionnel des pays pauvres de la zone asiatique. L'un et l'autre souhaitaient établir des relations amicales avec la Chine communiste et se heurtaient au problème de Taïwan. Leur préoccupation majeure était d'éviter qu'un nouveau conflit semblable à la guerre de Corée ne compromît l'équilibre précaire des régions asiatiques. Leur incapacité d'assurer la stabilité interne des pays moins développés, dont l'enlisement vietnamien constituait une douloureuse illustration, les conduisait à rechercher le maintien de la paix par des voies internationales. Le Japon se préoccupait en particulier de la sécurité des mers et de la liberté de navigation.

Dans ces différents domaines, les intérêts nippons et

américains apparaissaient indissolublement liés. Entre les deux pays, la coopération et le partage des responsabilités semblaient s'imposer comme des solutions dictées par le bon sens. Ne pouvait-on pas constituer, entre toutes les puissances ayant des intérêts en Asie (Canada, Australie, Nouvelle-Zélande, Etats-Unis, Japon), ce que quelques Japonais appelaient déjà la « communauté du Pacifique »; le regroupement de tous les pays contribuant par leur aide économique au développement de la zone du Pacifique, permettrait de coordonner les actions ponctuelles et d'optimiser les effets de chaque intervention.

Cependant les Etats-Unis et le Japon risquaient de faire figure de géants au sein de la future « communauté ». L'archipel exercerait tôt ou tard un *leadership* de fait sur les grandes décisions. Son rythme de croissance exceptionnellement rapide, sa situation géographique en plein monde asiatique, la convergence de ses intérêts vers le Pacifique, son absence d'origines occidentales laissaient prévoir qu'à long terme son influence éclipserait celle des Etats-Unis. Se trouvant au point d'impact de toutes les politiques asiatiques, le Japon serait inévitablement appelé à définir les critères d'un partage des responsabilités économiques, technologiques, politiques et militaires en Asie orientale.

16

Le redéploiement réussi (1971-1989)

Depuis 1973, le Japon poursuit brillamment le redéploiement de son économie et plus difficilement son internationalisation socio-culturelle. Paradoxalement, les brillantes performances techniques et économiques nourrissent plutôt qu'elles n'érodent le particularisme d'une nation volontiers portée à l'ethnocentrisme.

Le premier choc pétrolier, en ravivant la conscience des contraintes internationales, pousse les dirigeants japonais à renforcer le consensus national. La gestion de l'économie prend le pas sur les débats de société et l'administration des choses tend à éclipser le gouvernement des hommes. La vie politique, immuablement dominée par les rivalités feutrées des diverses factions du parti libéral-démocrate *(jiyu-minshuto)*, intéresse moins l'opinion que l'évolution des niveaux de vie et des mouvements de mode.

La diplomatie se veut plus que jamais pragmatique. Au moment où il accède au rang de seconde puissance économique et de septième puissance militaire mondiale, le Japon évite de s'impliquer dans les conflits régionaux et consolide patiemment les bonnes relations qu'il a su établir avec les grandes nations.

A l'horizon 2000, de nouveaux défis s'esquissent : le vieillissement démographique et la poursuite harmonieuse du processus d'internationalisation *(kokusaika)*.

Cinq chocs économiques depuis 1970.

Depuis le début des années 1970, l'économie japonaise a subi de multiples pressions extérieures impliquant une réadaptation des principales branches de production. Comme en 1854, lors de l'intrusion occidentale, ou en 1945, lors de l'occupation américaine, les Japonais opèrent un complet *« retournement » de leurs structures (kôzô tenkan).*

Entre 1970 et 1988, cinq coups de boutoir ébranlent l'économie japonaise.

1) Le premier survient en 1970-1971. En 1970, le Congrès des Etats-Unis vote la loi Mills qui protège l'industrie textile de la concurrence nippone. Le 15 août 1971, c'est le choc Nixon *(Nikuson shokku)* : l'inconvertibilité du dollar en or s'accompagne de l'instauration d'une surtaxe commerciale de 10 % qui pénalise les produits japonais. Le yen, devenu flottant sur le marché des changes à partir de la mi-août, est réévalué de 16,88 % en décembre 1971 sur pression de Washington.

(2) Le premier choc pétrolier (sekiyu kiki) de l'automne 1973 survient en pleine surchauffe économique. Au cours de la seule année 1973, le PNB japonais a crû de 10 %, l'investissement privé de 15,7 % et les prix à la consommation de 12 %. Le quadruplement du cours du baril plonge l'archipel dans la stagflation. En 1974, le taux d'inflation atteint 24,5 %, l'investissement privé fléchit de 10 %, le chômage apparaît (1,4 % de la population active) et pour la première fois depuis la fin de la guerre, la croissance du PNB est négative (-1,1 %). La balance des opérations courantes accuse un déficit tandis que l'endettement de l'Etat s'amplifie. Au renchérissement de l'énergie s'ajoute le coût des programmes de protection sociale et de lutte contre la pollution engagés au milieu des années 1960.

3) En 1976-1978 survient le troisième ébranlement : le choc du yen (yen shokku). La rapide convalescence économique du Japon a fait du yen une devise recherchée. Sa remontée *(endaka)* de 24 % sur les marchés des changes entre 1976 et 1978 met un terme à vingt-cinq années de sous-évaluation délibérément entretenue par une politique de faibles taux d'intérêt qui présentait le triple avantage de faciliter l'investissement intérieur, de financer à bon compte le déficit budgétaire et d'inciter les détenteurs de yens à des placements plus rémunérateurs aux Etats-Unis. A partir de 1976, ces avantages s'estompent et les exportateurs nippons subissent désormais le handicap d'une monnaie forte.

4) En 1979, le second choc pétrolier (dainiji sekiyu kiki) constitue un nouveau défi pour l'ensemble des pays développés. Le Japon le relève plus aisément que celui de 1973 puisqu'il réalise 4 % de croissance annuelle moyenne entre 1979 et 1985. Cette performance dépasse celle de la période 1973-1979 (3,6 %), et représente presque le double de la croissance constatée entre 1979 et 1985 pour la moyenne des pays de l'OCDE (2,2 %).

5) Le second choc du yen (dainiji yen shokku) à partir de l'automne 1985 représente une menace d'une autre envergure. De 1985 à 1988, les autorités monétaires de Washington encouragent la dépréciation du dollar pour offrir un ballon d'oxygène aux exportateurs américains. Il en résulte une remontée du yen *(endaka)* de 40 % entre septembre 1985 et septembre 1986 ; c'est un handicap majeur pour les exportateurs japonais qui cherchent une issue dans le surinvestissement et la modernisation accélérée de leurs équipements.

Un redéploiement autour de quatre axes.

La riposte aux défis économiques successifs s'organise dès 1974 par l'entreprise du MITI *(Ministry of International Trade and Industry)* qui encourage les reconversions, les gains de productivité et l'adaptation des produits aux nouvelles orientations de la consommation mondiale. Il tente de « synchroniser l'ouverture du pays avec la restructuration de l'appareil productif » (Yves Barou et Bernard Keizer, *les Grandes Economies,* Le Seuil, p. 54).

Miki Takeo, Premier ministre de décembre 1974 à décembre 1976, encourage les économies d'énergie qui, rapportées au PNB, représentent de 1973 à 1978 le quintuple de celles réalisées par les Etats-Unis. Un accord de fourniture de pétrole est conclu avec la Chine tandis que les négociations avec l'URSS sur le développement des ressources sibériennes s'enlisent. Parallèlement, Miki poursuit le programme de développement de l'énergie nucléaire civile engagé dès 1955. En 1974, de nouveaux sites nucléaires sont choisis, malgré les risques de séismes et les protestations des mouvements écologiques. Ces derniers multiplient les manifestations en mai 1978, lors de l'inauguration de l'aéroport de Narita et de 1974 à 1978 contre le *Mutsu*, navire nucléaire expérimental qui, à cause d'une légère fuite lors de sa mise en service en septembre 1974, se vit refuser l'accès aux ports de l'archipel jusqu'à ce que la base navale de Sasebo dans le Kyushu lui offre enfin un asile en 1978.

Une nouvelle génération de réacteurs nucléaires est inaugurée en 1977 tandis que des accords d'approvisionnement en uranium sont signés avec l'Australie. Parallèlement, la coopération technologique avec la France doit permettre au Japon d'ouvrir en 1995 sa première centrale de retraitement. Dans la production énergétique, la part de l'énergie d'origine atomique passe de 0,1 % en 1968, à 2,2 % en 1975, 30 % en 1988 ; elle doit atteindre 58 % en 2030.

Tout en desserrant l'étau énergétique, le Japon redéploie son économie selon quatre axes : *essor des industries de matière grise, division asiatique du travail, investissements à l'étranger et primauté de l'information économique.*

1) *L'essor des industries de matière grise* repose sur le développement de la recherche (2,8 % du PNB en 1985 contre 2,2 % en France) dont le financement incombe pour les trois quarts au secteur privé.

Les domaines prioritaires sont l'énergie atomique, les micro-ondes, les fibres optiques et les télécommunications (privatisées en 1985), l'aéronautique et l'armement (le budget militaire croît de 36 % entre 1982 et 1987), l'océanographie, les biotechnologies, les énergies nouvelles, la céramique fine, les nouveaux matériaux, les circuits intégrés, la télématique, la robotique et l'intelligence artificielle.

Jusqu'en 1985, les firmes à gros budget de recherche (Toyota, Hitachi, Nissan, Nippon Electric, Toshiba, Fujitsu, Honda...) accordent la priorité à la recherche appliquée, tandis que le MITI suscite l'émergence de « technologies génériques », source d'applications commercialisables en chaîne.

En 1985, naît le *Centre Japonais pour les Technologies-Clés* (JKTC) qui favorise la recherche fondamentale. Depuis la fin des années 1970 se poursuit l'implantation de technopoles régionales sur le modèle d'Oita dans l'île de Kyushu, surnommée « l'île du silicium ».

2) Cette focalisation sur les hautes technologies conduit le Japon *à accentuer la division asiatique du travail.* La priorité aux industries de matière grise *(à forte intensité de savoir-faire)*, l'incite à délaisser dès 1975 les industries lourdes *(à forte intensité de capital)* et les industries légères *(à forte intensité de main-d'œuvre)* délocalisées vers ses périphéries asiatiques (Singapour, Corée du Sud, Hong-Kong, Taïwan, Philippines, Malaisie...) où les salaires restent inférieurs. L'interdépendance commerciale se resserre ainsi entre l'archipel et ses partenaires de l'ASEAN dont certains se muent dans les années 1980 en *Nouveaux Pays Industrialisés (NPI).* En 1985, le quatrième client du Japon est la Corée du Sud et son troisième fournisseur l'Indonésie. Cette dernière, riche

en pétrole, a absorbé à elle seule 60 % des investissements directs du Japon en Asie entre 1951 et 1986.

Une *zone économique Asie-Pacifique* s'ébauche mais les liens entre le Japon et ses voisins restent ambigus ; mutuellement avantageux sur le plan économique, ils pâtissent périodiquement du contentieux psychologique laissé par la présence japonaise dans les années 1940. De surcroît, l'accélération depuis 1980 du développement économique des *Nouveaux Pays Industrialisés (NPI)* avive la compétition commerciale entre le Japon et ses périphéries.

3) *L'intensification des investissements japonais à l'étranger* vise à neutraliser les risques commerciaux liés au protectionnisme renaissant des années 1970 et 1980. Encouragés par les bas taux d'intérêt japonais et les hausses sporadiques du yen, les investissements extérieurs offrent un exécutoire aux excédents de balance commerciale accumulés dès la fin des années 1960.

A partir de 1980, on observe une inflexion tant quantitative que géographique des investissements extérieurs directs. Entre 1980 et 1986, ils triplent en valeur et se réorientent principalement vers les pays développés (67 % contre 40 % dans les années 1960 et 1970).

Ce boom de l'investissement émane surtout de firmes qui ont acquis une position prééminente pour les produits de grande consommation tels que les automobiles, les photocopieurs, les magnétoscopes, les caméras vidéo, les fours à micro-ondes ou les récepteurs de télévision. En délocalisant leurs chaînes de montage, les entreprises réalisent des économies salariales en raison de la baisse relative des niveaux de vie européens et américains par rapport à ceux du Japon.

Aux investissements directs (8 % des actifs japonais en 1986) s'ajoutent les investissements de portefeuille (35 %). Ils transforment le Japon en pays rentier, surtout depuis la déréglementation en 1979 des marchés monétaires et financiers. La gestion des liquidités devient, dans le cadre de la progressive internationalisation du yen, une source de profits fructueux pour les firmes nippones cotées en Bourse ; beaucoup compensent ainsi le tassement de leurs activités consécutif à la forte réévaluation du yen *(endaka)* en 1985-1986.

La *zaitec (technologie de l'argent)* se développe ; certains imputent au goût des placements savants les poussées spéculatives qui ont déclenché le krach boursier d'octobre 1987. Paradoxalement, en devenant le « banquier du monde » au début des années 1980, le Japon est resté vulnérable ; le suréquilibre chronique de sa balance commerciale joint à la surépargne des ménages alimente les tensions avec le partenaire américain et fait craindre une hégémonie des banques japonaises : en 1982, on comptait parmi les dix premières banques mondiales deux banques japonaises ; en 1986, on en dénombre sept.

La tendance à privilégier les placements financiers sur l'investissement productif s'accentue depuis le début des années 1980. Elle explique la vertigineuse ascension des maisons de titres comme *Nomura Securities* (deuxième entreprise japonaise par les bénéfices en 1986), *Daïwa Securities* (sixième entreprise en 1986), *Nikko Securities* (9e rang) ou *Yamaichi Securities* (11e rang). Aussi, une réorientation des liquidités s'impose à partir de 1986, année où l'ancien gouverneur de la Banque du Japon, Maekawa, suggère de stimuler la consommation intérieure par le développement des loisirs, du logement et de la couverture sociale individuelle.

4) *Le dernier pilier du redressement japonais depuis 1973 est la primauté accordée à l'information économique.*

La tradition de captage des savoir-faire extérieurs, maintenue même pendant le long repli de l'ère Edo (voir tome I, chapitre 7) semble aujourd'hui plus vivante que jamais. *Le drainage systématique de l'information économique,* notamment par l'entremise des *sogo-shosha*, puissantes sociétés de commerce intégrées, remonte à l'ère Meïji ; il s'est intensifié depuis le choc pétrolier de 1973 au point qu'Umesao Tadao a pu comparer le Japon à un « trou noir » qui absorberait avidement l'information en provenance du monde entier et ne la restituerait que parcimonieusement.

Plus que jamais, les firmes japonaises considèrent l'information économique et commerciale comme un investissement indispensaable pour anticiper l'évolution des marchés. Le *Ministère de l'Industrie et du Commerce Extérieur* (MITI) supervise divers organismes (JETRO, JICST) chargés de glaner à travers le monde l'information technologique et économique de première main. Ainsi, « les entreprises et les laboratoires japonais accèdent en temps réel à 500 000 résumés rédigés chaque année à partir de 11 000 revues, dont 7 000 étrangères venant de 50 pays, de 15 000 rapports techniques, de 500 rapports de conférences, de plus de 50 000 brevets intelligemment sélectionnés chaque année. » (Christian Sautter, *les Dents du géant,* 1987, p. 140).

La presse économique est largement diffusée. Le *Nihon keizai shimbun (journal économique du Japon)* tire à 3,6 millions d'exemplaires et passe pour le mieux documenté des quotidiens économiques. L'information technique et économique est omniprésente sur les ondes que se partagent 138 sociétés de radio et de télévision. Les Japonais passent en moyenne trois heures et dix-neuf minutes devant leur télévision ; elle offre de multiples programmes éducatifs *(kyôiku bangumi)* qui, en 1987, étaient regardés régulièrement par 8 % de la population.

Bien formés et bien informés, les Japonais de la fin du XXe siècle disposent d'un incomparable réseau de communications horizontales : de groupe à groupe, de personne à personne et de personne à machine, par le biais des banques de données et de la télématique. De ce fait, la société japonaise est devenue la *première société en temps réel,* c'est-à-dire une collectivité hautement interactive où chaque citoyen peut en permanence peser sur l'information et le comportement de ses semblables.

Les dividendes du redéploiement.

Le redéploiement engagé en 1974 s'est révélé d'autant plus efficace qu'il s'est accompagné de la pérennité de certains atouts économiques apparus dès les années 1950 :

– *l'abondance structurelle de l'épargne* (31,4 % du Produit Intérieur Brut en 1985 contre 16,5 % aux Etats-Unis et 18 % en France) exerce une pression à la baisse sur les taux d'intérêt et permet de financer sans recours aux capitaux étrangers un déficit budgétaire proportionnellement supérieur à celui des autres pays développés (environ 4,5 % du PIB de 1980 à 1988 contre 2 % en France). Toutefois, la libéralisation depuis 1980 du marché des capitaux japonais s'est traduite par un relèvement des taux d'intérêts réels qui, par effet de péréquation, se sont rapprochés de ceux pratiqués aux Etats-Unis : le financement du déficit budgétaire japonais tend de ce fait à devenir plus onéreux pour l'Etat.

– *les avantages du management japonais* (emploi permanent pour les salariés des grandes entreprises, salaire à l'ancienneté, décision par consensus, cercles de qualité, ateliers flexibles, limitation des stocks par le système du *kanban* ; tissu dynamique d'entreprises sous-traitantes travaillant en étroite symbiose avec les grands groupes de dimension internationale).

– *la modicité des prélèvements obligatoires* dont le pourcentage est le plus faible des pays développés (26,1 % du Produit Intérieur Brut en 1980, contre 30,7 % aux Etats-Unis, 37,4 % en Allemagne fédérale et 42,6 % en France).

Autant de facteurs qui expliquent la fulgurante percée internationale des firmes japonaises et le vigoureux essor des niveaux de vie, alors même que la crise frappait sévèrement les économies occidentales.

Si la construction navale connaît un net déclin dès le milieu de la décennie 1970, les automobiles nippones continuent à bien s'exporter malgré l'autolimitation imposée à partir de

1981 par le gouvernement des Etats-Unis. Dès 1975, Toyota et Nissan ont supplanté Volkswagen sur le marché américain et en 1986, le Japon réalisait 27 % de la production automobile mondiale.

Les produits informatiques *made in Japan* investissent les marchés occidentaux entre 1980 et 1986. A cette dernière date, quatre des sept premiers fabricants mondiaux de semi-conducteurs sont Japonais et *Fairchild*, un des fleurons de l'électronique américaine, est racheté par le groupe *Fujitsu* qui lance sur le marché new-yorkais une fibre optique ultra-rapide.

Depuis la privatisation en 1985 de la grande entreprise de communications NTT *(Nippon Telegraph and Telephon)* une intense concurrence interne se développe entre producteurs japonais *(NTT, Daïnidenden, Japan Telecom* lancé par les compagnies de chemins de fer privatisées en 1987 ; s'y ajoutent deux groupes contrôlés respectivement par les sociétés de commerce Mitsui et Mitsubishi). L'enjeu est la conquête du marché que les Japonais dénomment « C & C » *(Computer and Communication)*, c'est-à-dire des satellites, des réseaux cablés, des fibres et des mémoires optiques.

Les niveaux de vie japonais se situent parmi les premiers du monde. En 1983, le Produit Intérieur Brut par tête d'habitant a dépassé celui de la France. L'espérance moyenne de vie est, au milieu des années 1980, la plus élevée du monde, dépassant les longévités longtemps exemplaires des populations scandinaves. Le confort domestique est largement généralisé. En 1986, on comptait pour 100 ménages 106,5 machines à laver, 174,7 téléviseurs couleurs, 114,3 réfrigérateurs, 88 climatiseurs et 56,4 fours à micro-ondes.

Cependant les produits alimentaires coûtent sensiblement plus cher que dans les autres pays avancés ; pour nourrir sa famille à niveau équivalent, le Japonais doit travailler deux fois plus d'heures que l'Américain et trois fois plus que l'Australien. Le riz japonais est le plus cher du monde en raison des garanties de revenu accordées par le parti libéral-démocrate à l'électorat agricole (7,6 % de la population active). L'alimentation occupait en 1984 27,3 % du budget domestique moyen contre 19,7 % pour les Français. A la même date, les Japonais prenaient quatre fois moins de congés annuels que les Français. Mais les vacances se passent souvent à l'étranger depuis que la réévaluation du yen *(endaka)* réduit le coût des *pakku* (package tours = voyages organisés) ; les séjours durent en moyenne six jours et se déroulent par ordre de préférence décroissante aux Etats-Unis, en Corée du Sud, à Hong Kong, à Taïwan et en Europe où l'Allemagne et la France attirent particulièrement.

Vers une parité avec les Etats-Unis.

Les relations du Japon avec les pays étrangers se sont améliorées depuis le premier choc pétrolier.

Malgré les frictions commerciales des années 1980, les relations nippo-américaines ont largement gagné en sérénité depuis la visite pour la première fois à Tokyo d'un président américain en exercice : Gerald Ford en novembre 1974. Le climat détendu contraste singulièrement avec les manifestations qui, en 1960, avaient conduit Eisenhower à annuler son projet de voyage. L'année suivante l'empereur et l'impératrice sont accueillis avec chaleur aux Etats-Unis. En 1987, c'est au tour du prince héritier et de la princesse Michiko.

L'alliance américaine, vivement contestée dans les années 1960 par une fraction de l'opinion japonaise, est universellement acceptée à partir de 1975. Dès 1973, le premier grand navire de guerre américain, le *Midway*, reçoit l'autorisation officielle de se baser en rade de Yokosuka, base opérationnelle de la VIIe flotte américaine. D'éphémères protestations resurgissent en octobre 1974 lorsque le contre-amiral américain La Roque confirme que les navires de guerre américains admis à faire relâche au Japon transportent avec eux leur charge de munitions nucléaires. Des querelles sémantiques s'élèvent au sujet de l'interdiction frappant toute *introduction* (en japonais *michikome*) d'armes nucléaires au Japon ; l'opinion finit par admettre que l'interdiction ne s'applique pas à l'allié américain.

A la fin des années 1970, les oppositions traditionnelles au traité de sécurité avec Washington s'estompent. La centrale syndicale *Söhyö,* proche du parti socialiste, renonce à ses positions anti-américaines tandis que le 27 novembre 1979, le *Komeito*, parti bouddhiste lié à la *Sokkagakaï*, reconnaît officiellement la légitimité du traité de sécurité et des forces d'auto-défense, cantonnant désormais son pacifisme au refus d'un réarmement massif du pays. La même position est adoptée par le parti socialiste *(shakaito)* le 22 mai 1980, par une déclaration officielle d'Asukata, son président, sans que ses assises électorales n'en souffrent lors des scrutins ultérieurs.

En 1975, le Premier ministre Miki reprend à son compte les positions de son prédécesseur Satô Eisaku en réaffirmant l'appui japonais à la politique de défense de Washington, notamment en Corée. Il déclare la « sécurité de la Corée » vitale pour la paix et l'équilibre de la région Pacifique. En juillet 1976 est créée une *Commission mixte nippo-américaine de Défense.* En 1979, se déroulent officiellement des manœuvres aériennes, terrestres et maritimes conjointes des forces japonaises et américaines. De son côté, le Japon accepte d'assumer une part croissante du financement des troupes américaines stationnées dans l'archipel. Lors des campagnes électorales de 1976 et 1979, l'opposition aux forces d'auto-défense cesse de constituer un thème électoral mobilisateur. Les Premiers ministres semblent affranchis de leur attitude embarrassée à l'égard des forces d'auto-défense depuis qu'Ohira a présidé, en mars 1979, les cérémonies de remise de décoration au personnel militaire.

En 1983, année du lancement de l'Initiative de Défense Stratégique (IDS), le président Reagan se rend au Japon et persuade le Premier ministre Nakasone, ancien ministre de la Défense des années 1970, d'augmenter la part de l'archipel dans le financement de sa propre défense. En septembre 1983, la crainte du danger soviétique se trouve ravivée à Tokyo par la destruction d'un avion civil de la compagnie coréenne KAL abattu par un appareil de chasse soviétique qui provoque sans sommation la mort de 269 personnes.

La force d'auto-défense japonaise n'a pas formellement vocation offensive. Elle est cependant devenue au fil des années une véritable armée professionnelle, quadruplant ses effectifs en trente-cinq ans. De 75 000 hommes en 1950, elle passe à 273 000 hommes en 1987 et dispose à cette date de 570 avions de combat, 170 navires de guerre et 69 navires détecteurs de sous-marins P3C. Septième armée du monde, elle est une des mieux équipées.

Si son financement excède à peine 1 % du PNB, son commandement a été restructuré en 1987, date à laquelle le Conseil de la Défense nationale a été transformé en Conseil de Sécurité. Au cours des années 1970, les conceptions de la Défense divergeaient dans le détail : Kaibara Osamu, ancien directeur général du Bureau de Défense, préconisait une guerre populaire généralisée préparée en temps de paix tandis que son collègue Kubo Takuya, théoricien de la « défense basique », se montrait attaché à la consolidation du « front de l'intérieur japonais ». En 1987, les conceptions se sont rapprochées avec la mise en chantier conjointe par Tokyo et Washington de l'avion de combat FSX et surtout l'élaboration d'une étroite coopération logistique, stratégique et tactique matérialisée par la rédaction commune d'un *Guide pour la collaboration nippo-américaine en matière de défense.* En cas de conflit contre l'URSS, le Japon deviendrait un porte-avions insubmersible susceptible d'anéantir les sous-marins nucléaires soviétiques présents dans la région.

Dans les années 1980, les tensions commerciales entre le Japon et les Etats-Unis se sont avivées ; pour réduire le déficit commercial des Etats-Unis, le Japon a accepté des accords d'autolimitation sur les produits de consommation grand public. Mais une plus franche ouverture du marché japonais aux produits américains paraît indispensable pour résorber significativement le déséquilibre : elle achoppe sur les intérêts catégoriels des agriculteurs et des distributeurs japonais. Pour épargner les premiers, le gouvernement nippon hésite à déréglementer son agriculture pourtant peu productive et pour ménager les seconds, il perpétue de multiples obstacles non tarifaires (procédures d'inspection tatillonnes, tracasseries administratives raffinées, règles sanitaires) à l'entrée des produits étrangers dans l'archipel.

A partir de 1985, le déséquilibre commercial se double d'une dépendance financière accrue du gouvernement fédéral à l'égard des marchés financiers japonais. Ce sont en effet les investisseurs institutionnels japonais (compagnies d'assurances, banques) qui souscrivent entre le quart et la moitié des obligations du Trésor américain émises plusieurs fois par an pour éponger le déficit chronique du budget fédéral.

Des malentendus avec la CEE.

Les relations avec les autres pays de l'OCDE s'approfondissent. A partir du sommet international de Rambouillet en novembre 1975, le Japon est considéré comme un membre à part entière du Directoire des grandes nations libérales.

A l'égard de la CEE, l'excédent commercial du Japon s'est amplifié depuis le premier choc pétrolier. Il tient largement à la protection de l'agriculture japonaise et à la pratique occasionnelle du *dumping* par les exportateurs nippons (photocopieurs, balances, roulements à billes). En 1978-1979, l'incompréhension mutuelle s'installe entre le Japon et la

CEE : tandis qu'en 1978 Ushiba Nobuhiko, ministre d'Etat chargé des relations économiques extérieures se plaint devant le Harvard Club de Tokyo que la Commission de la CEE est dépourvue de pouvoirs décisionnels et que les Européens sont « de très étranges créatures », la direction des relations extérieures de la Commission riposte en 1979 par un rapport confidentiel bientôt divulgué dans la presse, où on lit notamment que les Japonais sont des « intoxiqués du travail *(workaholics)* vivant dans ce que les Occidentaux ne sont pas loin de considérer comme des cages à lapins ».

La Communauté européenne adopte en 1981 des mesures de contingentement à l'égard de certains produits japonais et saisit en 1982 la Commission d'arbitrage du GATT de l'ensemble du contentieux commercial euro-nippon. Cette décision conduit le gouvernement Nakasone à prêter une oreille plus attentive aux doléances européennes et à envoyer son ministre des Affaires étrangères Abe Shintaro dans les diverses capitales européennes. En janvier 1983, un symposium euro-japonais organisé à Bruxelles réexamine l'ensemble des problèmes relatifs à la coopération scientifique, technique et financière. Un accord d'autolimitation des exportations japonaises signé pour dix produits de base (automobiles, téléviseurs, magnétoscopes...) ne suffit pas à résorber le déséquilibre commercial bilatéral.

Cependant, depuis les années 1980, la CEE prospecte plus activement le marché japonais et finance un programme qui envoie chaque année quarante jeunes hommes d'affaires européens au Japon pour s'y familiariser avec la langue et l'économie du pays. Les *joint ventures* industrielles se multiplient et les investissements européens au Japon progressent : la Suisse vient au premier rang jusqu'en 1985 supplantée depuis lors par la République fédérale d'Allemagne.

La coopération politique, militaire et culturelle avec l'Europe a enregistré quelques progrès ; les Japonais ont soutenu les Européens dans la condamnation des pressions soviétiques sur la Pologne et l'Afghanistan, dans le boycott des Jeux olympiques de Moscou, dans la proposition de Venise d'un règlement de paix au Moyen Orient associant les Palestiniens. En 1980, la flotte japonaise a participé à des manœuvres conjointes avec la *Royal navy* britannique ; en 1983, avec la marine française. Dans le même temps des contacts réguliers ont été noués entre l'OTAN et l'Agence japonaise de Défense.

Dans le domaine culturel, le Japon commence à être moins mal connu des Européens ; la création en 1972 de la *Fondation du Japon* pour promouvoir la connaissance de la langue et de la civilisation japonaises a jusqu'alors plus profité aux Etats-Unis et aux pays d'Asie du Sud-Est qu'à l'Europe. L'arrangement floral *(ikebana)*, l'artisanat traditionnel, le Zen, la littérature japonaise, les arts martiaux et même la lutte traditionnelle *(sumo)* intéressent un public croissant. Le désir d'internationalisation vaut au Japon d'être choisi en novembre 1973 comme siège de l'Université des Nations Unies et, en 1986, comme pays hôte du sommet international contre le terrorisme.

Face aux infiltrations soviétiques...

Avec l'Union soviétique, les déconvenues ont été nombreuses depuis le premier choc pétrolier : enlisement des négociations sur l'exploitation par les Japonais des réserves de gaz et de pétrole sibériens ; renonciation des Japonais à participer aux travaux de construction d'un second Transsibérien de peur d'indisposer la Chine ; conflits permanents sur les droits de pêche ; refus soviétique persistant d'envisager la restitution à Tokyo des Territoires du Nord ; intensification après l'installation d'un parti unique au Vietnam (1975) et la signature du traité soviéto-vietnamien (1978) des manœuvres navales soviétiques dans le Pacifique occidental ; installation en territoire vietnamien des bases militaires soviétiques de Cam Ranh et de Da Nang en 1979 ; multiplication depuis le début des années 1980 des survols du territoire japonais par des appareils soviétiques ; mise en chantier en 1979 de nouvelles bases militaires soviétiques à Kunashiri, la plus rapprochée du Japon des deux grandes îles composant les Territoires du Nord ; tentatives soviétiques de noyautage des élites culturelles et ecclésiastiques (par le biais de la théologie de la libération) des îles du Pacifique sud, à partir de 1985 ; intensification de la guérilla pro-communiste aux Philippines ; déclaration de Gorbatchev à Vladivostock, le 28 juillet 1986, considérant la zone Asie-Pacifique comme vitale pour les intérêts soviétiques et offrant une étroite coopération aux pays de l'ASEAN.

Les relations commerciales stagnent depuis le milieu des années 1970 et la balance des échanges accuse un excédent croissant en faveur du Japon. En 1981, les échanges avec le Japon représentaient 63,5 % du commerce soviétique avec l'Extrême-Orient tandis que pour Tokyo, l'URSS n'intervenait que pour 2 % dans le total de ses relations commerciales. Un effort de rééquilibrage et une certaine détente s'observent depuis la visite à Tokyo en 1986 d'Edouard Chevardnadze, ministre des Affaires étrangères de Mikhaïl Gorbatchev.

La reconstitution du monde sinisé.

Dans un passionnant ouvrage paru en 1986 *(Le Nouveau Monde sinisé,* PUF) Léon Vandermeersch a montré comment s'accélère à partir de 1970, le rapprochement entre les pays façonnés par les idéogrammes : Japon, Chine, Corée, Hong Kong, Taïwan, Singapour.

Les relations entre le Japon et la Chine ont été normalisées en 1972, débouchant en 1978 sur un traité d'amitié. Le Japon hésita longuement à y inclure la clause anti-hégémonique réclamée par les Chinois et dirigée contre Moscou. L'affirmation de Deng Xiao Ping, la chute de la bande des Quatre (1981) et la libéralisation économique à Pékin (1982) favorisent l'essor régulier du commerce et le développement de *joint-ventures* sino-japonaises. L'épineuse question de Taïwan est traitée par prétérition pour ne pas compromettre le consensus sur les relations économiques. Pékin soutient les revendications japonaises sur les Territoires du Nord annexés par l'URSS à la fin du second conflit mondial.

En 1982, le dixième anniversaire de la normalisation fournit l'occasion d'un premier bilan et d'un nouveau départ. Le Premier ministre chinois Zhao Ziyang se rend à Tokyo en juin 1982 et accueille trois mois plus tard son collègue japonais Suzuki Zenko à Pékin. Le bilan de dix années de normalisation est plus qu'encourageant : les échanges commerciaux ont décuplé, le tourisme a été multiplié par douze et 42 villes chinoises et japonaises ont été jumelées. En 1983, la langue japonaise est enseignée dans 90 établissements universitaires chinois ; si les idéogrammes qui sont communs aux Chinois et aux Japonais favorisent la compréhension des concepts, la structure de la langue japonaise diffère profondément de celle du chinois. En 1979, a été signé un nouvel accord commercial applicable jusqu'en 1990. Mais les dérapages inflationnistes de l'expérience de libéralisation économique chinoise incitent les autorités de Pékin à annuler ou à différer de nombreux contrats de fournitures ou d'usines clés en main, érodant quelque peu la confiance des Japonais.

Pourtant, le Japon est devenu en 1983 le premier partenaire commercial de la Chine et la Chine le deuxième partenaire du Japon, loin cependant derrière les Etats-Unis.

Les pays de l'ASEAN (Thaïlande, Malaisie, Indonésie, Philippines, Singapour) fournissent le Japon en matières premières et en produits finis pour un total de 56 % de la valeur des importations japonaises en provenance d'Asie orientale (1986). Ils recueillent plus du tiers des investissements directs du Japon en Asie. Depuis 1985, la forte remontée du yen *(endaka)* pénalise ceux qui se sont le plus fortement endettés auprès du Japon, tels l'Indonésie et la Malaisie. Au plan politique, le Japon soutient ces pays face au bloc communiste, notamment la Thaïlande contiguë du Kampuchea. Le Premier ministre Nakasone a confirmé cet appui lors de son voyage en Asie du Sud-Est en 1983.

Avec la Corée du Sud les relations sont à la fois étroites et tendues en raison des souvenirs pour le moins mitigés laissés par la colonisation japonaise de la Corée entre 1910 et 1945. En 1985, plus de 50 % des Coréens déclarent encore dans les sondages « haïr les Japonais » et la plupart de ces derniers jugent les Coréens « d'une extrême susceptibilité ». Le commerce japonais est largement excédentaire avec la Corée du Sud qui reproche à Tokyo de limiter volontairement des transferts de technologie par crainte d'un effet boomerang. Au sein de la classe politique japonaise, des courants préconisent le développement simultané de relations économiques plus étroites avec la Corée du Nord.

Les soubresauts politiques.

La période située entre les deux chocs pétroliers correspond à une phase de turbulences politiques. Bien que le parti libéral-démocrate *(jiyû-minshutô)* continue à recueillir plus de 51 % des voix aux élections, les factions internes de la nébuleuse conservatrice-libérale se livrent de rudes batailles pour le contrôle des postes-clés.

En juillet 1972, Sato, au pouvoir depuis 1964, se retire en raison de son attitude longtemps hostile à la Chine qui apparaît anachronique au moment où s'esquisse un rapprochement sino-japonais.

Son successeur Tanaka Kakuei ne reste au pouvoir que jusqu'en décembre 1974. Cet autodidacte enrichi dans la construction et les travaux publics jouit d'une excellente audience dans les milieux populaires, notamment dans sa circonscription de Niigata. Il est le fer de lance de la reconnaissance diplomatique de la Chine en septembre 1972. Mais, reconnu coupable d'avoir touché de la firme américaine Lockheed un pot de vin de 500 millions de yens et convaincu de fraude fiscale, il doit céder la place à Miki Takeo (décembre 1974-décembre 1976) d'une probité incontestée. Ce dernier fait adopter en 1975 une loi sur le financement des partis politiques destinée à mettre un terme au *kinkenseiji* (la politique corrompue par l'argent).

Le discrédit porté à la droite par les scandales financiers favorise la remontée de la gauche aux élections municipales : c'est ainsi qu'en 1972 est réélu maire de Tokyo Minobe Ryokichi, fils du professeur Minobe, auteur dans les années 1930 de la fameuse « théorie des organes » (voir tome I). Au cours de l'année 1976, le scandale Lockheed bat son plein : outre la compagnie de commerce Marubeni et un brasseur d'affaires du nom de Kodama Yoshio, plusieurs personnalités du parti libéral-démocrate s'y trouvent impliquées. Il en résulte une scission du parti dont se détache le *Nouveau Club Libéral* (NCL) qui sera réabsorbé par le PLD en août 1986. Cette défection fragilise le PLD aux élections de décembre 1976 et provoque la chute de Miki remplacé par Fukuda Takeo (Décembre 1976-décembre 1978).

Député depuis 1952, riche d'une expérience ministérielle à l'agriculture, aux finances et aux affaires étrangères, Fukuda poursuit le redressement économique du pays après le premier choc pétrolier. Lors des élections préfectorales, la droite reconquiert les positions perdues au moment du scandale Lockheed.

Mais en décembre 1978, les luttes récurrentes des factions donnent le pouvoir au vieux rival de Fukuda, Ohira

Masayoshi. Cet homme de conviction, chrétien, patient et taciturne, issu de l'université Hitotsubashi (le HEC japonais) jouit d'une énorme popularité car il incarne la tendance libérale du PLD et fut secrétaire particulier d'Ikeda, l'artisan du doublement du revenu national en dix ans, au cours de la décennie 1960-1970. En 1979, il organise à Tokyo le sommet des pays industrialisés. En 1980, ébranlé par un vote de défiance à la Chambre dû à une défection pseudo-inopinée des factions Miki et Fukuda, il prononce la dissolution et provoque des élections générales. Surmené, Ohira meurt d'un infarctus pendant la campagne électorale qui se solde par une écrasante victoire conservatrice. Le président Carter fait le voyage à Tokyo pour assister à ses obsèques.

Retrouvant une confortable majorité, le parti conservateur continue à diriger le pays. Le Premier ministre Suzuki Zenko, un homme de compromis, issu de la faction d'Ohira, transfuge du parti socialiste, ancien ministre de la Santé et des Télécommunications préside sans éclat aux destinées du Japon de l'été 1980 à octobre 1982.

Son successeur Nakasone Yasuhiro (né en 1918) est d'une tout autre stature. Diplômé de Sciences politiques de la prestigieuse université de Tokyo, issu d'une famille de riches négociants en bois de charpente, il passe la guerre comme trésorier de la Marine, exerce de hautes responsabilités dans la police avant de devenir à vingt-huit ans député libéral-démocrate en 1947. Réélu treize fois, cet homme élégant et éloquent a appartenu au gouvernement Kishi en 1959, a exercé la présidence de la Commission de l'énergie atomique et s'y est fait le défenseur du réarmement. Son expérience acquise successivement à la tête du ministère des Transports, de l'agence de Défense et du MITI et son ascendant personnel lui permettent de ramener l'ordre au sein du parti libéral-démocrate. Il reste au pouvoir jusqu'en novembre 1987, consolide les liens avec l'ASEAN parvient à désarmorcer les tensions commerciales majeures avec les Etats-Unis et la CEE lève le verrou de 1 % du produit national consacré à la Défense, mais échoue à promouvoir la réforme fiscale devant la résistance des chaînes de distribution à l'idée d'une TVA *(fukakachizei).*

Son successeur Takeshita Noboru (novembre 1987- mai 1989) mécontente à la fois les ménagères en instituant une taxe de 3 % sur la consommation et les agriculteurs en cédant aux pressions américaines pour démanteler les protections douanières. Pour reconquérir l'opinion populaire, Takeshita plaide pour le *furusato sosei (retour à la terre natale)* et propose un ré-enracinement rural et provincial aux couches urbaines salariées qui s'adonnent avec délices aux placements financiers.

L'euphorie boursière bat son plein : l'*indice Nikkei* progresse de 40 % au cours de la seule année 1988. La spéculation devient un phénomène de société : les salariés modestes et les ménagères s'abonnent au *Nihon Keizai shimbun* (le journal économique du Japon) pour surveiller la cote de leurs actions. La frénésie spéculative entraîne une surévaluation généralisée des actifs et ébranle socialement, politiquement et moralement la société japonaise. Les écarts de fortune se creusent dans une nation qui se flattait jusqu'alors de former une vaste classe moyenne laborieuse aux niveaux de vie et aux comportements relativement homogènes. Les scandales politico-boursiers et les trafics d'influence sapent la confiance dans les dirigeants et acculent Takeshita à la démission (juin 1989), l'année même où s'éteint l'Empereur Hiro Hito.

L'Ere Showa (1926-1989) s'achève ainsi dans un climat d'agiotage qui donne naissance à une gigantesque « bulle financière », lourde de menaces.

17

La crise de Heisei : les années 1990

La période qui sépare les funérailles de l'Empereur Hiro Hito (24 février 1989) de l'intronisation solennelle de son fils Akihito (12 novembre 1990), inaugure pour les Japonais une série d'épreuves que rien ne laissait présager dans l'immédiat.

En 1989, l'économie japonaise paraît au zénith de sa prospérité. Le redéploiement réussi et l'internationalisation croissante des entreprises démontre que le Japon excelle dans « *l'art d'absorber les chocs* », selon l'heureuse expression de Jean-Marie Bouissou. Le PNB per capita (23 000 dollars) a dépassé celui des Etats-Unis (21 000 dollars).

Le Japon tient désormais un rôle éminent dans le concert des nations. Les cérémonies dynastiques de 1989 et 1990 en apportent la preuve. Alors qu'en 1927, seulement 35 ambassadeurs avaient suivi la dépouille de l'Empereur Taishô, en 1989, 159 délégations dont 52 chefs d'Etat ou de gouvernement se rendent à Tôkyô pour la clôture de l'*Ere Showa.* A l'issue du deuil officiel, les mêmes délégations se retrouvent en novembre 1990 pour l'intronisation d'Akihito. Avec cet Empereur plus informé de l'Occident que son père, débute l'*Ere Heisei (accomplissement de la paix).*

Mais peu à peu se répand l'expression « *crise de Heisei* », présentée par un ouvrage à succès publié en 1992 par le Professeur Miyazaki de l'Université de Tôkyô, comme une « *crise complexe* » *(fukugô fukyô)*, expression qui fait fureur. Effectivement, le malaise de Heisei est protéiforme : il est le fruit amer de l'ivresse spéculative, du défi de la mondialisation *(kokusaika)* et de la globalisation *(gorubaruka)*, de la vénalité des politiques *(kinkenseiji)* passés maîtres dans le drainage de « l'argent secret » *(uragane)*, de l'hémorragie démographique, des attitudes émergentes des jeunes générations qui répudient la *morale du devoir envers le groupe* au profit d'une *morale des droits individuels* comme le montre le nouveau slogan (*car tsuki, baba nuki)* des jeunes filles en quête d'un mari : elles l'exigent « *avec voiture et sans belle mère* »...!

Le dégonflement de la bulle spéculative.

La succession dynastique coïncide avec un changement de contexte international. L'écrasement du « printemps des étudiants » de Pékin (juin 1989), la décommunisation de l'Europe de l'Est (novembre 1989), la crise du Golfe (août 1990-février 1991), baptisée au Japon « *Choc Saddam* » créent un climat d'incertitude. Comme en 1973, le Japon mesure sa fragilité économique lorsqu'il doit interrompre ses importations de pétrole kowétien et irakien, à la suite de l'invasion du Koweit par les armées de Saddam Hussein.

Dès 1990, la « bulle financière » artificiellement entretenue par la fièvre spéculative de 1986 à 1989, commence à se dégonfler. Une expression à la mode se répand pour exprimer sa morosité ou stigmatiser tout ce qui ne va pas : *bubble ga hajikeru... la bulle a éclaté* ! L'*indice Nikkei* qui avait pulvérisé ses plus hauts niveaux historiques à la fin de décembre 1989, plonge à partir de 1990. De 38 915 fin 1989, il tombe à 14 485 en 1994.

Les institutions financières sont frappées de plein fouet. Les banques se retrouvent avec une masse de mauvaises créances évaluée à 9 000 milliards de yens. En 1995, plusieurs banques font faillite (Banque de Hyogo, Crédit Kizu, Banque Cosmo) et la banque Daïwa, fragilisée par ses spéculations malheureuses, fusionne avec la banque Sumitomo. La même année, éclate l'affaire des *jusen.* Ces établissements créés dans le sillage des grandes banques pour faciliter l'accession des ménages à la propriété, ont multiplié, avec la connivence du ministère des Finances, les spéculations foncières et immobilières. Leurs folles imprudences entraînent la déconfiture des multiples promoteurs immobiliers qui laissent un passif global de 6 410 milliards de yens, soit environ 300 milliards de francs !... Les banques de tutelle des *jusen* et le Crédit agricole japonais *(nôkyô)* se trouvent acculés à des restructurations impitoyables pour tenter d'apurer les dettes accumulées.

De nombreuses entreprises industrielles supportent le coût de leurs dérives spéculatives. De 1986 à 1989, de grandes firmes étaient devenues des virtuoses du *zai-tech* (technologie du placement fructueux). Elles avaient laissé carte blanche à leur direction financière et tiraient de leurs plus-values boursières et immobilières des profits très supérieurs aux revenus de leur activité industrielle. En 1989, beaucoup avaient accumulé des actifs surévalués (terrains, titres, tableaux de maître...). Ni le ministère des Finances, ni le MITI n'avaient esquissé la moindre intervention régulatrice. Ils avaient au contraire accéléré l'emballement en abaissant le taux d'escompte à 2,5 %, ce qui permettait d'emprunter pour spéculer avec l'assurance de s'exonérer très vite grâce aux plus-values réalisées.

Le retournement de la tendance boursière en 1990 impose aux entreprises imprudentes de mettre fin à l'hypertrophie de leur sphère financière. Certaines périclitent : les faillites augmentent en 1991 de 164,4 % par rapport à 1990. De nombreuses firmes doivent engager une « purge » au moment précis où la mondialisation les accule déjà à des restructurations et à des compressions d'effectifs. C'est le temps de la dérégulation *(kiseikanwa)* à la Thatcher ou à la Reagan.

Les Etats-Unis multiplient d'ailleurs les pressions pour obliger le Japon à ouvrir son marché intérieur. Ils ont voté en 1988 le *Trade Act* qui menace de représailles douanières les Etats recourant au *dumping*. Ils obtiennent l'accès des entreprises américaines au marché japonais des travaux publics (en japonais : les « *zenekon* » ou *general contractors*), puis des gros ordinateurs. En mai 1989, l'administration Bush inscrit l'archipel sur une « liste noire » – aux côtés du Brésil et de l'Inde –, pour ses pratiques commerciales jugées « déloyales ».

L'Occident s'évertue à réduire ses déficits commerciaux croissants vis-à-vis de Tôkyô. En juin 1989, sept sociétés américaines d'informatique, dont IBM, forment un consortium pour contrer la suprématie nippone en matière de composants électroniques ; la Communauté européenne adopte dans le même but le programme JESSI *(Joint European Submicron Silicon)*. Ces efforts n'empêchent pas Fujitsu de racheter le principal fabricant britannique d'ordinateurs en 1990.

Les investissements japonais à l'étranger poursuivent leur essor jusqu'à la guerre du Golfe (janvier-février 1991). La firme d'appareils électriques Matsushita rachète le groupe cinématographique américain MCA ; Sony rachète Columbia ; Mitsubishi passe un accord de coopération avec l'entreprise allemande Daimler-Benz dans les secteurs de l'automobile, de l'électromécanique et de l'aéronautique. Mais un repli se dessine après la guerre du Golfe qui grippe durablement la demande intérieure. Les investissements directs du Japon à l'étranger qui s'élevaient à 67,5 milliards de dollars en 1989, retombent à 36 milliards en 1993. En 1995, Matsushita revend les studios américains MCA et Mitsubishi se défait à New York du *Rockefeller Center*.

L'expansion économique grippée.

Les entreprises depuis 1992 compriment leurs coûts, en particulier leurs frais de représentation *(shayô-zoku)*. Ce poste de dépense qui s'était étoffé durant les années de prospérité permet de fidéliser les cadres en leur offrant toutes sortes d'avantages en nature, nets d'impôt : inscription dans de coûteux clubs de golf, billets d'entrée gratuits pour les tournois de sumo et de base-ball, repas d'affaires bien arrosés dans les restaurants traditionnels *(ryotei)* les plus réputés.

Cette consommation « institutionnelle » tend à se tasser au moment même où la consommation privée des ménages se ralentit. Beaucoup de petits porteurs ont perdu gros dans le retournement de la Bourse. Ils sont amers de découvrir que les maisons de titres qui les avaient démarchés couvrent les pertes de leurs gros clients, en particulier des hommes politiques. Les ventes d'automobiles et d'électronique grand public chutent. En 1992, les prix immobiliers constamment orientés à la hausse depuis 1975 enregistrent une baisse (–15 % dans les grandes villes). Le mot à la mode en 1993-1994 est « *seihin* » (frugalité), à la suite d'un essai à succès de Nakano Kôji : *seihin no shisô* (l'esprit de frugalité). Les ménagères privilégient les plats simples et roboratifs dits « *yasui, umai, manpuku* » (économiques, bons et consistants). Les librairies regorgent de « *guides de magasins qui cassent les prix* ». En 1993, le guide *Tôkyô pas cher* double ses ventes. Le ralentissement général de la demande se répercute en amont sur le secteur des biens de production : les investissements productifs reculent de 4,3 % au cours de l'année 1992.

Le 28 août 1992, le gouvernement Miyazawa tente de susciter un rebond. Il lance un vaste plan anticrise *(Sôgôkeizai-taisaku)*. Pour ranimer la demande, il puise l'équivalent de 400 milliards de francs (2,3 % du PNB) dans les réserves accumulées au cours des années de prospérité. Pour stimuler l'investissement, il baisse les taux d'intérêt au moment où l'Allemagne (pour cause de réunification) et la France (engagée par P. Bérégovoy dans la politique du franc fort) relèvent leurs taux. Il en résulte une baisse du yen sur les marchés des changes, qui dope les exportations japonaises au détriment des produits européens. L'excédent commercial japonais atteint donc en 1992 le record de 100 milliards de dollars et l'excédent de la balance des comptes courants augmente de 40 %!... Comme souvent au cours de son histoire, le Japon compense sur les marchés extérieurs l'alanguissement de sa demande intérieure. Mais cette fois, les gains liés à l'exportation servent à amortir les séquelles de la « bulle spéculative » plutôt qu'à ranimer le marché intérieur.

De 1994 à 1996, tout est pourtant essayé pour revigorer l'activité. Les taux d'intérêt déjà tombés à 1,75 % en 1993, descendent au plancher record de 0,5 % en 1996. En cinq ans le gouvernement injecte, au moyen de six plans de relance, 670 milliards de dollars, soit 1 % de la croissance par an. Au cours de la seule année 1993, deux plans de relance interviennent à six mois d'intervalle (avril puis septembre). Les déficits publics se creusent ; l'encours total de la dette de l'Etat représente en 1996 80 % du PNB et devrait dépasser les 100 % en 2005. En 1994, les agriculteurs reçoivent une subvention exceptionnelle. Pour accompagner le mouvement, une loi réduit à 40 heures la durée hebdomadaire du travail à compter de 1994. Dans un pays où les horaires professionnels excèdent très sensiblement ceux de l'Occident, c'est une véritable révolution des comportements.

La stabilité de l'emploi compromise.

Ces remèdes restent cependant largement inopérants. Certes, la Bourse, l'immobilier se redressent à partir de 1994 mais l'*endaka* (yen fort qui atteint 1 $ = 97,6 yens au 1er juillet 1994) et les *risutora* (restructurations) liées à la mondialisation entraînent comme partout des compressions d'effectifs, des mises en retraite anticipées et des délocalisations. Les entreprises sont d'autant plus tentées de délocaliser qu'elles ne parviennent pas à comprimer leur masse salariale. Or, les délocalisations exercent un double effet pervers : d'une part, elles réduisent l'excédent du commerce extérieur, car il faut réimporter les produits fabriqués à l'étranger et d'autre part, elles détruisent des emplois au Japon même.

Pour endiguer le processus, le gouvernement Hosokawa crée en 1994 une *cellule de crise chargée du chômage*. Le sous-emploi, estimé à 3,4 % (1995), représente certes moins du quart de celui enregistré dans l'Union européenne, mais il frappe plus fortement les jeunes (6 %) et est sans doute sous-estimé de 2 points. Les plus beaux fleurons de l'appareil industriel annoncent en 1996 des réductions d'effectifs : – 7 000 employés en trois ans à la *Nippon Steel* ; – 5 000 chez *Nissan* ; – 2 600 dans la firme automobile de *Mitsubishi*, etc. C'est ce que les commentateurs japonais dénomment pudiquement la « réorganisation de la politique salariale » *(koyô chôsei)*.

Ces licenciements ébranlent la confiance des salariés. Depuis les années 1950, ils bénéficiaient de « *l'emploi à vie* » *(shûshin-koyô)* et de « *l'avancement à l'ancienneté* » *(nenkô-joretsu)*. Cette sécurité de l'emploi fondait leur indéfectible dévouement à l'entreprise considérée comme une seconde famille. Sous la pression de la mondialisation, cette conception paternaliste et sécurisante du marché du travail régresse au profit d'une gestion *à l'américaine* exclusivement soucieuse de productivité (dégraissage des effectifs vieillissants, promotion de jeunes cadres à des postes de responsabilité indépendamment des critères d'ancienneté…).

C'est toute l'éthique du travail japonaise qui s'en trouve remise en cause. Pour la *génération du baby boom (dankai no sedai)* actuellement en fin de carrière, cela implique le passage d'une philosophie communautaire à une conception individualiste du travail. Au même moment, cette génération s'inquiète pour ses vieux jours en raison du vieillissement de la population. Un sondage publié dans le *Mainichi Shimbun* du 7 janvier 1995 révélait que la retraite est devenue la première préoccupation des Japonais.

Si l'entreprise ne constitue plus « le cocon » qu'elle a longtemps été, il en va de même de l'archipel japonais dans son ensemble qui subit les contrecoups de la mondialisation des enjeux géo-politiques. Le Japon désire désormais jouer un rôle international en rapport avec sa primauté économique. De ce fait, il se trouve impliqué dans des conflits régionaux extra-asiatiques. Certains redoutent que le Japon n'y perde son identité et redevienne sensible aux thèmes nationalistes.

Ambitions onusiennes et ouvertures asiatiques.

Depuis les années 1980, la Japon ambitionne ouvertement de devenir membre permanent du Conseil de sécurité de l'ONU. Un sondage publié par le journal *Asahi* du 22 septembre 1994 révèle que 70 % des Japonais y sont favorables. Au cours d'une tournée européenne en 1990, le Premier ministre Kaifu revendique pour son pays un rôle majeur « *non seulement économique mais politique* ». C'est un de ses successeurs, le socialiste Murayama, qui, le 27 septembre 1994, par le truchement de son ministre des Affaires étrangères Kôno Yôhei, pose officiellement la candidature de l'archipel.

Sa recevabilité dépend de deux conditions : d'une part, que le Japon ait réglé son contentieux de guerre avec ses voisins asiatiques, d'autre part, qu'il donne des gages concrets de son attachement à l'action des Nations unies dans le monde. Sur ces deux points, de larges divergences subsistent dans la classe politique comme dans l'opinion publique.

Le souci d'apaisement vis-à-vis des voisins asiatiques incite le Japon à rompre rapidement la quarantaine observée par les nations démocratiques à l'encontre de la Chine après la répression en juin 1989 du mouvement étudiant de la place Tien An Men. Dès juillet 1990, Tôkyô accorde un prêt à Pékin. En août 1991, le Premier ministre Kaifu est le premier dirigeant d'un grand pays à effectuer une visite officielle en Chine communiste depuis le printemps de Pékin. En octobre 1992, l'Empereur Akihito est le premier Empereur du Japon à fouler le sol chinois. Il s'agit aussi pour Tôkyô de prendre sa part d'un marché en rapide expansion. Les investissements japonais en Chine triplent au cours de la seule année 1992 et atteignent 2,17 milliards de dollars. Mais dans les milieux politiques et diplomatiques japonais s'opposent deux tendances : les partisans d'un rapprochement avec la Chine et les « sino-sceptiques » qui appréhendent l'ethnocentrisme chinois.

C'est aussi en 1992 que le Japon reprend son aide économique au Vietnam suspendue depuis 1979 et développe ses relations avec la Corée du Sud qu'il sait défavorable à l'idée de son accession au rang de membre permanent du Conseil de Sécurité de l'ONU (rencontre entre le Premier ministre Miyazawa et le Président sud-coréen Roh-Tae-Woo). En janvier 1993, le Premier ministre Miyazawa fait une tournée en Asie.

Mais les blessures conservées par la conscience collective sont plus lentes à cicatriser que ne le donne à penser le rapprochement des dirigeants politiques. Le 6 juillet 1992, le gouvernement japonais exprime officiellement ses regrets aux femmes coréennes, chinoises et taiwanaises enrôlées de force comme «*femmes de réconfort*», c'est-à-dire comme prostituées, par les autorités militaires japonaises au cours de la Seconde Guerre mondiale. Certaines étaient à peine âgées de douze ans. Le 10 août 1993, le Premier ministre Hosokawa reconnaît que l'armée japonaise a mené en Asie une « *guerre d'agression* » et en novembre, il se rend en Corée du Sud. L'année suivante, le socialiste Murayama lance un *programme d'un milliard de dollars sur dix ans* pour indemniser les victimes des crimes de la Seconde Guerre mondiale, puis effectue en août une tournée en Asie du Sud-Est.

Cet empressement à faire amende honorable n'est pas du goût de tous. Des voix discordantes s'élèvent au sein même du gouvernement : en mai 1994, le ministre de la Justice Nagano Shigeto démissionne après avoir déclaré que le massacre de Nankin perpétré par l'armée japonaise en 1937 est une pure invention. En août de la même année, Sakurai Shin, se démet de ses fonctions de directeur de l'Agence de l'environnement après avoir affirmé que le Japon n'a pas mené de « *guerre d'agression* » en Asie.

Le regard des Japonais sur les années de guerre est au cœur d'une interminable controverse sur les manuels scolaires, illustrée par l'affaire Ienaga. Au Japon, les livres de classe *(kyôkasho)* doivent paraître avec le visa officiel d'un corps de commissaires *(chôsakan)* qui apprécient le contenu des ouvrages. Leurs propositions détaillées de refontes ou de suppressions de paragraphes indiquent aux auteurs la présentation « politiquement correcte » qui leur garantit d'obtenir l'agrément du ministère de l'Education.

Ainsi, à propos du sac de Nankin par l'armée japonaise en 1937, le professeur Ienaga Saburô, rédacteur de livres d'histoire, est invité à corriger son manuel de 1980 où il avait écrit : « *L'armée impériale tua de nombreux soldats et civils chinois juste après avoir occupé la ville.* » Le ministère lui prescrit de refondre en ces termes : « *Beaucoup de soldats et de civils périrent dans le chaos.* » Il lui est aussi demandé de supprimer son paragraphe relatif à l'unité 731 ouverte en Manchourie en 1935 par le général Ishii et où des Chinois servirent de cobayes dans des expériences de guerre bactériologique. Ces questions ont une vive résonance dans les pays voisins du Japon. En 1982, une crise diplomatique survient avec la Chine et la Corée, lorsque le ministère japonais de l'Education exige que l'intervention militaire en Chine soit qualifiée dans les manuels scolaires d'« *avance* » *(shinshutsu)* et non d'« *invasion* » *(shinryaku).* Le professeur Ienaga a intenté à l'Etat trois procès en 1965, 1967 et 1984. En 1993, le géographe Takashima Nobuyoshi a engagé à son tour une procédure judiciaire contre les pouvoirs publics, dénonçant le principe même de l'agrément ministériel. En mars 1993, la Cour suprême déboute le professeur Ienaga et estime la censure préalable des manuels scolaires conforme à la constitution, puis elle se ravise partiellement en octobre de la même année.

Ces controverses juridico-historiques poussent les dirigeants à multiplier les initiatives apaisantes ou réparatrices et à accentuer leur politique de bon voisinage en Asie, parfois avec le concours des intellectuels. Ainsi, Oe Kenzaburô reçu prix Nobel de littérature en 1994, prend soin de déclarer qu'il reçoit cette distinction, « *non en tant qu'écrivain japonais mais en qualité d'auteur asiatique* ». En juillet 1994 lors de leur sommet de Séoul, la Corée du Sud et le Japon s'engagent à multiplier les ouvertures auprès de la Corée du Nord. Peu à peu le Japon développe un « asiatisme de terrain » (Karoline Postel-Vinay) auquel l'ancien Premier ministre Nakasone apporte un concours actif. La realpolitik prolonge la volonté d'apaisement idéologique : le Japon qui n'a guère intérêt à une réunification trop rapide des deux Corées, multiplie les contacts et étoffe son réseau de partenaires en intensifiant ses investissements dans les pays de l'ASEAN *(Association des pays du Sud-Est asiatique)* qui représentent un marché émergent de 320 millions de consommateurs. Dès 1991, le Président de Fuji-Xerox, Kobayashi Yôtarô a suggéré l'idée d'un nécessaire recentrage du Japon sur l'Asie, proposant notamment la création d'une « Maison Asie ». De 1994 à 1996, le Japon a assuré le secrétariat du *forum de Coopération économique en Asie Pacifique* (APEC). Les contacts s'intensifient avec la Malaisie, Singapour et l'Indonésie et un discours culturaliste se répand sur le thème des « valeurs asiatiques ». Les Sud-Coréens sont, hors du Japon, le groupe le plus nombreux à étudier la langue japonaise. A Taiwan, le nombre de publications japonaises en circulation a dépassé depuis 1985 celui des publications anglophones et les vidéo japonaises représentent 25 % du marché de location de cassettes.

Une stratégie de légitimation internationale.

Pour accéder au Conseil de sécurité, le Japon doit manifester sa capacité à relayer l'action des Nations unies partout dans le monde. L'*Ere Heisei* marque un tournant décisif dans sa stratégie de légitimation internationale, qui présente plusieurs volets : envoi de contingents armés dans les zones sensibles du globe, intensification de l'aide au développement, solidarité avec les grandes options du G7.

Lors de la guerre du Golfe (janvier-février 1991), l'archipel accepte mal d'être confiné au rôle de simple signataire de chèques, à hauteur de 17 milliards de dollars, pour des actions internationales dont l'initiative et la logistique lui échappent. Le Japon qui est devenu le deuxième financier de l'ONU, et même le premier si l'on prend en compte les retards de paiement américains, entend désormais « montrer son visage » et marquer davantage sa présence dans le monde. Dans cet esprit, le Premier ministre Kaifu introduit à l'automne 1991 un projet de loi permettant aux soldats japonais de participer à des missions lointaines de maintien de la paix, dites missions PKO *(Peace Keeping Operations)* sous l'égide des Nations unies.

Une telle initiative souleva de fortes objections dans une société où les bombardements d'Hiroshima et Nagasaki ont ancré de puissants réflexes pacifistes. Les partis de gauche redoutant un dévoiement de l'esprit de l'article 9 de la constitution, ripostèrent par une forme d'obstruction parlementaire bien japonaise qui consiste à se diriger vers l'urne de la Chambre « *au pas de bœuf* », c'est-à-dire en faisant du sur place le plus longtemps possible !...

La loi fut cependant votée le 15 juin 1992 et devint effective en septembre 1992 quand 600 japonais partirent au Cambodge sous l'égide de l'ONU. Par la suite, d'autres contingents des forces d'auto-défense japonaises (FAD) gagnèrent le Mozambique (1993), le Rwanda (1994) et le plateau du Golan. Au même moment, l'ONU confiait à un médiateur japonais, Akashi Yasushi, des missions de médiation au Cambodge et dans l'ex-Yougoslavie.

L'aide au dévelopement forme le second volet de la stratégie de légitimation internationale du Japon. Il s'inscrit dans la ligne définie par Ozawa Ichiro lorsqu'il était au PLD comme un « pacifisme actif ». Dès 1988, au sommet international de Toronto, le Premier ministre Takeshita Noboru annonça le désir de son pays d'apporter la première contribution mondiale *(kokosai kôken)* en matière d'aide au développement. En 1991, l'objectif est atteint : le Japon consacre alors 10,9 milliards de dollars au développement soit 0,32 % de son PNB, contre 9,6 milliards pour les Etats-Unis soit 0,17 % de leur PNB. Mais 44 % de cette aide consistent en 1994 en prêts, qui, compte tenu du renchérissement du yen, contribuent à alourdir la dette de nombreux pays du tiers-monde à l'égard du Japon. D'autre part, l'aide japonaise reste géographiquement polarisée sur l'Asie (60 %) et laisse la portion congrue à l'Afrique (16 %). Enfin, les pays occidentaux reprochent au Japon de faire la part belle à l'aide « liée » qui subordonne le déblocage des fonds à des commandes de fournitures ou de technologies « *made in Japan* ». Pour répondre aux nouvelles menaces, le Japon a prévu de consacrer, d'ici à l'an 2000, 3 milliards de dollars à la prévention du sida et aux problèmes de population dans les pays pauvres.

La solidarité avec les grandes orientations du G7 implique pour le Japon un infléchissement de certains aspects de sa politique étrangère, notamment l'apaisement de ses séculaires dissensions avec la Russie. Le Japon reçoit en 1990 Edouard Chevardnadze, ministre soviétique des Affaires étrangères, puis en 1991, Mikhaïl Gorbatchev, venu dans le but de désamorcer le contentieux territorial des îles Kouriles qui conditionnait l'octroi éventuel d'une aide économique japonaise à l'URSS. Le voyage reste infructueux, mais en octobre, dans un cadre multilatéral, Tôkyô accepte d'octroyer un crédit d'urgence à l'URSS qui vient d'obtenir un statut d'*associé spécial* auprès du Fonds monétaire international. En 1993, le Japon accepte, à l'instigation du G7, de renoncer à subordonner son aide à la Russie à la restitution des territoires du nord. Il appuie la candidature russe à l'Organisation mondiale du commerce. Plus impliqué dans l'Est européen depuis la chute du mur de Berlin, le Japon est invité en juillet 1992 à participer à la CSCE *(Conférence sur la Sécurité et la Coopération en Europe)*.

La stratégie de légitimation internationale poursuivie patiemment par le Japon est dans l'ensemble bien appréciée par l'opinion. En revanche, en politique intérieure, les premières années de l'*Ere Heisei* marquent un véritable rejet de la classe politique que ses compromissions et sa vénalité frappent d'un profond discrédit.

Crise morale et déliquescence politique.

Au début de l'*Ere Heisei*, 80 % des Japonais déclarent ne pas faire confiance aux hommes politiques. La participation électorale tombe parfois à 50 % des inscrits, diminuant en moyenne de 20 points par rapport au début des années 1980. Le vote flottant augmente surtout parmi les salariés des grandes villes. Les Japonais, tout en conservant leur traditionnelle attitude de déférence à l'égard des autorités en place – ce que Yamanaka Keiko appelle « *la crainte de l'O-kami* » –, se mettent, comme dans certaines nations occidentales, à pratiquer le « zapping politique » lorsqu'ils sont électeurs et les « coalitions contre nature » lorsqu'ils sont élus. En 1995, les candidats favoris de l'establishment politique pour les fonctions de gouverneur de Tôkyô sont battus par des acteurs de télévision spécialisés dans les rôles de bouffons…

La crise politique japonaise s'explique par l'essoufflement de ce que les Japonais appellent « *le régime 55* », c'est-à-dire l'hégémonie politique sans partage du Parti libéral-démocrate, maintenue sans interruption de 1955 à 1993.

Ce système de pluralisme sans alternance à base de clientélismes locaux et où les fidélités d'homme à homme l'emportent infiniment sur les débats de fond était devenu au fil des années un jeu en circuit fermé, dominé et arbitré par une poignée de caciques du Parti libéral-démocrate. Les chefs des diverses factions *(habatsu)* du parti majoritaire avaient pris l'habitude de maquignonner pour accéder à tour de rôle au poste de Président du parti, et de là, aux fonctions de Premier ministre.

Quant aux députés chevronnés, devenus des virtuoses de l'action catégorielle, ils se faisaient chacun le porte-parole d'un secteur socioprofessionnel précis auprès des ministres et des administrations ; en échange de leurs bons offices, les socioprofessionnels les indemnisaient largement, leur fournissant ainsi une manne qu'ils redistribuaient sous forme de prébendes dans leur circonscription électorale pour assurer leur réélection.

Ce système parfaitement huilé des « *zoku-giin* » (députés agissant pour le compte d'une « tribu ») avait abouti à un vaste réseau tripolaire de connivence entre la classe politique *(seikai)*, l'administration *(kankai)* et le monde des affaires *(zaïkai)*, où chaque partenaire pratiquait le renvoi d'ascenseur. Ainsi se généralisèrent les pots de vin, puis d'autres formes de corruption avec l'envolée boursière de la fin de la décennie 1980. Des connivences entre les banques et la pègre sont révélées au grand jour, au point que certains évoquent un quadrilatère *seikai*, *kankai*, *zaikai*, *bôryokudan*, ce dernier terme désignant le crime organisé.

Peu de Premiers ministres et de partis politiques parviennent à préserver une image d'intégrité morale. Le scandale politico-financier *Recruit-Cosmos* (1988) éclabousse plusieurs membres du gouvernement Takeshita *(chef de faction PLD)* qui finit par démissionner en juin 1989, après que sa cote de popularité se soit effondrée à… 3,4 %. Son ministre des Affaires étrangères Uno Sosuke *(PLD, faction Nakasone)* le remplace, mais dès le surlendemain se trouve impliqué dans un scandale lié à son infidélité conjugale. Il démissionne en juillet, après la débacle électorale de son parti qui, pour la première fois depuis 1955, perd la majorité au Sénat. Les socialistes recueillent 35 % des voix : c'est la « vague rose ».

Le nouveau Premier ministre Kaifu Toshiki *(PLD, faction Kawamoto)* inaugure un intermède de probité. Il réussit à se maintenir Premier ministre d'août 1989 à novembre 1991. Intègre et apprécié de l'opinion, il tente une réforme électorale qui lui vaut d'être lâché par la faction Takeshita du PLD.

Kaïfu doit céder la place à Miyazawa Kiichi *(chef de faction PLD)* dont le gouvernement marque le retour au pouvoir de plusieurs dirigeants éclaboussés par les scandales financiers. En 1992, plusieurs personnalités socialistes et libérales-démocrates, notamment Kanemaru *(faction Takeshita)*, cacique du PLD âgé de 78 ans, sont impliquées dans le scandale financier de la société de transport *Tôkyô Sagawa Kyûbin* qui révèle les connivences financières entre les *yakuza* (la mafia), la classe politique et les milieux d'affaires. L'arrestation de Kanemaru provoque l'implosion de la faction Takeshita, puis l'éclatement du PLD lui-même.

La recomposition politique de 1993.

1993 marque l'acte de décès du « *régime 55* ». Après trente-huit années d'hégémonie, le PLD vole en éclats et se trouve relégué dans l'opposition. Une recomposition politique *(seikai saihen)* débute. Du PLD se détachent le *Parti de la Renaissance* dirigé par Hata Tsutomu (régi en sous-main par Ozawa Ichiro, dauphin de Takeshita et fils spirituel de Kanemaru) et le *Parti des Précurseurs (Sakigake)* conduit par Takemura Masayoshi.

A l'instigation d'Ozawa, infatigable manœuvrier opérant en coulisse, ces nouveaux partis se mettent d'accord pour une plate-forme de gouvernement avec le *Nouveau Parti du Japon (Nihon Shintô)*, formé en mai 1992 par Hosokawa et avec le *Parti socialiste.* Cette alliance de partis de droite et d'une force de gauche s'explique par la récente mue idéologique du parti socialiste *(Shakaitô)* qui vient de publier sa « *Charte 93* » dans laquelle il reconnaît la constitutionnalité des forces d'autodéfense. Ce revirement par rapport à ses positions constantes depuis la fin de la guerre, est *mutatis mutandis* l'équivalent de ce que fut le programme de Bad-Godesberg pour la social-démocratie allemande en 1959.

En juillet 1993, le PLD perd les élections législatives. Après trente-huit ans de monopole ininterrompu, il entre dans l'opposition. La présidence de la Chambre des Représentants revient à une socialiste, Mme Doï.

Le 9 août, Hosokawa Morihiro, chef du *Nihon Shintô* forme un gouvernement de coalition *(renritsu seiken)* rassemblant sept partis dont les socialistes. En réalité, selon une tradition bien japonaise, c'est Ozawa qui dirige en coulisse le nouveau gouvernement, contrôlant la ligne politique, les nominations aux postes clés, les investitures électorales, les circuits de financement… Hosokawa que sa belle prestance a fait surnommer le « Kennedy japonais » dispose d'une très étroite marge de manœuvre compte tenu de l'hétérogénéité de son équipe gouvernementale. Il mise sur la politique étrangère pour durer. Lors d'une tournée aux Etats-Unis, il tente en vain de régler le contentieux commercial, puis il se rend en Chine. Mais au bout de huit mois, Hosokawa doit à son tour démissionner, en avril 1994, à cause d'un prêt douteux de Sagawa-Kyubin, alors qu'il passait initialement pour le « Monsieur Propre » de la politique japonaise !…

De nouveau, Ozawa manœuvre en coulisse et fait désigner le ministre des Affaires étrangères du gouvernement sortant comme Premier ministre. Ce n'est autre que son vieil ami Hata Tsutomu, chef en titre du *Shinseitô* dont Ozawa lui-même est la véritable éminence grise !… Mais cet habile montage dure peu car la coalition perd une composante importante : les socialistes qui, déçus de leur première expérience, quittent le gouvernement. Le PLD qui reproche à Hata d'être un transfuge venu de ses propres rangs, prépare à son encontre une motion de censure. Hata, déstabilisé, préfère démissionner deux mois après avoir pris ses fonctions (25 juin 1994). Ce véritable carrousel ministériel évoque la IVe République française et suscite un rejet de la politique. Les Japonais en août 1989 étaient 20 % à ne se reconnaître dans aucun parti politique ; en juin 1994, ils sont 42 %!… Beaucoup appellent de leurs vœux une *réforme politique (seiji kaikaku)*.

Alternance politique et shogun de l'ombre.

En juin 1994, le poste de Premier ministre échoit pour la première fois depuis 1947 à un socialiste : Murayama Tomiichi. Il a bénéficié du soutien du PLD, soucieux de barrer le candidat d'Ozawa. Cette alliance PS + PLD décrite volontiers comme « contre nature » va en fait se maintenir un an et demi, jusqu'en janvier 1996.

Les socialistes de l'équipe Murayama font preuve d'une étonnante plasticité idéologique en reconnaissant officiellement la légitimité des FAD (Forces d'auto-défense), du *Kimigayo* (hymne national) et du *Hi no maru* (drapeau national à l'effigie du soleil levant) qu'ils refusaient jusqu'alors tous trois vigoureusement. Murayama rencontre le président Clinton pour le rassurer sur sa volonté de respecter le traité de sécurité nippo-américain. De son côté, l'allié PLD manifeste un sens du compromis inaccoutumé en acceptant que le budget alloué aux forces d'autodéfense soit revu à la baisse.

Ozawa, rejeté dans l'opposition, met sur pied un grand parti conservateur dont il espère qu'il le propulsera au pouvoir suprême le moment venu. Il dispose, grâce à ses connivences dans le secteur du bâtiment (5 millions de yens reçus de la société de BTP Kajima) des moyens de ses ambitions. En 1993, le terme « *zenekon* », raccourci de l'expression anglaise *General contractor* qui signifie entreprise de BTP, est devenu synonyme de corruption, étant donné la multiplication des pots-de-vin versés par les entreprises de BTP aux responsables politiques pour l'attribution de marchés publics.

Le projet politique d'Ozawa est de fédérer les petits partis en une grande formation capable de rivaliser avec le PLD ; ainsi naît en décembre 1994 le *Shinshintô (Nouveau Parti du progrès)* créé par fusion du *Parti de la Renaissance*, du *Nouveau Parti du Japon*, du *Kômeitô* (éclaboussé par divers scandales) et de dissidents isolés du PLD. Avec 214 députés, c'est la 2e force après le PLD ; Ozawa qui en est l'instigateur et le véritable chef, fidèle à son habitude de rester en coulisse, en confie la direction à Kaïfu Toshiki, ex-Premier ministre qui a laissé un bon souvenir dans l'opinion. Ozawa déclare à ses amis : « plus le *mikoshi* est simple et léger, plus il est facile à porter » (le *mikoshi* étant la chasse shintoïste portée à dos d'homme lors des *matsuri*, c'est-à-dire des fêtes traditionnelles propitiatoires). Ozawa signifie par là qu'il vaut mieux éviter les trop lourdes servitudes du pouvoir officiel pour mieux exercer une influence plus réelle à l'abri des regards.

Comme jadis au temps des familles Fujiwara et Hojo (voir tome 1, chapitre 4 : *Le Japon féodal*), comme dans les années 1970, au temps de Tanaka Kakuei, la vie politique japonaise dans l'ère Heisei présente une double structure *(nijû-kôzô)*. Les acteurs qui agissent en façade ne sont souvent que les exécutants d'une intrigue tramée par d'autres *derrière le fusuma* (ces portes coulissantes tendues de papier des maisons japonaises). La conduite des affaires paraît confiée à une série de doublures dont aucune ne détient la réalité du pouvoir ; elle apparaît comme un interminable emboîtement de personnages gigognes. A l'aube du troisième millénaire comme aux temps féodaux, il existe toujours au Japon un « *shogun de l'ombre* »… et comme la politique s'apparente souvent à un art de la scène, peut-être n'est-ce pas fortuitement que le théâtre classique japonais réserve un rôle central au paravent…

En 1996, le balancier politique repart à droite. L'absence de reprise économique et la multiplication des affaires de corruption administrative entraînent un changement de Premier ministre. Hashimoto Ryutaro, fringant chef du PLD, champion de kendo de sensibilité nationaliste, forme un nouveau gouvernement qui se fixe pour objectif l'obtention rapide d'un siège permanent au Conseil de sécurité des Nations unies. Le 20 octobre 1996, le *PLD* gagne les élections législatives anticipées qui sont boudées par 40 % des électeurs, le plus fort taux d'abstention depuis la Seconde Guerre mondiale. Le Parti socialiste, rebaptisé *Parti social-démocrate*, paye d'un fort recul sa participation au gouvernement en 1994 et 1995. Le parti *Sakigake* (centriste) n'obtient que deux sièges et le *Nouveau Parti du Progrès* d'Ozawa est en recul.

Le second gouvernement Hashimoto formé en novembre 1996 bénéficie du soutien sans participation du *Parti social-démocrate* (15 députés) et du *Parti Sékigake*. Il doit impérativement réduire les déficits publics consentis par ses prédécesseurs pour tenter d'enrayer par des relances keynésiennes successives les effets dépressifs de la « bulle financière ». Hashimoto veut appliquer à l'Etat japonais une cure d'amaigrissement comparable au processus de restructuration interne que les entreprises privées mettent en œuvre pour s'adapter à l'internationalisation. Il s'engage donc à réformer *Kasumigaseki*, c'est-à-dire les administrations centrales regroupées dans le quartier de Tôkyô qui porte ce nom. En 1993, un haut fonctionnaire du ministère de la Santé à Yokohama, le docteur Miyamoto Masao a déchaîné une controverse en publiant sur la fonction publique un livre accusateur : *La loi des bureaucrates*. Dans ce contexte, on se doute que l'objectif déclaré du gouvernement Hashimoto d'aboutir à une réduction par moitié du nombre des ministères ne déchaîne guère l'enthousiasme des fonctionnaires conviés à le mettre en application !...

« Révolution grise » à l'horizon 2010.

Redoutable mais inéluctable, le choc démographique hypothèque l'avenir du Japon à partir de 2010. A cette date, la population sera d'environ 130 millions d'habitants et commencera à décliner. Les 14 % des personnes âgées de 1995 seront devenus 25 % en 2025. En 2006, les personnes du troisième âge détiendront 37,6 % de l'épargne nationale contre 27,3 % en 1993.

La fécondité de 1,4 enfant par femme (1994), très en deça du seuil de renouvellement des générations (2,1), ne permet guère d'envisager un scénario optimiste. Trois facteurs concourent à l'abaissement du taux de fécondité :

– le relèvement de l'âge du mariage, (28,4 ans pour les hommes ; 25,9 pour les femmes) accentué par la crise ;

– la hausse du taux d'emploi féminin déjà de 57 % (entre 20 et 64 ans) en 1993 ;

– la nucléarisation des familles (moins de quatre personnes en moyenne par foyer).

Les autorités anticipent les séquelles inhérentes au vieillissement démographique : montée des charges sociales notamment à cause de l'extension des besoins d'aide médicalisée à domicile, baisse des taux d'épargne, raréfaction de la main-d'œuvre jeune qui incite les entreprises à les attirer par des *shataku* (logements de fonction) de plus en plus attrayants et coûteux, recul de l'âge de la retraite, fermetures de classes, intense compétition des écoles afin d'attirer à elles des enfants baptisés « *quality childs* » pour lesquels le niveau d'aspiration des parents augmente constamment… Une conséquence inattendue du vieillissement est le *petto boom* (vogue des animaux de compagnie lié à la montée des solitudes urbaines) qui alimente un marché de mille milliards de yens amené à doubler d'ici à l'an 2000 ! Une étude de la *Sanwa Bank* établit qu'au Japon en 1995, un chien revient en moyenne à 17 900 francs par an et un chat à 12 800 francs. Les Japonais n'hésitent pas à leur donner des boissons vitaminées *(Wan Wan calorie)* et… des bains relaxants !

Pour obvier à la pénurie de main-d'œuvre prévisible, la réglementation relative au séjour des étrangers s'assouplit. En 1995, les étrangers reçoivent le droit de participer aux élections locales. Leur nombre dépasse 1 % de la population active depuis 1993. L'*aide au développement* (cf. ci-dessus) sert pour une part à faire venir au titre de « stages de formation » des populations asiatiques capables de combler des pénuries sectorielles de main-d'œuvre. Beaucoup d'« *étudiants* » chinois sont en réalité des travailleurs semi-clandestins. Les Thaïs, les Sud-Coréens, les Malaisiens, les Philippins sont nombreux à faire souche clandestinement à l'expiration de leur visa touristique de trois mois. Beaucoup assument les travaux entrant dans la catégorie « 3 k » :

kitanai (sale), *kitsui* (pénible) et *kiken* (dangereux). Une polémique s'instaure entre partisans de la *porte fermée (sakoku ron)* qui soulignent la recrudescence des délits impliquant des personnes d'origine étrangère, notamment le trafic de canabis, et les partisans de la *porte ouverte (kaikoku ron).*

L'identité japonaise en quête d'elle-même.

Le Japon souhaite continuer de s'ouvrir aux courants mondiaux et jouer la carte de la globalisation *(gorubaruka)*, mais il redoute d'y perdre son identité.

Paradoxalement, l'impératif d'internationalisation s'accompagne d'une résurgence du nationalisme. Depuis le début des années 1980, le sentiment particulariste semble s'aviver au Japon. Comme dans les années 1930, le thème de la « spécificité Japonaise » réaffleure et le succès économique nourrit l'idée que la culture japonaise recèle en soi une dynamique de la réussite interdite aux nations occidentales. Il en résulte un malaise à l'égard de la communauté internationale; certains Japonais semblent répudier le complexe d'infériorité dominant dans les années 1950 et 1960 au profit d'un complexe de supériorité. Le clivage entre ce qui est japonais *(uchi)* et ce qui est étranger *(soto)* demeure essentiel et sous-tend une hiérarchie implicite des valeurs ; n'est-il pas significatif que l'idéogramme désignant ce qui est d'essence japonaise *(wa)* comme les vêtements de type *kimono*, le papier de texture japonaise etc., soit aussi l'idéogramme qu'on utilise pour désigner l'harmonie, la concorde et la paix ? Qu'il conquière une médaille aux Jeux olympiques ou un nom dans les affaires, un Japonais ressent la fierté de contribuer à la gloire de son pays avant le plaisir de la performance personnelle.

Le sentiment de la pureté de la race reste vif au Japon et les préjugés ethniques anti-Occidentaux se maintiennent dans certaines catégories de la population : on stigmatise encore les objets Occidentaux jugés répugnants du terme de « *bata kusai* » (qui pue le beurre). De même persiste le dédain à l'égard des Coréens, des Chinois, des Thaï, des Vietnamiens ou plus encore à l'égard des *burakumin* (Japonais confinés dans des ghettos péri-urbains en raison des professions réputées impures qu'ils exercent : tannerie, cordonnerie, équarrissage des animaux). Les projets de mariages avec les Chinois ou des Coréens se heurtent souvent encore à de vigoureuses réticences des familles japonaises. Le gouvernement n'a accordé l'asile qu'à quelques centaines de réfugiés vietnamiens après 1975 alors que la France de Valéry Giscard d'Estaing en accueillait, malgré le chômage, plus de 100 000. Les préjugés anti-Noirs s'affichent parfois sans complexe ; M. Nakasone, pourtant considéré comme un des dirigeants japonais les plus ouverts au monde extérieur, a déclaré publiquement le 22 septembre 1986 que « le niveau intellectuel moyen des Etats-Unis est inférieur à celui du Japon, en raison de la présence de Noirs, de Portoricains et de Mexicains ».

Curieusement, l'ethnocentrisme japonais vaut quelques difficultés de réadaptation aux ressortissants nippons qui ont dû effectuer un séjour prolongé à l'étranger. A leur retour, ils tendent à être considérés comme des « Japonais de l'extérieur » et parviennent imparfaitement à se réinsérer. Il en va de même des écoliers qui ont fait une partie de leurs classes à l'étranger.

Cette attitude contraste avec l'accueil chaleureux et raffiné généralement réservé aux Occidentaux de passage. Pourtant, s'il s'agit d'Occidentaux spécialistes du Japon, rompus à la langue et aux coutumes du pays, l'accueil se fait plus frais, voire sourdement hostile : ces *henna gaijin* (étrangers bizarres) ont aux yeux des Japonais le tort de s'être en quelque sorte affranchis de leur « statut d'étranger ». Dans le même esprit, il est curieux de constater qu'un grand nombre de bourses accordées par les organismes de promotion de l'enseignement du japonais sont attribuées à des ressortissants japonais installés à l'étranger plutôt qu'à d'authentiques étrangers.

Le sentiment de spécificité alimente depuis les années 1970 une sorte d'insularisme culturel – *shimaguni konjo* – qui se traduit par l'éclosion d'essais sur les Japonais *(Nihonjin ron)*, véritable genre littéraire introspectif visant à confirmer la thèse de l'unicité absolue du cas japonais. « Parmi les thèmes récurrents, on relève l'homogénéité et l'égalitarisme de la société japonaise, l'esprit débonnaire et tolérant du peuple nippon, la prépondérance du modèle familial dans l'organisation sociale, la fragilité psychique de l'individu, son idéal de fusion dans la nature ou le groupe, son manque de persévérance. Les Japonais ainsi caractérisés sont opposés aux Occidentaux, définis par leur individualisme farouche, leur absolutisme, leur intransigeance, leur respect de la loi du plus fort. » (Jacqueline Pigeot, in *l'Etat du Japon*, p. 131).

Ainsi émerge au début des années 1980 un néo-nationalisme, notamment dans l'entourage du Premier ministre Nakasone. Relayé par les intellectuels qui gravitent dans les sphères du pouvoir, il s'exprime dans une volonté d'excellence. Tout en définissant leur nation comme fondamentalement égalitaire, les Japonais ont gardé un sens aigu de la compétition et un goût prononcé pour les records ; deux expressions reviennent constamment sur leurs lèvres : *Nihon-ichi* (premier rang au Japon) et *sekai-ichi* (premier rang mondial). Leur vision planétaire repose sur une hiérarchie implicite des nations où figurent par ordre de prestige décroissant le Japon (synthèse originale de traditions et de modernité), les Etats-Unis, les démocraties européennes, puis la Chine suivie par les pays en voie de développement d'Asie et d'Amérique latine ; viennent ensuite le Moyen-Orient et l'Afrique ; enfin, les trois voisins avec lesquels subsiste un lourd contentieux historique ; les deux Corées et l'Union soviétique.

Les courants néo-nationalistes, redoutant que le processus d'internationalisation ne dépouille le Japon de son identité, suscitent en 1988 une refonte des programmes scolaires : l'enseignement des sciences sociales *(shakaika)* institué lors de l'occupation américaine dans un souci de démocratisation est remplacé par deux enseignements distincts : l'un portant sur l'histoire internationale, l'autre sur la formation civique. Dans la même perspective, le drapeau national est réintroduit dans les établissements scolaires. Certains, notamment à gauche, redoutent les dérives nationalistes possibles de ces réformes en apparence anodines. Toutefois, la réceptivité des adolescents des années 1980 aux thèmes à connotation nationaliste paraît assez limitée.

Une jeunesse entre juku et multimedia.

Globalement, la société japonaise, façonnée par le confucianisme, reste plus soudée et plus stable que les sociétés occidentales. On y compte en moyenne cinq fois moins d'homicides avec deux fois moins de policiers par habitant et vingt fois moins de naissances hors mariage. Mais la jeunesse japonaise des années 1990 subit la pression d'un système éducatif fortement normatif et compétitif. Le Japon est selon l'expression de Jean-François Sabouret « *l'Empire du concours* », une société stratifiée selon le niveau des études *(gakureki shakai).*

La fréquentation des écoles de soutien scolaire (*juku)* après la journée normale de classe concerne en 1993, 60 % des effectifs de collégiens alors même que les classes d'âge sont en diminution. Les parents paient en moyenne 18 000 francs par enfant. Le but est d'intégrer une université cotée comme *Tôdai*, *Waseda*, *Keio*, *Hitotsubashi*, *Sophia*... etc. Les élèves doivent précocement s'engager dans la bonne filière *(l'escalataschool)* qui les conduira à la réussite. Certaines universités comme Keio ou Aoyama offrent dans leur sillage un ensemble complet d'écoles, de collèges et de lycées privés qui constituent le meilleur cursus pour mettre toutes les chances de son côté.

Tous les collégiens et lycéens japonais subissent tout au long de leur scolarité des examens blancs mensuels informatisés, corrigés centralement par des maisons d'édition de livres parascolaires. C'est le système du *hensachi.* Les résultats obtenus par les élèves au *hensachi* sont envoyés aux établissements et aux parents, mis en courbe et assortis de rangs de classement. Ces résultats au *hensachi* tiennent lieu de critères d'orientation autoritaire et assoient l'image de marque des établissements.

Cette adolescence consumée dans un bachotage épuisant à base de batteries desséchantes d'exercices stéréotypés, éprouve des frustrations et des rancœurs, source de violence croissante. L'*ijime*, c'est-à-dire les brimades, se développent depuis 1972. Le bizutage fait des ravages à tous les niveaux du système éducatif et accule certains enfants au suicide. Dès 1985, le ministère de l'Education a créé une cellule chargée de trouver une solution à ce problème. La surcharge de travail et le climat compétitif appellent un exutoire qui prend la forme du sadisme, lequel risque encore de s'aggraver avec l'introduction de la semaine de cinq jours. Le *futôkô* ou *syndrome du refus de l'école* (nausées, tremblement...) atteint les sujets qui ne supportent plus les vexations de leurs camarades. En 1994, le ministère de l'Education a recensé 77 000 cas d'écoliers totalisant plus d'un mois d'absences non motivées. Les intéressés invoquent une « allergie à l'école » *(gakkô girai)*.

D'autres parviennent tant bien que mal à franchir tous les obstacles, mais une fois à l'université, ils sont comme privés de leur raison d'être ; ils se révèlent incapables de penser par eux-mêmes, présentant des symptômes d'apathie ou de schizophrénie. C'est un gibier idéal pour les sectes. Le 20 mars 1995, une « nouvelle nouvelle religion » *(shinshinshûkyô)*, la *secte Aum (Aum Shinrikyô)* dirigée par un gourou mal voyant Asahara Shôko et dotée d'une structure paramilitaire, a organisé dans le métro de Tôkyô un attentat au gaz sarin (10 morts, 5 000 intoxiqués) ; constat navrant : beaucoup de membres de cette secte qui opérait sous le couvert de sociétés-écrans informatiques, étaient de jeunes cadres diplômés des meilleures universités.

L'autre risque d'un stress scolaire prolongé pendant toute l'enfance et l'adolescence, c'est le repli sur soi, l'introversion, le mutisme quasi autistique. A l'ère de la console de jeux électroniques, du multimédia à domicile, des images virtuelles et de l'internet, cette tentation se répand. Le *syndrome o-taku* (mon chez moi) désigne la situation d'une catégorie de jeunes gens de 15 à 30 ans qui se désocialisent en se confinant chez eux dans un univers entièrement électronique, avec pour seule compagnie leur multimedia, leurs vidéos, leurs BD.

Ce sont souvent des fils uniques ultra-choyés d'une *kyôiku-mama*, c'est-à-dire d'une mère abusive obsédée par la réussite scolaire de son rejeton. Ils n'avaient pas le temps de fréquenter des jeunes filles et leurs camarades de promotion étaient des rivaux. Ils ont donc pris l'habitude de vivre seuls et deviennent de véritables *hommes-légumes (yasai mono)*. Certains dévient du *high-tech* vers les « néo-nouvelles religions » d'inspiration New Age, qui comme la secte Aum, obtiennent de leurs adeptes qu'ils se raccordent grâce à un écheveau d'électrodes au « mental » de leur gourou !... *O-taku* est un terme de politesse appuyé qui signifie *chez vous* (littéralement : *votre honorable domicile*). Les jeunes atteints de ce *syndrome O-taku* « n'hésitent pas à employer ce terme pour s'adresser à leur propre mère, ce qui choque beaucoup de Japonais. C'est une manière de marquer leur indifférence vis-à-vis des personnes avec qui ils parlent, de manifester une sorte d'égoïsme aseptisé, comme si les ressorts de leur sensibilité et de leur affectivité étaient définitivement distendus » (Yamanaka Keiko). Le *syndrome du refus de l'école* n'est souvent que le premier stade du *syndrome o-taku*, comme l'a observé le professeur Inamura, spécialiste de médecine mentale.

Ce refus d'une partie de la jeunesse de jouer les « bêtes à concours », manifeste la réprobation d'une société où l'individu ne peut pas s'épanouir, où l'homme semble au service de l'économie et non l'économie au service de l'homme. Autre fait significatif : le nombre décroissant d'élèves qui choisissent la filière technique (17,2 % en 1986 ; 12,7 % en 1992).

La génération née au début des années 1970 a grandi dans l'opulence du *redéploiement réussi* (1971-1989). Mais depuis

1989, la *crise de Heisei* et le séisme de Kobé (17 janvier 1995 : 6 308 morts, 27 000 blessés) suscitent de nouvelles inquiétudes. En 1995, les Japonais sont devenus critiques : ils ne sont que 14 % à être contents de leur revenu, pourtant un des plus élevés du monde et 49 % jugent la situation économique de leur pays « mauvaise » ou « très mauvaise » (sondage du *Nihon keizai shimbun* du 23 avril 1995). Cependant, surmonter l'inquiétude et anticiper l'imprévisible ont toujours été un des grands talents des Japonais.

Le Japon au seuil de l'an 2000.

A l'horizon du troisième millénaire, nul ne peut dire à quel système de valeurs la société japonaise choisira de se référer. Au moins deux scénarios sont envisageables : valeurs du *shinjinrui* ou valeurs du *Yamato.*

Depuis le milieu des années 1980, certains analystes diagnostiquent l'émergence de « nouveaux êtres humains » *(shinjinrui)* plus utilitaristes et égocentrés que leurs parents mais moins introvertis et moins sensibles au sens tragique de la vie. L'éthique communautaire des générations antérieures a cessé pour eux d'être un absolu. Ils incarnent plutôt le « *nouvel individualisme* » décrit par l'essayiste Yamazaki Mazakazu. Dans une société de *flux* (opposée à la société de *stocks* des Occidentaux), soft, ludique, branchée et affranchie des conformismes, ils ambitionnent de se comporter en *kôkanto ningen* (êtres humains à haute sensibilité) : matérialistes mais créatifs, ductiles, cultivés, syncrétiques, médiatisés sans vulgarité et capables de réconcilier hédonisme et altruisme. L'ère de la mondialisation, du web et de l'obsolescence accélérée pourrait offrir au Japon une chance d'amalgamer sa passion de l'adaptation et son esthétique de l'ambivalence en un stéréotype culturel universalisable.

Le second scénario est celui d'une remontée de l'esprit Yamato, c'est-à-dire « vieux Japon », d'un attachement au terroir doublé d'une résurgence des sentiments de fierté patriotique auxquels l'accession prévisible au rang de membre permanent du Conseil de sécurité de l'ONU donnera de nouveaux aliments. Un sondage effectué en 1992 par les services du Premier ministre révèle que 76,6 % des Japonais estiment nécessaire de développer l'éducation au patriotisme. Nakasone ou Hashimoto Ryutaro incarnent bien cette tendance ; Takeshita et sa célébration du *furusato* (terre natale) en représente une variante provinciale qui renoue avec le communautarisme rizicole. Le choc de la mondialisation d'inspiration monétariste, de la dérégulation brutale assortie de licenciements et de délocalisations peut provoquer la nostalgie des traditions familiales et des enracinements locaux. La philosophie anti-individualiste, organiciste et communautaire d'un Watsuji Tetsurô (1889-1960) attaché à la revitalisation des entités naturelles, pourrait alors retrouver de l'écho parmi certains intellectuels. La crise du système éducatif peut aussi conduire à un recentrage sur une pédagogie plus articulée à la morale confucéenne, dans la tradition de Motoda Nagazane (1818-1891), précepteur de l'Empereur Meiji.

Entre le scénario *shinjinrui* et le scenario *Yamato*, entre le *nouvel individualisme* et le *nouvel organicisme*, entre l'*hédonisme* et l'*éthique du travail*, entre l'*internationalisation (kokusaika)* et l'*enracinement*, le Japon n'a sans doute guère le choix.

Aujourd'hui comme aux grands tournants de son histoire, c'est dans la synthèse de ces deux exigences que réside son essence et se joue son avenir.

Richard Dubreuil.

Lexique

AÏNU OU AÏNOS : Groupe ethnique actuellement en voie d'extinction qui occupait à l'époque néolithique* la plus grande partie du Japon. Reconnaissables à leurs caractères somatiques (petite taille, nez large et concave, pommettes hautes, système pileux abondant), les Aïnu étaient appelés dans les vieilles chroniques : *ébisu*, *émishi* ou *ézo*. Ils parlaient une langue agglutinante qui a légué au Japon actuel de nombreux toponymes (le mont Fuji, par exemple) et possédaient une organisation sociale patriarcale et polygamique. Leur religion reposait sur le culte de l'ours que l'on retrouve en Sibérie. Les origines des Aïnu restent controversées : la thèse classique, qui en fait une ethnie protocaucasienne dégagée précocement de la race blanche, se trouve aujourd'hui remise en cause. Des ethnologues soviétiques avancent l'hypothèse qu'il s'agirait de populations australoïdes venues du Sud qui se seraient métissées au Japon avec des éléments subarctiques. Décimés et refoulés vers le nord tout au cours de l'histoire, les Aïnu ne sont plus qu'une dizaine de milliers confinés dans le Hokkaïdo, à Sakhaline et dans les îles Kouriles.

AKAHATA : Littéralement : « le drapeau rouge ». Journal du parti communiste japonais.

AKARUI : « Brillant » : terme utilisé dans les années 60 pour caractériser la vitalité de la civilisation japonaise.

AMATERASU : déesse solaire vénérée au sanctuaire shintoïste d'Ise et qui serait à l'origine de la dynastie impériale Japonaise.

ANOMIE : (du grec ἀ-υόμος : sans loi). Terme proposé par le sociologue Durkheim pour désigner « une situation dans laquelle les normes sont inexistantes ou contradictoires, de sorte que l'individu ne sait comment orienter sa conduite » (H. Mendras). L'*anomie* surgit lorsque les valeurs dominantes d'une société se trouvent brusquement remises en cause ou concurrencées par d'autres idéaux : elle se traduit par des troubles psychologiques individuels, des difficultés d'intégration sociale, des conduites déréglées ou déviantes (suicides), des tentatives de transgression de l'ordre établi (révoltes, révolutions).

ASHIKAGA : Famille de Shogun* dont les chefs ont gouverné le Japon pendant l'ère Muromachi, de 1333 à 1573.

AVANT-GARDE (A-G) : Voir *Sakigake*.

BAKUFU : Littéralement : gouvernement *(fu)* de la tente *(baku)*. Sorte de tente-bureau où était installé le quartier général du shogun. Désigne par extension le régime shogunal lui-même et les institutions militaires qui ont régi le Japon de 1185 (début de l'ère Kamakura*) à 1868 (début de l'ère Meiji*).

BAKUMATSU : Littéralement : la « fin du *bakufu** ». Terme par lequel on désigne le malaise politique et social qui caractérise la dernière décennie du shogunat* des Tokugawa*.

BE : Corporation qui regroupait tous les membres roturiers d'un *uji**. Les hommes des *be (bumin)* restaient dans la mouvance de l'*uji*, lui livraient une fraction de leur production et prenaient part à son culte. Les *bumin* ne prétendaient pas descendre d'une même origine, mais ils avaient le monopole de leur métier qu'ils se transmettaient héréditairement. Parmi les principaux *be*, figuraient les paysans, les pêcheurs, les tisserands, les potiers, les soldats, les devins, les prêtres *shinto** et les sacristains appelés *kamibe* et par contraction *kobe* d'où la ville du même nom.

BORYOKUDAN TAISAKUHO : Loi anti-yakusa (antimafia) de 1992.

BUBBLE : Expression d'origine anglaise désignant la *bulle financière* résultant de la spéculation boursière et immobilière de la fin des années 1980. Elle éclate à partir de 1992 provoquant faillites et tassement de l'activité économique.

BUGYO : Gouverneur civil. Sorte de commissaire polyvalent recruté parmi les *fudai daimyo** et chargé par les shogun Tokugawa* du contrôle des affaires financières, de l'inspection des temples, de l'administration de certaines villes (*bugyo* de Nagasaki) ou de quartiers déterminés d'une ville (*bugyo* d'Osaka ou d'Edo).

BUSHI : Chevalier, guerrier de noble origine. Sous les Tokugawa*, les *bushi* représentaient environ 7 % de la population. Ils portaient un patronyme et se reconnaissaient à leurs deux sabres recourbés, un long et un court. L'ordre des *bushi* comprenait les grands feudataires ou daimyo* et la petite aristocratie militaire des samouraï.

BUSHIDO : Littéralement : la voie *(do)* du soldat *(bushi)*. Code non écrit de la chevalerie et de l'honneur militaire né au XVIIe siècle du syncrétisme entre les valeurs féodales guerrières et le néo-confucianisme. Parmi les principales prescriptions du *bushido* figurent : la fidélité absolue au suzerain, le suicide rituel *(seppuku*)* en cas de déshonneur, le devoir de vendetta *(giri*)*, le sens de l'hospitalité et de la courtoisie, la résistance physique, le mépris de la mort et la maîtrise de soi-même. Un proverbe japonais dit : « Un oiseau qui a faim pépie, un samouraï se cure les dents » (pour se donner l'illusion qu'il vient de manger).

BUTSU : Bouddha.

BUTSUDO : Littéralement : la voie *(do)* du Bouddha *(Butsu)*. Le bouddhisme.

CHAMAN : Sorte de sorcier, intercesseur auprès des esprits surnaturels.

CHANCELIER : Voir *Régent*.

CHANCELIER DEXTRE, CHANCELIER SENESTRE : En japonais : *udaijin*, *sadaijin*. Nom des deux principaux ministres d'Etat auxquels la Constitution de Taïka* (645) confiait la direction de l'administration nippone ; empruntés au système politique chinois, les qualificatifs « dextre » et « senestre » indiquaient la place que ces deux dignitaires occupaient par rapport à l'empereur à la cour des T'ang*.

CHO : Deux significations : 1° ville, bourg ; 2° mesure de superficie égale à 0,99 ha.

CHOKKOMON : Voir *Kofun*.

CHONIN : Littéralement : habitant *(nin)* de la ville *(cho)*. Citadin et par extension, l'ensemble de la classe marchande qui venait au bas de la hiérarchie sociale établie par les shogun Tokugawa*.

CHOSHU : Puissant fief situé à l'extrémité occidentale de l'île de Honshu ; il fut avec les fiefs de Satsuma*, Tosa* et Hizen* un des instigateurs de la révolution de Meiji* et un des grands pourvoyeurs d'hommes politiques jusqu'à la Première Guerre mondiale.

CIPANGU : Nom du Japon au temps de Marco Polo.

CLIQUE FINANCIÈRE : Voir *Zaibatsu*.

CONFUCIANISME : Doctrine morale du philosophe chinois Confucius, que les Japonais dénomment Kôshi (551-479 av. J.-C.), qui enseigne la fidélité aux traditions nationales et familiales. A partir de 1608, le néo-confucianisme supplante le shintoïsme* et le bouddhisme qui étaient jusqu'alors les religions dominantes du Japon. Pendant plus de deux siècles et demi, il sera utilisé par les shogun Tokugawa* comme un instrument de stabilité sociale.

CORPORATION : Voir *Be*.

CYLINDRE FUNÉRAIRE : Voir *Haniwa*.

DAI : Grand.

DAIBUTSU : Grand Bouddha. Le plus célèbre des *Daibutsu* est la statue de Kamakura qui date de la seconde moitié du XIIIe siècle et passe pour la plus imposante œuvre de bronze connue au monde.

DAIMIAT : Voir *Han*.

DAIMYO : Littéralement : grand *(dai)* nom *(myo)*. Grand feudataire appartenant à la couche supérieure de l'ordre des *bushi**. Apparus au XVIe siècle, les daimyo étaient les vassaux directs du shogun* et possédaient un fief produisant au moins 10 000 *koku** de riz par an. Ils se rangeaient en deux catégories distinctes : 1° les daimyo de l'intérieur qui fournissaient les cadres de l'armée et de l'administration en raison de leurs liens privilégiés avec la famille Tokugawa*. On distinguait parmi eux les *shimpan daimyo* et les *fudai daimyo* (voir ces mots) ; 2° les daimyo de l'extérieur ou *tozama daimyo* qui occupaient une position subalterne à cause de leur ralliement tardif (après 1600) aux Tokugawa dont ils restaient des rivaux possibles.

DANCHI : Les HLM japonaises.

DATSUA NYUO : « *quitter l'Asie, entrer en Occident* » : slogan résumant le choix diplomatique de l'Ere Meïji (1868-1912) ; s'oppose à *Nyûa datsuô* (*entrer en Asie, quitter l'Occident*, choix diplomatique des années 1930 à 1945) et à *Shimbei nyûa (être américanophile et rentrer en Asie)* qui correspond à une tendance des années 1990.

DÉCOLLAGE OU TAKE-OFF : Etape décisive dans le processus de développement économique d'un pays que W.W. Rostow définit par trois traits : 1° hausse du taux des investissements productifs qui atteignent environ 10 % du PNB (produit national brut) ; 2° apparition d'industries de transformation à fort rythme de croissance ; 3° mise en place d'un appareil politique, social et institutionnel capable d'exploiter les tendances à l'expansion.
Le décollage correspond approximativement à la période de la révolution industrielle.

DEMANDES (21) : Liste de revendications présentées par le Japon à la Chine le 18 janvier 1915 et visant à transformer cette dernière en une simple colonie nippone.

DEVOIR MORAL : Voir *Giri*.

DIVINITÉ : Voir *Kami*.

DOMEI : Seconde centrale syndicale japonaise qui s'apparente *mutatis mutandis* à notre C.G.T.-F.O. ou au TUC britannique. Née en 1964 de la fusion du Zenro et de la Sodomei, elle incarne un réformisme d'inspiration socialiste et entretient des relations étroites avec les socialistes de droite. Modérée et respectueuse de la démocratie, elle préconise la participation ouvrière au contrôle et à la direction des entreprises, l'accroissement de la mobilité de la main-d'œuvre et la modulation du salaire à l'ancienneté en fonction des qualifications individuelles.

DOSHIKAI : Alliance constitutionnelle. Parti politique créé en 1913 par Katsura pour faire pièce au *Seiyukai** de Ito. Le *Doshikai* devait prendre le nom de *Kenseikai* en 1916 et de *Minseito* en 1927.

EBISU : Voir *Aïnu*.

EDO (ou YEDO) : « la porte de l'estuaire » : Nom de Tokyo avant l'ère Meiji*. Capitale shogunale jusqu'en 1868, Edo est devenue capitale impériale en changeant de nom.

EMISHI : Littéralement : « les barbares à l'aspect de crevettes » : ancien nom des Aïnu* par allusion à leur abondante chevelure et à leur barbe touffue qui descendait souvent jusqu'à la ceinture.

ENDAKA : Hausse du yen sur le marché des changes.

ENYASU : Baisse du yen sur le marché des changes.

ETA : Hors-caste, paria, intouchable, « impur ». Catégorie sociale méprisée dans le Japon féodal. Relégués dans des ghettos à la périphérie des villages, astreints à l'endogamie et aux métiers infamants (bourreau, fossoyeur, tanneur, corroyeur, cordonnier, fabricant de tambours) les *eta* ne se distinguaient en rien des autres Japonais. Il subsiste aujourd'hui des *eta* bien que l'égalité civique leur ait été accordée en 1870. On dit aujourd'hui *Burakumin.*

ÉTHIQUE JAPONAISE : Voir *Giri*, *On* et *Bushido*.

EXTERRITORIALITÉ : Immunité juridique qui fait échapper certaines personnes à l'autorité de l'Etat sur le territoire duquel elles résident. Les bénéficiaires de ce privilège peuvent demander à être jugés par leurs propres tribunaux et selon leurs propres lois. L'exterritorialité était une des clauses les plus critiquées des « traités inégaux » imposés au Japon par les Occidentaux dans la seconde moitié du XIXe siècle.

EZO : Voir *Aïnu.*

FACTIONNALISME : Tendance permanente des partis politiques japonais à se diviser en une multitude de « factions » antagonistes. Le *factionnalisme* atteint tous les partis japonais ; il recouvre des désaccords personnels au sein du parti libéral-démocrate (clans Sato, Kishi-Fukuda, Tanaka, Miki) et des désaccords idéologiques au sein des partis socialiste (aile droite, aile gauche) et communiste (faction prosoviétique, faction prochinoise). Ces divisions chroniques semblent liées au primat des liens interpersonnels hérités de l'époque féodale (voir : *oyabun-kobun*) et au système électoral qui favorise les rivalités entre colistiers.

FAMILLE CONJUGALE : (On dit encore famille restreinte, ou *famille nucléaire.*) En sociologie, groupe réunissant au même foyer le père, la mère et les enfants non mariés. La *famille conjugale* s'oppose à la *famille indivise* qui dans les sociétés traditionnelles rassemblait sous un même toit les grands-parents, les parents, les enfants et éventuellement les petits-enfants.

FUDAI DAIMYO : Littéralement : grand feudataire (daimyo) héréditaire *(fudai no)*. Vassaux directs des Tokugawa* qui avaient combattu aux côtés de Ieyasu avant même sa victoire de 1600. Avec les *shimpan daimyo**, ils fournissaient les cadres de l'armée et de l'administration shogunale. Voir *Daimyo* et *Shimpan*.

FUJI : Glycine.

FUJIWARA : Littéralement : « champ de glycines ». Famille noble dont les chefs ont gouverné le Japon de 857 à 1160 (ère Heian*). Le chef du clan Nakatomi* (Nakatomi Kamatari) avait pris le patronyme de Fujiwara en 669 à la suite d'une rencontre dans un champ de glycines avec le futur empereur Tenchi (662-671), au cours de laquelle avait été élaborée la *Réforme de Taïka**. La glycine figurait dans les armoiries des Fujiwara.

FUKOKU KYOHEI : « Un pays riche et une armée forte. » Slogan populaire qui reflète les objectifs politiques des dirigeants de l'ère Meiji* après 1870.

FUTOKO : Syndrome du refus de l'école qui exprime « *l'allergie à l'école* » (*gakkô girai*) des enfants stressés par le surmenage scolaire ou par l'*ijime* (voir ce mot). On a recensé 7 000 cas de *futôkô* en 1994.

GAIJIN : Etranger.

GATT (General Agreement on Tariffs and Trade) : Accord général sur les tarifs douaniers et le commerce. 1° Traité signé par 76 pays (au 1er janvier 1970) en vue d'harmoniser leurs politiques commerciales et de promouvoir la liberté des échanges internationaux. Imaginé à la conférence de Bretton Woods (1944), élaboré à la Conférence de La Havane (1947) et entré en vigueur le 1er janvier 1948, le GATT interdit aux Etats signataires d'augmenter leurs tarifs douaniers et de contingenter leurs importations. Il leur garantit en échange la clause de la nation la plus favorisée (article 16) ; 2° Organisation internationale installée à Genève pour veiller à l'application du traité. Elle organise des conférences tarifaires (*Kennedy Round*, *Nixon Round*, *Uruguay Round*) et a donné naissance à l'OMC (*Organisation mondiale du Commerce*).
Le Japon est membre du GATT depuis 1955.

GEISHA : Littéralement : « personne adonnée aux arts d'agrément ». Courtisane.

GENJI (prince) : Héros du *Genji monogatari*, roman de cour composé entre 1008 et 1020 par Murasaki. Au Japon, Genji est devenu synonyme de charme, d'élégance et de beauté masculine. Il correspond, *mutatis mutandis*, à notre Don Juan et connaît à la fin de sa vie le même châtiment divin.

GENRO : Littéralement : les Anciens. On appelle *genro* ou oligarques les quelques hommes d'Etat comme Inoue, Ito, Katsura, Matsukata, Saigo, Saionji, Yamagata, etc., qui ont monopolisé tous les postes clés dans les quarante premières années du régime de Meiji*. Technocrates expérimentés, ils constituent vers 1900 un milieu fermé que les alliances matrimoniales et les adoptions ont rendu homogène. Lorsque l'âge les oblige à quitter le devant de la scène politique, les *genro* continuent à exercer une influence occulte considérable comme conseillers de l'empereur : ce sont eux qui, dans la coulisse, arbitrent les conflits politiques et désignent les Premiers ministres. (Ne pas confondre avec le mot suivant.)

GENRO-IN : Littéralement : conseil *(in)* des Anciens *(genro)*. Sorte de Sénat provisoire institué en 1875 pour préparer la Constitution de Meiji* et voter les réformes de structure opérées par le nouveau régime. Il fut supprimé à l'entrée en vigueur de la Constitution (1890).

GENYOSHA : Société nationaliste terroriste fondée en 1881 à Fukuoka et devenue en 1901 le *Kokuryukai* (Société du Dragon noir ou Société du fleuve Amour) ; voir *supra* : tome 1, n. p. 212.

GIRI : Obligation sociale codifiée que tout Japonais devait jadis observer :
– soit à l'égard de la société (devoirs envers le suzerain, la belle-famille, les oncles, tantes, nièces, neveux, créanciers...) ;
– soit à l'égard de lui-même (devoir de vendetta pour préserver sa réputation, devoir de ne pas transgresser son rang social, idéal spartiate de frugalité et d'endurance).
Voir *Bushido* et *On*.

GOKENIN : Littéralement : homme *(nin)* de la famille *(ke)* du suzerain *(go)*. On traduit habituellement par « gentilhomme de la maison du shogun ». Les *gokenin* appartenaient à la fraction de la classe samouraï placée sous la vassalité directe du shogun* et possédaient des fiefs modestes dont le rendement annuel en riz était souvent inférieur à 100 *koku**. Ils commandaient avec les *hatamoto** la garde shogunale.

GORUBARUKA : La globalisation (de l'économie aux dimensions de l'espace planétaire). Slogan à la mode des années 1990. A remplacé kokusaika (voir ce mot).

GRANDE RÉFORME : Voir *Taïka.*

HAIKU : Poème de 17 syllabes visant à restituer à travers l'évocation d'une simple scène, un état d'âme ou une émotion fugitive.

HAKKO ICHIU : « Le monde entier sous un seul toit » : slogan nationaliste en vogue dans les années 1930 qui pouvait désigner alternativement la fraternité du genre humain et la vocation universelle de l'impérialisme nippon.

HAN : Fief et, par extension, clan féodal.

HANIWA : Poteries tubulaires qui garnissaient le pourtour des sépultures mégalithiques du Japon protohistorique (voir *Kofun*). Parfois très nombreuses (la tombe de l'empereur Nintoku en comportait 20 000), elles délimitaient un espace funéraire sacré et s'ornaient de figurines stylisées représentant des guerriers en armes, des chevaux, des animaux domestiques, des instruments de musique, des embarcations ou des objets divers. Le plus souvent colorés en rouge, ces cylindres creux mesuraient près d'un mètre de hauteur et étaient probablement reliés entre eux par des cordes. Certains spécialistes estiment que les *haniwa* anthropomorphiques auraient été construits pour servir de substituts aux sacrifices humains et aux anciennes coutumes qui prescrivaient d'enterrer vivants les parents et serviteurs du défunt. Plusieurs milliers de ces colonnettes en terre cuite ont été exhumées : elles constituent une source privilégiée de renseignements sur la société japonaise primitive.

HARA-KIRI : Voir *Seppuku.*

HATAMOTO : Littéralement : sous *(moto ni)* la bannière *(hata).* Sous l'ère Edo* (1603-1868), les *Hatamoto* ou « porte étendard » étaient des samouraï* dont les ascendants avaient servi dans l'armée du premier shogun* Ieyasu avant son accession au shogunat. Vassaux directs du shogun, ils étaient reçus en audience par celui-ci, à la différence des *gokenin** hiérarchiquement inférieurs à eux.

HEIAN-JO actuellement Kyoto : Littéralement : cité *(jo)* de la paix *(heian)*. Capitale politique de 794 à 1185 et de 1338 à 1600. Capitale des empereurs jusqu'en 1868. A laissé son nom à la sixième ère de l'histoire japonaise (794-1185) qui est marquée sur le plan politique par la prédominance des Fujiwara* et sur le plan culturel par un affranchissement progressif des modèles chinois jusqu'alors prépondérants.

HEIKE : Nom chinois du clan Taïra : d'où le titre de la célèbre histoire épique de la maison des Taïra composée entre 1220 et 1240 *(Heike Monogatari)*.

HIEI : Littéralement : « la montagne froide ». Montagne située au nord-est de Kyoto qui abritait jadis le grand monastère de la secte *Tendai**.

HEISEI : Nom de l'ère historique ouverte par le décès de l'Empereur Showa (Hiro-hito) en 1989 remplacé par son fils Akihito. Heisei signifie *accomplissement de la paix*.

HENSACHI : Système d'examens blancs mensuels et corrigés centralement organisés au Japon par les éditeurs d'ouvrages parascolaires.

HIRAGANA : Ecriture syllabique cursive procédant d'une stylisation des caractères chinois ou *kanji**. Voir aussi : *Kana*, *Katakana* et tableau, tome 1, p. 48.

HIZEN : Fief progressiste de l'ouest de Kyushu (région de Nagasaki) qui prit une part active à la Restauration de Meiji*. Voir : *Satchodohi*.

HOJO : Famille noble dont les chefs ont gouverné le Japon de 1203 à 1333 en qualité de régents* des shogun.

HOLDING : De l'anglais : *to hold* : tenir, posséder. Société financière qui oriente et contrôle l'activité de diverses entreprises industrielles et commerciales dont elle possède la majorité des actions. On dit encore société de portefeuille. Voir *Honsha*.

HONSHA : Littéralement : bureau *(sha)* principal *(hon)* : nom japonais du *holding**. Les *honsha* constituaient le noyau fédérateur des *zaibatsu**.

HORYUJI : Littéralement « temple de la Noble Loi ». Monastère dédié au « Bouddha guérisseur » que le prince Shotoku fit construire à Nara à partir de 607, en exécution d'un vœu fait par l'empereur Yomei lors d'une épidémie de peste. Les parties qui ont échappé aux deux incen-

dies de 670 et 1949 comptent parmi les plus anciennes structures en bois existant au monde. Particulièrement représentatif de l'architecture de l'ère Asuka (552-710) le *Horyuji* présente une double originalité par rapport aux édifices antérieurs :
– plan asymétrique opposant à la masse du hall central *(kondo)*, la verticalité d'une pagode à cinq étages *(gojunoto)* ;
– utilisation de tuiles vernissées qui commencent à être importées de Corée au début du VIIe siècle.

IDÉOGRAMME : Du grec : ἰδέα (idée) et γράμμα (caractère). Signe qui n'exprime ni une lettre, ni un son mais une idée ou une chose. Certains idéogrammes sont d'origine pictographique : le *signifiant* (séquence graphique) n'est alors qu'une représentation picturale schématisée du *signifié* (concept exprimé) ou du *référent* (réalité qui a donné naissance au concept).

IJIME : Brimades, vexations et bizutages, notamment en milieu scolaire.

INTERI : Les intellectuels, l'intelligentsia.

JIMINTO : Voir *Jiyu-Minshuto.*

JIMMU : Fondateur de la dynastie impériale japonaise dont la tradition rapporte qu'il monta sur le trône le 11 février 660 av. J.-C. Descendant de la déesse-Soleil *Amaterasu**, c'est le premier empereur humain auquel les chroniques anciennes font allusion (voir *Kojiki* et *Nihongi*). Selon la légende, il n'aurait établi sa domination sur la plaine fertile du Yamato qu'après avoir vaincu en 663 av. J.-C. les *Ebisu**. Les historiens estiment que la dynastie impériale japonaise est effectivement la plus ancienne famille régnante du globe mais qu'elle descend des chefs des clans *(uji*)* qui dominaient la principauté du Yamato* vers le IIIe siècle de notre ère. Sous l'ère Meiji*, la mémoire de l'accession au trône de *Jimmu* fut commémorée chaque année (fête du *Kigensetsu*). Sous l'ère Showa*, les Japonais forgèrent par une référence affectueuse à leur premier empereur, l'expression de *Jimmu Boom* pour désigner le prodigieux redressement économique des années 1950.

JITO : Gouverneur domanial. Apparus sous le shogunat des Minamoto* (1185-1252), les *jito* étaient chargés par le shogun de diriger l'administration d'un grand fief, d'y percevoir les impôts et d'y rendre la justice. Ce sont les ancêtres des samouraï.

JIYU-MINKEN-UNDO : Littéralement : liberté *(jiyu)* et droits civiques *(minken)*. Parti pour la liberté et les droits du peuple, fondé en 1874 par Itagaki.

JIYU-MINSHUTO : Parti libéral-démocrate fondé en 1955 par Hatoyama qui opère une fusion du *Jiyuto** et du *Minshuto**. Voir : régime 55.

JIYUTO : Littéralement : parti *(to)* de la liberté *(jiyu)*. Parti libéral fondé en 1880 par Itagaki.

JODOSHINSHU ou SHINSHU : Littéralement : véritable *(shin)* secte *(shu)* de la Terre Pure *(jodo)*. Vraie secte de la Terre Pure. Secte bouddhiste fondée en 1224 par le bonze Shinran.

JODOSHU : Littéralemenl : secte *(shu)* de la Terre Pure *(jodo)*. Secte bouddhiste fondée en 1175 par le bonze Honen.

JOI : « Repoussons les barbares » : slogan xénophobe très en faveur entre 1830 et 1860.

JOMON ou JOMONSHIKI : Littéralement : poterie *(shiki)* ornements *(mon)* avec une tresse *(jo)*. « Poterie aux dessins de corde. » Nom de la première civilisation néolithique* (5000-300 av. J.-C. environ). Vivant des produits de la chasse, de la cueillette et de la pêche, les hommes de *Jomon* ont été troglodytes avant de vivre dans des cabanes. Ils nous ont laissé des poteries à fond généralement plat, réalisées sans tour et ornées de motifs décoratifs obtenus en pressant des cordes contre les parois. Certains de ces motifs se retrouvent dans la céramique aïnu* moderne.

KABUKI : Littéralement : chant *(ka)* danse *(bu)* artistes *(ki)*. Genre théâtral populaire dérivé des spectacles de marionnettes. Mêlant les intermèdes chantés aux danses érotiques, le *kabuki* utilise toutes les ressources de la mise en scène et de la technique (scènes pivotantes). Ses sujets favoris sont le drame historique, la comédie de mœurs et le mime satirique.

KABUTOCHO : Nom de la Bourse des valeurs japonaise.

KAIKOKU RON : Principe de la *porte ouverte* : attitude de ceux qui sont favorables à l'immigration.

KAISHINTO : Parti progressiste fondé par Okuma en 1881 pour faire pièce au *Jiyuto**.

KAMAKURA : Ville de la plaine du Kanto* qui servit de capitale aux *shogun* Minamoto* et aux *shikken** Hojo* (1185-1333).

KAMI : Littéralement : « être placé au-dessus », puissance supérieure, divinité. Dans La religion shintoïste, les *kami* sont des sortes de génies ou d'esprits qui habitent certaines forces de la nature, certains morts ou certains objets familiers. Une source jaillissante, un volcan, une souche creuse, un bosquet d'arbres, un ustensile agricole, l'ancêtre d'une famille peuvent être vénérés comme *kami*. Les textes sacrés dénombrent « 800 myriades » de *kami* qui peuplent le panthéon shintoïque et sont l'objet d'un culte à la fois purificatoire (ablutions, abstinence, retraites) et propitiatoire (offrandes, sacrifices, danses, exorcismes, invocations rituelles).

KAMIKAZE : Littéralement « vent divin ». Nom donné au typhon qui en 1281 sauva le Japon de la seconde tentative d'invasion mongole. Par analogie, on a appelé *kamikaze* les pilotes des avions-suicides qui, à la fin de la guerre du Pacifique, tentèrent désespérément de préserver l'archipel d'une invasion alliée.

KAMPAKU : Voir *Régent*.

KANA : Littéralement : nom *(na)* emprunté *(ka)*. Ecriture syllabique. Apparus au IXe siècle, les cinquante *kana* ont été obtenus par stylisation des idéogrammes chinois *(kanji*)*. Ils constituent la transcription phonétique des cinquante monosyllabes de la langue nippone et comportent deux graphies différentes (voir : *hiragana** et *katakana**). L'usage des *kana*, d'abord réservé aux femmes, permit sous l'ère Heian* (794-1185) l'éclosion d'une première littérature autochtone.

KANJI : Littéralement : idéogramme *(ji)* chinois de la dynastie des Han *(kan)*. Les caractères chinois.

KANTO : Plaine du Japon oriental, située autour de Tokyo.

KARAOKÉ : (de *kara* = vide et *oke* = abréviation du mot anglais orchestra) : distraction consistant à chanter le soir dans les bars des rengaines célèbres dont l'accompagnement est pré-sonorisé. Cette habitude née en 1972 à Kobe rapporte aux bars japonais plus d'argent que les parcs d'attraction Disneyland.

KATAKANA : Ecriture syllabique calligraphique procédant d'une stylisation des caractères chinois ou *kanji**. Voir *kana*, *hiragana* et tableau, tome 1, p. 48.

KEN : Préfecture.

KENBEI : Anti-américanisme. Attitude répandue dans les milieux de gauche dans les années 1960 et dans les milieux néo-nationalistes dans les années 1980-1990.

KENSEIKAI : Voir *Doshikai*.

KENSEITO : Littéralement : parti *(to)* gouvernemental *(sei)* constitutionnel *(ken)*. Parti constitutionnel fondé en 1898 grâce à l'alliance d'Itagaki et d'Okuma qui acceptent de fusionner le *Jiyuto** et le *Kaishinto**, devenu *Shimpoto* en 1896.

KNOW-HOW : Terme de droit commercial américain sans véritable équivalent en français. Traduit alternativement par « savoir-faire », « tour de main », « assistance technique », « secret de fabrication », il désigne l'ensemble des connaissances pratiques et des procédés techniques applicables à l'industrie. Selon qu'il est brevetable ou non, confidentiel ou de notoriété publique, le *know-how* peut être mis à la disposition d'autrui à titre onéreux ou gracieux.

KODOHA : Faction de la Voie impériale. Un des principaux groupes nationalistes des années 1930. Dirigée par le général Araki, la *Kodoha* se définit par sa vénération pour l'empereur, son antiparlementarisme, ses visées impérialistes et sa prédilection pour la violence.

KOFUN : Littéralement : « sépulture ancienne ». Tertre de terre entouré de douves et surmonté d'une construction mégalithique. Nombreux au nord de Kyushu, dans le Yamato* et sur le pourtour de la mer Intérieure, ces « dolmens japonais » ont servi de tombeaux aux empereurs et aux chefs des clans primitifs *(uji*)* et laissé leur nom à toute la période protohistorique (300-552 de notre ère). Leur plan, circulaire dans un premier temps, carré ensuite, associa ces deux formes à partir du Ve siècle pour donner un dessin en « trou de serrure ». Ces *tumuli* aux dimensions impressionnantes étaient garnis de dalles de pierre et de décorations polychromes non figuratives (taches colorées, cercles concentriques, crosses, motifs *chokkomon* formés de droites prolongées géométriquement par des courbes). Les *kofun* disparurent au VIIe siècle lorsque l'introduction du bouddhisme généralisa la pratique de l'incinération.

KOJIKI : Littéralement : le livre *(ki)* des choses *(ji)* anciennes *(ko)*. Chronique des événements anciens. Nom de la plus ancienne chronique du Japon, composée en 712 sur les ordres de l'impératrice Gemmyo (708-714). Elle a été rédigée dans un mélange de chinois et de japonais sous la dictée de Hiye no Are chargé par l'empereur Temmu (673-690) d'établir une synthèse des diverses traditions orales relatives à l'histoire nationale. Le texte qui n'a été imprimé qu'en 1644 se présente comme une indigeste compilation, très inspirée de l'historiographie chinoise : on y trouve consignés les mythes relatifs aux origines miraculeuses de la dynastie impériale et les généalogies des empereurs depuis Jimmu jusqu'à l'impératrice Suiko. (Traduction intégrale par M. et M. Shibata, Paris, Maisonneuve, 1969, 268 p.)

KOKINSHU : Recueil *(shu)* des poèmes anciens *(ko)* et modernes *(kin)*. Anthologie poétique publiée en 905 sur l'ordre de l'empereur.

KOKU : 1° Pays, province ; 2° Unité de capacité utilisée pour le riz : environ 180 l.

KOKURYUKAI : Voir *Genyosha*.

KOKUSAIKA : Internationalisation. Slogan des années 1980 (voir *Gorubaruka*).

KOKUTAI : Littéralement : organisation *(tai)* du pays *(koku)*. Ce mot qui connut une immense fortune dans les milieux nationalistes des années 1930 est une des expressions les plus délicates à traduire. Le concept de *kokutai* désigne l'ensemble des éléments spécifiques qui confèrent au Japon une originalité irréductible et le prédisposent à un destin singulier. Ce terme suffit à suggérer tous les « traits distinctifs » que les Japonais se reconnaissent :
– continuité ininterrompue d'une dynastie impériale d'origine cosmogonique ;
– philosophie sociale organiciste assimilant la nation nippone à une grande famille ;
– sentiment d'appartenir à une race conviée à une mission régénératrice.
Par analogie avec le vocabulaire biologique, on peut estimer que le mot *kokutai* désigne simultanément un *génotype* et un *phénotype* :
1° *Génotype*, il relève du domaine des essences et évoque l'ensemble des attributs latents et profonds reconnus au peuple japonais. On peut alors parler d'« âme japonaise », de « Japon éternel », d'« Esprit du

Japon » d'« identité japonaise », de « noumène japonais » (J. Mutel, *op. cit.*, p. 121) ou de « japonité ».
2° *Phénotype*, le *kokutai* englobe également toutes les manifestations extérieures du génotype et s'incarne dans des principes d'organisation. Dans ce second sens, on traduira *kokutai* par « régime national », « structure nationale » ou « type national ».
Aucun de ces équivalents n'est pleinement satisfaisant ; peut-être, vaudrait-il mieux rendre *kokutai* par l'expression « archétype national » qui évoque à la fois une réalité originelle, une quintessence (ἀρχη), un modèle socioculturel (τυπος) et une représentation collective alimentée par des mythologies ancestrales (sens donné par C.G. Jung au mot archétype).

KOMEITO : Parti de la justice et de l'intégrité. Parti politique théocratique fondé le 17 novembre 1964 par la secte du *Soka Gakkai**. Inclassable sur l'échiquier des forces politiques traditionnelles, le *Komeito* observe des positions modérées qui tendent à le rapprocher des démocrates-socialistes. Mais son organisation quasi militaire, son refus du pluralisme des partis et son combat pour l'avènement d'une « démocratie bouddhique », l'apparentent à certains mouvements ultra-nationalistes de l'entre-deux-guerres. Fédérateur de tous les mécontentements, le *Komeito* présente un étrange amalgame de poujadisme et de cromwellisme dans un contexte spécifiquement japonais.

KYODOTO : Parti coopératiste. Fondée à l'initiative de parlementaires ruraux, cette formation enregistra de notables succès électoraux sous l'occupation américaine, avant de se laisser absorber en 1951 par le parti démocrate.

KYOIKU MAMA : *(maman éducation)* : Mère abusive exclusivement préoccupée de la réussite scolaire de sa progéniture.

KYOSANTO : Parti communiste. Fortement centralisé et hiérarchisé, disposant d'un puissant organe de presse *(Akahata*)*, le parti communiste japonais est affaibli par le phénomène du factionnalisme* (faction maoïste, faction prosoviétique, faction trotskiste...). Modéré en politique intérieure, il a adopté une ligne « neutraliste » en politique extérieure et concentre ses efforts sur le recrutement : fréquemment enrôlés par carte postale, les nouveaux adhérents doivent trouver un autre membre et un nouveau lecteur du journal *Akahata**.

KYOTO : Voir *Heian-Jo*.

LOI EUGÉNIQUE : Loi de juillet 1948 encourageant :
– l'avortement qui est légalisé chaque fois qu'une naissance est susceptible de porter atteinte physiquement ou économiquement à la santé de la mère ;
– la stérilisation qui est rendue obligatoire en cas de troubles héréditaires de l'un des conjoints ;
– la contraception qui fait l'objet d'une ample action de propagande auprès de l'opinion publique.

MAGATAMA : Littéralement : joyau *(tama)* en forme de croissant *(magata)*. Bijoux incurvés en forme de croc ou de virgule que l'on a retrouvés dans les sépultures mégalithiques du Japon protohistorique (voir *Kofun*). Faits de pierre, de verre, d'os ou de corne, ils pouvaient atteindre une quinzaine de centimètres. Leur provenance (sibérienne ? coréenne ?) et leur signification (croc d'animal ? griffe d'ours ? attribut de souveraineté ?) demeurent mystérieuses. Le *magatama* figure toujours parmi les trois symboles distinctifs de la famille impériale avec le miroir de bronze et le sabre de fer.

MANYOSHU : Littéralement : recueil *(shu)* de dix mille *(man)* feuilles *(yo)*. Première anthologie de poésie japonaise. Etabli vers 760, le *Manyoshu* groupe 4 516 poèmes qui chantent la nature, l'amour, les voyages et s'alimentent aux traditions légendaires nationales.

MÉGALITHES : Voir *Kofun*.

MEIJI : « Le gouvernement éclairé (*mei* : lumière). Ere de l'histoire japonaise (1868-1912) inaugurée par l'abolition du shogunat* et la restauration du pouvoir politique de l'empereur. C'est une période de modernisation accélérée des structures économiques et sociales du pays.

METSUKE ou OMETSUKE : Mouchard, indicateur de police du régime shogunal. Certains *metsuke* étaient plus spécialement chargés de la censure.

MINAMOTO : Famille de militaires descendant de l'empereur Seiwa et qui fournit de nombreux shogun sous l'ère Kamakura* (1185-1333).

MINSEITO : Voir *Doshikai*.

MINSHATO : Voir *Minshu Shakaito*.

MINSHU SHAKAITO : Parti démocrate-socialiste. Formé en 1960 par l'aile droite du parti socialiste, le *Minshu Shakaito* se rapproche des socialistes par son organisation et des libéraux-démocrates par son idéologie. Divisé en factions (Nishio, Ito, Mizutami), il aspire à devenir une véritable troisième force et préconise un « juste milieu » entre le radicalisme des socialistes et l'immobilisme des conservateurs.

MITSUBISHI : Littéralement : « les trois losanges ». Second *zaibatsu** japonais. Constitué par Iwasaki (1834-1885) à partir d'établissements commerciaux de Nagasaki hérités de l'ancien clan Tosa, Mitsubishi a construit sa fortune en louant des bateaux à l'Etat lors de la campagne contre Formose en 1874. Dominant les constructions navales, la banque et les compagnies d'assurances, il a soutenu dans l'entre-deux guerres le parti *Minseito**.

MITSUI : Littéralement : « les trois puits ». Dynastie commerciale remontant au XIIe siècle ; établie à Osaka, elle prit une part décisive à la Révolution de Meiji* et soutint longtemps le parti *Seiyukaï**. Mitsui reste le principal *zaikai** japonais.

MOGA : Abréviation de la transcription japonaise de *modern girl* : désigne la jeune fille convertie aux mœurs occidentales du Japon des années 1920. L'équivalent masculin est *mobo (modern boy).*

MOMOYAMA : Littéralement : colline *(yama)* des pêchers *(momo).* Ere de l'histoire japonaise (1573-1603) qui tire son nom du château qu'Hideyoshi s'était fait construire pour ses moments de loisirs au sud de Kyoto. L'ère *Momoyama* marque la réunification du Japon féodal après les guerres civiles du shogunat des Ashikaga*.

MONOGATARI : Récit, histoire, roman. S'applique spécialement aux récits en prose composés entre le IXe et le XVIe siècle comme le *Heike* Monogatari* (Histoire de la Maison des Taïra*).

MUROMACHI : Ere de l'histoire japonaise (1333-1573) tirant son nom de l'ancien quartier de Kyoto où les shogun Ashikaga* avaient établi leur résidence.

NAKATOMI : Clan japonais du VIe siècle qui prit le patronyme de *Fujiwara** lorsque son chef Nakatomi Kamatari (614-669) devint Premier ministre.

NARA : Première capitale fixe du Japon, située à une trentaine de kilomètres de Kyoto.

NASHONARIZUMU : Nationalisme (terme forgé dans les années 1950).

NATTO : Plat à base de soja fermenté. Très visqueux et fort en goût, il est le test par exellence qui permet aux Japonais de jauger si un Occidental est apte à manifester de l'empathie pour leurs goûts culinaires.

NÉOLITHIQUE JAPONAIS : Terme impropre communément utilisé pour désigner les civilisations *Jomon** et *Yayoi** (voir n., tome 1, p. 24).

NICHIREN : Secte bouddhiste fondée en 1253 par le bonze du même nom (1222-1281) et dont se réclame aujourd'hui le *Soka Gakkai**. Pratiquant un prosélytisme intolérant et fanatique, le mouvement *Nichiren* continue à incarner l'esprit de croisade et le nationalisme exacerbé. On dit encore secte du Lotus *(Hokke)* en raison de sa dévotion pour le Sutra du Lotus.

NIHON : Le Japon (autre variante = NIPPON).

NIHON KEIZAI SHIMBUN : *Journal économique du Japon.* C'est le principal quotidien économique qui équivaut pour l'archipel au *Wall Street Journal.* Lancé par Masuda Takashi en 1876, devenu quotidien en 1885, il a pris son nom actuel en 1946 et tire chaque jour à 2 900 000 exemplaires le matin et 1 700 000 exemplaires pour son édition du soir.

NIHONGI ou NIHONSHOKI : Littéralement : chronique *(ki)* du Japon *(Nihon)* : *les Annales du Japon.* Chronique historique composée vers 720 sous le règne de l'impératrice Genshô (715-723). Rédigé en chinois par O no Yasumaro et par le prince Toneri, il a été transcrit au XIIIe et au XIVe siècle dans divers manuscrits et imprimé en 1599. Le récit contient moins d'éléments mythologiques que le *Kojiki** mais comporte de nombreuses interpolations ; il traduit de la part des auteurs d'évidentes préoccupations apologétiques. La chronologie s'arrête à la fin du règne de l'empereur Jitô (690-696) et présente de sensibles divergences avec celle du *Kojiki.* En dépit de ses inexactitudes, cette histoire légendaire fournit aux exégètes de précieux renseignements indirects sur la situation politique du Japon au début du VIIIe siècle.

NIHON SHINTO : *Nouveau parti du Japon* constitué par démembrement du parti libéral démocrate le 7 mai 1992 : dirigeant fondateur Hosokawa (Morihiro), aristocrate du Kyûshû et Premier ministre en 1993-1994.

NIKKEI : Indice des valeurs boursières japonaises.

NIN : Homme, personne. Ex. : *cho-nin* : homme de la ville.

NIPPON : Le Japon (autre variante = NIHON).

NIRVANA : Dans la religion bouddhiste : état de vacuité et d'anéantissement suprêmes qui met fin au cycle des réincarnations successives. Proche du concept brahmaniste de « délivrance », le *nirvana* est atteint par la méditation ; il correspond à une extinction du moi dans laquelle toute sensation, toute pensée et toute volonté se trouvent abolies.

NÔ ou NOGAKU : Forme de drame lyrique créé par Zeami (1363-1444). Le nô se présente comme un « long poème chanté et mimé, avec accompagnement orchestral, généralement coupé par une ou plusieurs danses qui peuvent n'avoir aucun rapport avec le sujet » (René Sieffert). Contemporain du développement de l'esthétique *Zen** sous les Ashikaga* (1333-1573), le *nô* était originellement destiné à illustrer certains éléments de la doctrine bouddhiste. Tour à tour comparé à la tragédie antique et au mystère médiéval, ce genre dépouillé et concentré ne s'apparente en réalité à aucune de nos formes d'expression dramatique. Irréductiblement étranger à nos modes de sensibilité, il est considéré par les meilleurs spécialistes comme impénétrable par des Occidentaux. Kita Minoru, un des principaux représentants contemporains de ce genre théâtral, estime pourtant que l'esthétique du *nô* est partiellement accessible aux étrangers, même si la signification spirituelle du spectacle leur reste irrémédiablement cachée : « L'important ce n'est pas de comprendre ou de ne pas comprendre, mais c'est la manière dont on ne comprend pas » (cité par Maurice Lelong, *op. cit.*, p. 233).

NOUVEAU PARTI DU PROGRÈS (NPP) : Voir *Shinshintô*.

NYUA DATSUO : Voir *Datsua Nyûô*.

OKINAWA : Principale île de l'archipel des *Ryu-Kyu**.

OLIGARQUES : Voir *Genro*.

OMETSUKE : Voir *Metsuke**.

ON : Notion fondamentale de la morale sociale japonaise. Désigne l'ensemble des faveurs qu'un individu reçoit de la société et qui le placent en situation de « débiteur » ou d'« obligé » à l'égard d'autrui. En observant un certain nombre de devoirs codifiés (*giri**, *gimu*), l'individu manifeste sa gratitude à ses différents « créanciers moraux » et s'exonère peu à peu des « *on* » qui pesaient sur lui depuis sa naissance. On contracte des *on* à l'égard de l'empereur, de ses propres parents, de ses professeurs, de son « seigneur » ou au cours des différentes circonstances de la vie.

OYABUN-KOBUN : « Protecteur-client » ou « patron-serviteur » ou « géniteur (*oya* : parents) – engendré (*ko* : enfants) ». Lien vassalique comportant de la part de l'*oyabun* un devoir de protection paternelle et de la part du *kobun* une obligation de dévouement filial. Le *kobun* correspond approximativement à nos notions de « poulain », d'« apprenti » ou encore au « client » au sens romain du mot. La relation *oyabun-kobun* continue à imprégner toute la société japonaise particulièrement en milieu universitaire (de nombreux professeurs choisissent des « nègres » parmi leurs étudiants les plus prometteurs) et dans le secteur privé (cf., t. 2, chapitre 12, p. 52).

PARTI COMMUNISTE : Voir *Kyosantô.*

PARTI DÉMOCRATE-SOCIALISTE (PDS) : Voir *Minshatô.*

PARTI DE LA JUSTICE ET DE L'INTÉGRITÉ : Voir *Komeitô.*

PARTI LIBÉRAL-DÉMOCRATE (PLD) : Voir *Jiyu-minshutô.*

PARTI DES PRÉCURSEURS OU AVANT-GARDE (A-G) : Voir *Sakigake.*

PARTI PROGRESSISTE : (ère Meïji). Voir *Shimpotô.*

PARTI DE LA RENAISSANCE OU PARTI DU RENOUVEAU (PR) : Voir *Shinseitô.*

PARTI SOCIALISTE : Voir *Shakai Taïshutô.*

PKO : *Peace keeping operations* : opérations de maintien de la paix de l'ONU. Depuis 1992, les forces d'autodéfense japonaises peuvent y participer (projet déposé par le Premier ministre Kaifu Toshiki).

POTERIE CORDÉE : Voir *Jomon.*

POTERIE AU TOUR : Voir *Yayoi*.

RANGAKU : Littéralement : connaissances *(gaku)* hollandaises (*ran*, abréviation de *oranda*) : « science hollandaise ». Ensemble de connaissances acquises par certains Japonais dans les livres hollandais au cours de la période d'isolationnisme de l'ère Edo* (1603- 1868).

RÉGENT : Bien distinguer :
1° *sesshô*, régent d'un empereur mineur : titre porté à partir de 866 par les chefs de la famille Fujiwara* ;
2° *kampaku*, régent d'un empereur majeur : titre porté par les Fujiwara à partir de 887 ;
3° *shikken*, régent du shogun : fonction exercée par les chefs de la famille Hojo* auprès des shogun Minamoto* à partir de 1203.
Kampaku est traduit dans certains ouvrages par chancelier*.

RÉGIME 55 : Voir *Seiji kaikaku*.

ROJU : Trois sens :
1° sous l'ère Muromachi* (1333-1573) : vassal ;
2° sous l'ère Edo* (1603-1868) : conseil des Anciens composé de 5 membres ayant rang de ministres et exerçant une dictature au sens latin du terme ;
3° par extension : chacun des membres du conseil des Anciens. Les *roju* étaient recrutés parmi les *fudai daimyo** et révocables par le shogun.

RONIN : Littéralement : homme *(nin)* de la vague *(rô)*. « Homme flottant, porté par la vague. »
1° Samouraï errant ayant perdu son suzerain et son fief. Pendant les troubles des dernières années de l'ère Edo*, beaucoup de guerriers se firent volontairement *ronin* pour pouvoir jouer un rôle politique actif.
2° Dans le jargon universitaire, on appelle *ronin* les étudiants qui repassent indéfiniment les concours auxquels ils ont échoué.

RYOANJI : Littéralement : « le jardin protégé du Dragon ». Jardin minéral construit à Kyoto vers 1450. Particulièrement caractéristique de l'esthétique *zen**, le *Ryoanji* se présente comme un rectangle uniforme (9 m × 23 m, sensiblement les dimensions d'un court de tennis) de sable gris soigneusement ratissé en sillons parallèles ; il est parsemé de 15 pierres réparties en 5 groupes (5, 2, 3, 2, 3) et disposées de telle façon qu'on ne puisse jamais en apercevoir que 14 à la fois. Les visiteurs sont tenus de retirer leurs chaussures, ils peuvent s'asseoir et s'abandonner à la contemplation de cet espace d'aridité absolue. Selon M. Pierre Landy, « ce spectacle du vide agit sur l'esprit par un véritable phénomène de décantation » (*op. cit.*, p. 183).

RYU-KYU : Archipel situé au sud-ouest du Japon.

SADDAM SHOKKU : *Choc de Saddam* : désigne en japonais l'effet économique dépressif de la guerre du Golfe, de janvier-février 1991.

SAKE : Alcool de riz.

SAKIGAKE : *Parti des Précurseurs* formé par scission au sein du PLD le 21 juin 1993 : leader Takemura (Masayoshi).

SAKOKU RON : Principe de la *porte fermée* : attitude de ceux qui sont favorables à une limitation de l'immigration.

SAMOURAÏ : Littéralement : « celui qui est à côté : l'homme lige ».
1° Au sens large : tout chevalier, tout guerrier de noble origine ayant le droit de porter deux sabres. Les Japonais employaient le mot *bushi**.
2° Au sens étroit : sous l'ère Edo* (1603-1868), membre de la couche inférieure de l'ordre des *bushi** disposant d'un fief produisant moins de 10 000 *koku** de riz par an. Certains samouraï étaient attachés directement au service du shogun* *(hatamoto*, *gokenin**), d'autres étaient les hommes liges des daimyo*.

SANKIN-KOTAI : Littéralement : rotation *(kotai)* de services *(sankin)*. Sous l'ère Edo* (1603-1868) : système de résidence alternée qui obligeait les daimyo à passer une année sur deux à Edo et à y laisser leur femme et leurs enfants en otages lorsqu'ils retournaient dans leur fief. Le *sankin-kotai* devint un instrument de règne, un peu comme la cour de Louis XIV ; quittant ses terres et ses provinces, la noblesse féodale fut en quelque sorte domestiquée.

SATCHO : Mot formé de la première syllabe des deux principaux fiefs qui prirent une part déterminante à la Révolution de Meiji* : *Sat (suma)* et *Cho (shu)*.

SATCHODOHI : Mot formé de la première syllabe des quatre grands fiefs qui prirent une part active à la Restauration de Meiji : *Sat (suma)**, *Cho (shu)**, *To (sa)** et *Hi (zen)** (N.B. : le *t* intervocalique de *To(sa)* devient *d*).

SATSUMA : Puissant fief *Tozama* du sud de l'île Kyu-Shu. Propriété héréditaire de la famille Shimazu* depuis le XIIe siècle, il avait une production annuelle de riz estimée à 770 000 *koku** et entretenait des relations privilégiées avec la cour impériale de Kyoto. Fervents adeptes du *Rangaku** et rivaux des Tokugawa*, les Shimazu jouèrent un rôle décisif dans la Restauration de Meiji.

SCAP : Supreme Commander for the Allied Powers (commandant suprême des forces alliées). Sigle utilisé pour désigner :
– tantôt l'ensemble de l'administration militaire américaine chargée de présider à l'occupation du Japon entre 1945 et 1952 ;
– tantôt les hommes qui l'ont dirigée (général MacArthur jusqu'au 10 avril 1951, général Ridgway jusqu'au 28 avril 1952).

SEI-I-TAI-SHOGUN : Voir *Shogun*.

SEIJI KAIKAKU : « Réforme politique » ; elle est à l'ordre du jour depuis le début de la décennie 1990 où prend fin le « *Régime 55* » (direction monopoliste du parti libéral-démocrate instaurée à partir de 1955, dans un contexte de guerre froide).

SEIKAI SAIEN : Recomposition *(saien)* du paysage politique *(seikai)* liée à la corruption et à la perte de crédit du parti libéral démocrate (PLD). Elle commence en 1992 et aboutit en 1993 au rejet dans l'opposition du PLD (voir : Nihon Shintô, Shinseitô, Sakigake, Shinshintô).

SEIYUKAI : Littéralement : parti *(kai)* des amis politiques *(seiyu)*. Amicale politique constitutionnelle. Parti fondé par Ito en 1900 pour rallier de nombreux notables provinciaux qui freinaient jusqu'alors le développement des forces politiques. La naissance du *Seiyukai* marque le début d'une collaboration entre les membres de l'oligarchie traditionnelle et les nouveaux cadres du pays formés dans les partis. Largement issu du *Kenseito** le *Seiyukai* resta jusqu'en 1940 un des deux piliers de la vie politique nippone avec son rival le *Minseito**.

SEPPUKU : Suicide rituel que les Occidentaux appellent *hara-kiri* en inversant les caractères chinois et en les lisant à la japonaise. Version nippone du « noblesse oblige » (voir *Bushido*) le *seppuku* ne doit pas être confondu avec les autres formes de suicide ; c'était un privilège réservé aux *bushi** lorsqu'ils voulaient laver honorablement une offense qu'ils ne pouvaient venger. Avec un poignard, le sujet s'ouvrait le ventre (siège des pensées secrètes), puis un témoin lui rendait le noble service de le décapiter ou de lui trancher la carotide.

SÉPULTURES ANTIQUES : Voir *Kofun*.

SESSHO : Voir *Régent*.

SHAKAI TAISHUTO ou SHAKAITO : Littéralement : parti *(to)* des masses *(taishu)* sociales *(shakai)*. Parti socialiste fondé par Abe en 1932 par regroupement de trois mouvements préexistants. Un premier groupe socialiste était apparu dès 1882 sous le nom de *Toyo Shakaito* (parti socialiste oriental). Animé par de jeunes intellectuels proches de l'anarchisme, il avait été interdit deux mois après sa fondation.

SHIKI : Poterie. Voir *Jomonshiki* et *Yayoishiki*.

SHIKKEN : Voir *Régent*.

SHIKKENAT : Pouvoir exercé par les *shikken** (voir *Régent*).

SHIKOKU : Quatre *(shi)* provinces *(koku)*. Une des quatre principales îles du Japon.

SHIMA : Ile.

SHIMAZU : Famille noble de Kyushu (voir *Satsuma**).

SHIMBEI NYUA : Voir *Datsua Nyuo*.

SHIMPAN DAIMYO : Daimyo* apparenté à la famille Tokugawa* qui fournissaient sous l'ère Edo* (1603-1868) les cadres de l'armée et de l'administration shogunales. Voir *daimyo* et *fudai*.

SHIMPOTO : Littéralement : parti *(to)* progressiste *(shimpo)*. Parti fondé en 1896, et reconstitué en 1945 par Machida avec d'anciens éléments du *Minseito**. Bientôt présidé par Shidehara, il a changé plusieurs fois de nom avant de fusionner en 1955 avec le parti libéral (parti démocrate ou *Minshuto* en 1947, parti national-démocrate ou *Kokumin-Minshuto* en 1951, parti progressiste-réformiste ou *Kaishinto* en 1952, parti démocrate ou *Minshuto* en 1954). D'idéologie conservatrice le *Shimpoto* défendait la liberté individuelle, la libre entreprise le respect des droits de l'homme et ne se distinguait du parti libéral *(Jiyuto*)* que par quelques nuances (attention plus aiguë pour les problèmes sociaux et l'amélioration du sort des travailleurs).

SHINGON : Littéralement : la vraie *(shin)* parole *(gon)*. Secte bouddhiste fondée en 806 par le bonze Kukai, aussi appelé Kôbô Daishi (774-835) à son retour d'un voyage en Chine effectué en 804. La doctrine du *Shingon*, proche du tantrisme indien, est hermétique et ésotérique : tout être vivant peut à tout moment « devenir Bouddha » et retrouver ainsi le lien caché qui unit le « monde de diamant » (noumènes) et le « monde matriciel » (phénomènes). La plupart des adeptes du *Shingon* n'en retinrent que les aspects initiatiques : rites invocatoires, exorcismes, formules secrètes, expériences mystiques, représentations symboliques de l'univers.

SHINSEITO : *Parti de la Renaissance ou Parti du Renouveau* (PR) . Ce petit parti de droite a été créé en 1992 par détachement de la faction Hata du parti libéral démocrate (PLD), faction dont le véritable chef est Osawa (Ichirô).

SHINSHINSHUKYO : *Nouvelles nouvelles religions* apparues dans les années 1980. *Nouvelles* (Shin) *nouvelles religions* (Shinshukyo) apparues dans les années 1980, au moment où le « New Age » gagne des adeptes en Occident. Elles représentent une *nouvelle génération* des « nouvelles religions » des XIXe et XXe siècles. La plus célèbre est la secte Aum, organisatrice d'un attentat au gaz sarin dans le métro du Tôkyô le 20 mars 1995.

SHINSHINTO : *Nouveau Parti du progrès* (NPP) fondé le 10 décembre 1994 par Osawa (Ichirô) par regroupement de son propre parti *(Shinseito)* avec le *Komeito* (parti de la justice et de l'intégrité) et du Parti des Précurseurs *(Sakigake)*. Sa dénomination en anglais est *New Frontier Party*.

SHINSHU : Voir *Jodo-Shinshu*.

SHINTO ou SHINTOÏSME : Transcription sino-japonaise de *kami no michi* qui signifie littéralement : « la voie des *kami** », par opposition à la « voie du Bouddha » *(butsudo*)*. Ensemble des cultes animistes du Japon primitif qui ont survécu jusqu'à nos jours en s'enrichissant de nombreuses croyances empruntées au bouddhisme. Les *kami* (sortes de forces immanentes de la nature que vénère le Shinto) ont fini par être considérées comme de simples manifestations locales du Bouddha uni-

versel. Cet étonnant syncrétisme s'explique par l'absence de structures propres au Shinto. Ce dernier, qui met l'accent sur la communication directe avec le monde sensible, ne comportait à l'origine ni sanctuaires, ni prescriptions morales, ni théologie, ni iconographie précise ; il reposait sur des « croyances peu élaborées au point de vue conceptuel, mais riches de résonances émotives » (Jacques Mutel, *op. cit.*, t. 1, p. 10). Apparenté au chamanisme sibérien, le Shinto accéda après la révolution de Meiji* au statut de religion d'Etat et connut une grande faveur en milieu populaire. Il compte aujourd'hui près de 80 millions de fidèles dont beaucoup sont simultanément adeptes du bouddhisme (la plupart des Japonais naissent et se marient *shinto* mais demandent des funérailles bouddhistes ou chrétiennes). Quant au culte proprement dit, il revêt un triple caractère :
– *culte civique* rendu à l'empereur et aux ancêtres. Bien que l'empereur ait « renoncé » en 1946 à ses origines divines, le Premier ministre se rend chaque année à Ise pour présenter ses vœux à la déesse-Soleil, *Amaterasu** ;
– *culte naturiste* rendu dans les cérémonies agraires hautes en couleur qui accompagnent les différentes étapes de la riziculture ;
– *culte de la fécondité*, fondé sur la célébration rituelle des naissances et des mariages.

SHOGUN ou SEI-I-TAI-SHOGUN : Littéralement : généralissime *(tai shogun)* chargé de soumettre *(sei)* les ennemis *(i)*. Titre donné par l'empereur au chef du clan Minamoto en 1192. Disposant d'une délégation générale du pouvoir militaire, le shogun assuma bientôt l'intégralité des pouvoirs politiques et administratifs de l'Etat et substitua son autorité à celle de l'empereur. La fonction de shogun fut supprimée lors de la Restauration de Meiji* (1868). Cinq familles de shogun se sont succédé entre 1192 et 1868 :

Famille Minamoto* 1192-1226 Famille Fujiwara* 1226-1252 Famille impériale 1252-1333	assistés par des régents (shikken*) Hojo (1203-1333)
Famille Ashikaga* 1338-1573	
Famille Tokugawa* 1603-1868	

La famille impériale a donc fourni pendant une brève période (1252-1333) à la fois des empereurs et des shogun ; de même, entre 1226 et 1252, la famille Fujiwara pourvoit simultanément aux fonctions de régent de l'empereur *(kampaku*)* et de shogun.
N.B. : *shogun* était autrefois orthographié *taikun** ou *taïco*.

SHOGUNAT : Régime reposant sur la confusion du pouvoir politique et du pouvoir militaire ; établi en fait en 1185 et en droit en 1192, il dura jusqu'en 1868 (voir *Bakufu*).

SHOKUNIN : Dans la hiérarchie sociale établie par les Tokugawa* : artisan, ouvrier.

SHOSOIN : « Magasin officiel » de Nara, construit vers 756.

SHOWA : Littéralement : « la paix rayonnante ». Nom de l'ère de l'histoire japonaise commencée en 1926 à l'avènement de l'empereur *Showa* (Hiro Hito). L'ère Heisei lui succède en 1989.

SHU : Secte.

SHUGO : Sous les ères Kamakura* (1185-1333) et Muromachi* (1333-1573), « protecteur militaire » chargé de représenter le shogun* dans les provinces, de maintenir l'ordre et de lever les armées.

SOCIÉTÉ DE HOLDING : Voir *Holding*.

SOHYO : Principale centrale syndicale japonaise. Regroupant surtout des travailleurs du secteur public, le *Sohyo* est d'obédience marxiste, il proclame la lutte des classes, dénonce les monopoles et préconise lors des traditionnelles « offensives de printemps » la réduction des disparités salariales entre les petites et les grandes entreprises. Sa puissance numérique et ses positions idéologiques l'apparentent à notre CGT.

SOKA GAKKAI : Littéralement : « Association créatrice de valeurs. » Puissante secte politico-religieuse fondée en 1930 par Tsunesaburo Makiguchi afin de ressusciter l'esprit de la secte *Nichiren**. Dissout en 1941 et réorganisé en 1951, le *Soka Gakkai* revendiquait 15 millions d'adhérents en 1972.
Son idéologie s'inspire du mysticisme intransigeant et apocalyptique de Nichiren. Le *Soka Gakkai* rejette toutes les autres religions, surtout le christianisme et se prétend seul dépositaire de la vérité. Il promet à ses adeptes la guérison des maladies et le bonheur qui réside en trois *valeurs* que chacun peut *créer* au cours de sa vie (d'où le nom de la secte) à condition de réciter chaque matin une prière imposée. Ces trois valeurs fondamentales sont le beau, le bon et l'utile. L'objectif ultime du *Soka Gakkai* est la conversion non seulement du Japon mais du reste du monde, d'où la création d'annexes à l'étranger.
Son organisation est fortement hiérarchisée. Les adhérents sont répar-

tis en *kumi* (sections) composés de 15 ménages et regroupés en îlots, en districts et en régions. Chaque adepte est tenu de pratiquer un prosélytisme de choc et de recruter trois personnes par an. Disposant de solides ressources financières, la secte a parfois appelé au boycott de certains journaux et s'est dotée d'un parti politique (le *Komeito**) qui revendique son autonomie.
Sa sociologie est composite. Le *Soka Gakkai* recrute sa clientèle dans la petite bourgeoisie urbaine et dans les milieux défavorisés : employés, mineurs, paysans, petits commerçants, serveuses de bar, chauffeurs de taxi, commis, etc. Comportant une forte proportion de jeunes, de femmes et d'ouvriers non syndiqués, il attire les isolés, les mécontents et tous ceux qui s'accommodent mal de l'anonymat de la vie moderne ; à ces derniers, le *Soka Gakkai* apporte un encadrement quasi militaire et une occasion d'insertion sociale.

SONNO : « Révérons l'empereur » : slogan répandu au Japon vers 1850 et qui triompha avec la restauration politique de l'empereur en 1868 (voir *Joï*).

STATUETTE FUNÉRAIRE : Voir *Haniwa.*

SUICIDE RITUEL : Voir *Seppuku.*

SUMITOMO : Un des principaux *zaikai** après *Mitsui** et *Mitsubishi**.

SUMO : Littéralement : « le pouvoir des cornes » ; lutte japonaise.

SURCHAUFFE : Situation d'une économie dans laquelle l'excès de la demande globale sur le marché intérieur provoque des tensions inflationnistes. En période de *surchauffe*, l'industrie « tourne » à pleine capacité et les facteurs de production (main-d'œuvre, capital) sont en principe intégralement employés.

SYNDROME O TAKU : Repli sur soi de certains jeunes en voie de désocialisation qui vivent à domicile *(o-taku)* entourés d'appareils électroniques (multimédia, vidéo, etc.) avec lesquels ils préfèrent interagir plutôt que de communiquer avec des personnes.

TAIKUN : Autre nom pour désigner le shogun* (on trouve aussi *taïco* dans certains textes anciens).

TAÏKA (ÈRE, RÉFORME DE) : L'ère Taïka (littéralement : ère du « grand

changement ») correspond à un tournant dynastique, politique et institutionnel de l'histoire japonaise (645-650). Elle est marquée par une série de réformes destinées à faire de l'archipel une réplique exacte de la Chine des T'ang*. Inaugurée par une relève de personnel politique (avènement de l'empereur Kotoku ; élimination du clan Soga par le clan Nakatomi*, ancêtre du clan Fujiwara*, la réforme de Taïka brise la puissance sociale de l'aristocratie provinciale à la faveur d'un remodelage administratif. Le code Taïka (646) complété par le code de Taiho (701) :
– réaffirme la primauté de la prérogative impériale ;
– nationalise et redistribue toutes les terres ;
– modifie la structure gouvernementale : constitution de Taïka (voir tableau, tome 1, chapitre 2, p. 37) ;
– divise le pays en provinces soumises à la capitale ;
– crée une bureaucratie recrutée sur examens ;
– réforme la fiscalité et abolit les corvées ;
– interdit aux nobles d'ériger des *kofun**.
On a souvent établi une analogie pertinente entre la réforme de Taïka (646) et la Restauration de Meiji* (1868). « Dans les deux cas, une intervention étrangère combinant menace militaire et prestige culturel rencontra une évolution sociale conduisant à un régime bureaucratique » (Michel Vié).

TAÏRA : Famille aristocratique dont les chefs ont gouverné le Japon de 1159 à 1185. (Voir *Heike*.)

TAIRO : Littéralement : grand *(tai)* ancien *(ro)*. Sous l'ère Edo*, délégué du shogun qui exerçait un pouvoir hiérarchique sur les *roju**.

TAISEI YOKUSANKAI : « Association nationale pour le service du trône » qui se substitua à partir d'octobre 1940 aux différents partis politiques japonais.

TAISHO : « La grande Justice. » Nom donné à l'ère historique (1912-1926) qui succéda à l'époque *Meiji** (1868-1912).

TAIWAN : Nom chinois de Formose.

TAMA : Bijou (voir *Magatama*).

T'ANG : Dynastie chinoise (618-907) qui exerça une vive influence sur la cour nippone à la fin de l'ère Asuka (552-710) et sous l'ère Nara (710-794).

TANKA : Poème de 31 syllabes réparties en 5 vers comportant respectivement 5, 7, 5, 7 et 7 syllabes.

TAOÏSME : Mystique chinoise s'inspirant de la doctrine du philosophe Lao-Tseu qui aurait vécu vers 600 av. J.-C. Par la contemplation, les taoïstes cherchent à s'unir au *Tao* (la Voie), sorte de force supérieure et universelle résultant de l'alternance de deux principes complémentaires : le *yang* (la chaleur, le soleil, l'activité, la masculinité) et le *yin* (le froid, l'humidité, la passivité, la féminité). Le taoïsme a puissamment contribué au développement du sentiment de la nature dans l'art et la littérature chinois. Les milieux populaires n'en retinrent que des pratiques magiques et des recettes de longévité.

TATAMI : Nattes d'herbes tressées recouvrant le plancher des demeures japonaises.

TCH'ANG-NGAN : Capitale de la Chine des T'ang* que les Japonais prirent comme modèle pour Nara* et Heian-Jo*.

TENDAI : Secte bouddhiste ésotérique. Tirant son nom du mont T'ien-t'ai, haut lieu du bouddhisme chinois, elle essaima au Japon à partir de 805. Ses adeptes se regroupèrent sur le mont Hiei* qui surplombe Kyoto*.

TENNO : L'empereur (les Occidentaux disent improprement mikado).

TENURE : (Du verbe tenir.) Terme de droit médiéval désignant un mode de possession d'une terre et, par extension, la terre détenue elle-même. Dans la société féodale fondée sur le lien personnel d'homme à homme, la *tenure* est le lopin de terre qu'un seigneur concède à un vilain qui reconnaît son autorité. La *tenure* permet à ce dernier de nourrir sa famille moyennant obéissance et acquittement des charges matérielles pesant sur la terre. (Aujourd'hui : terre à bail.)

TEREBI : Télévision.

TO : Parti politique, faction. (Equivalent : *kai*.)

TOKAIDO : Ancienne route qui reliait Kyoto (capitale impériale) à Edo* (capitale shogunale).
– Aujourd'hui, itinéraire du célèbre train express (170 à 200 km/h) qui circule entre les principales cités du sud de Honshu.

– Par extension, on appelle *Tokaido*, la nébuleuse urbaine délimitée par Tokyo, Osaka et Nagoya.

TOKUGAWA : Famille aristocratique qui a dirigé le Japon de 1600 à 1868. Les Tokugawa s'affirmèrent comme les plus puissants daimyo* du pays par leur victoire de Sekigahara (1600) et prirent le titre de shogun* à partir de 1603.

TÔKYÔ : Littéralement : la capitale de l'Est. Capitale politique du Japon (voir *Edo*).

TONARIGUMI : « Associations de voisinage. » Sortes de guildes qui, sous l'ère Edo* (1603-1868) regroupaient 5 à 10 familles d'une même rue ou d'un même quartier. Ressuscitées pendant la Seconde Guerre mondiale pour surveiller le rationnement et soutenir le zèle des populations civiles, les *tonarigumi* existent toujours et continuent à jouer un rôle important. Le nouveau venu dans un quartier doit un cadeau et une visite de courtoisie aux deux maisons qui jouxtent la sienne et aux trois qui lui font face.

TORII : Portique sacré des sanctuaires shinto*.

TOSA : Fief de 250 000 *koku** de riz, situé dans la partie méridionale de l'île de Shikoku ; fut avec Choshu* et Satsuma* un des instigateurs de la Révolution de Meiji* (voir *Satchodohi*).

TOSEIHA : « Faction du contrôle » (de l'extrémisme). Un des principaux groupes nationalistes des années 1930. Dirigée par Ugaki, la *Toseiha* désapprouvait le recours systématique à la violence et à l'assassinat politique. Elle supplanta à partir de 1935 la *Kodoha** qui regroupait les jeunes officiers de tendance fasciste.

TOZAMA DAIMYO : Voir *Daimyo*.

TRANSCENDANTALISME : Pratique politique japonaise fréquente dans les dernières années du XIXe siècle, qui consistait en période de crise à former des cabinets ministériels extraparlementaires, présentés à l'opinion comme des ministères d'union nationale. Le transcendantalisme réapparut sous une autre forme dans les années 1930.

TROU DE SERRURE : Voir *Kofun*.

TUMULI : Voir *Kofun*.

UJI : Clan. Désigne dans l'Etat du Yamato* (Ve et VIe siècles) une parentèle dirigée par un chef patriarcal investi de fonctions sacerdotales *(ujinokami)* et protégée par une divinité tutélaire *(ujigami)* qui n'est souvent que l'ancêtre commun des membres du clan. Les *uji* ensevelissaient leurs chefs dans des *kofun** ; ils sont à l'origine des plus anciennes familles aristocratiques japonaises.

UNIGÉNITURE : Ancien système successoral resté en vigueur jusqu'en 1945, qui permettait au père de famille de transmettre l'intégralité de son patrimoine à l'un de ses enfants ou à un étranger qu'il adoptait. Cette pratique donna lieu à de multiples brassages sociaux entre roturiers et aristocrates et permit une osmose entre la classe politique et les milieux d'affaires.

WAKADOSHIYORI : Littéralement : jeunes *(wakado)* vieillards *(shiyori)*. Sous l'ère Edo* (1603-1868) : « conseil des Jeunes Anciens » ; recruté parmi les daimyo* héréditaires (voir *Fudai**), il comprenait six membres dont chacun dirigeait les affaires pendant un mois. Le *Wakadoshiyori* était hiérarchiquement inférieur au *Roju** (voir tableau, tome 1, p. 106).

XIPANGU : Voir *Cipangu*.

YAKUSA : La pègre japonaise.

YAMA : Montagne.

YAMATO : Nom de l'ancienne province de Nara où les premiers empereurs japonais tinrent leur cour. Le Yamato constitua le cadre de la société clanique (voir *Uji*) qui domina l'archipel pendant le Ve et le VIe siècles. Certains récits anciens utilisent le terme de Yamato pour désigner l'ensemble du Japon.

YANG et YIN : Voir *Taoïsme*.

YASUDA : Un des principaux *zaikai** dont les origines remontent à Yasuda Zenjirô (1838-1921).

YAYOI ou YAYOISHIKI : (Du nom du quartier universitaire de Tokyo où furent retrouvées pour la première fois en 1884 des poteries au tour datant du Japon primitif.) Nom de la seconde civilisation préhistorique japonaise (300 av. J.-C. à 300 ap. J.-C.). Venue de la Corée, elle coexiste quelque temps avec la civilisation *Jomon** dont elle se distingue par la pratique de la riziculture irriguée. Son artisanat nous a laissé des tissus, des objets en métal (cloches de bronze sans battant, à usage rituel) et des poteries au tour d'une grande sobriété plastique. Proche de la céramique coréenne, la poterie *yayoi* est généralement colorée en rose orangé et comporte des motifs incisés, réalisés au poinçon ou au peigne. On connaît bien les pratiques funéraires des populations *yayoi* qui ensevelissaient leurs morts dans des urnes.

YEDO : Transcription ancienne pour Edo*.

YEN : Unité monétaire japonaise divisée en 100 *sen*.

ZAIBATSU : Littéralement : clique *(batsu)* financière *(zai)*. Sobriquet péjoratif utilisé jusqu'en 1945 pour désigner les oligopoles japonais *(Mitsui**, *Mitsubishi**, *Sumitomo**, *Yasuda*)* ; c'est un peu l'équivalent de nos « 200 familles ». Les *zaibatsu* sont des groupes familiaux qui contrôlent, par l'intermédiaire d'une *honsha**, une série d'entreprises liées entre elles par un réseau de participations croisées (chaque entreprise détient des actions de toutes les autres entreprises du groupe). Voir schéma, tome 1, p. 181 et *zaikai*.

ZAIKAI : Littéralement : association *(kai)* financière *(zai)*. Les milieux d'affaires japonais (Zaikai) forment avec la haute administration (Kankai) et la classe politique (Seikai) la « triade » dirigeante. Les Zaikai regroupent des associations patronales (Keidanren, Nikkeiren) et des Chambres de commerce et d'industrie (Nissho).

ZEN : Abréviation de *zena*, déformation du mot sanscrit *dhyana* qui signifie « méditation ». Variante du bouddhisme introduite dans l'archipel à partir de la fin du XIIe siècle par le bonze Eisai (1141-1215) du mont Hiei*. S'alimentant à une double tradition indienne et chinoise, le *Zen* impose à ses adeptes une rigoureuse ascèse physique et mentale qui doit déboucher sur une « appréhension » directe de la Vérité et de l'unité du cosmos. Comme l'a bien montré A. Watts, « le *Zen* n'est ni une religion, ni une philosophie ni une psychologie, c'est ce que l'Asie appelle un moyen libératoire ». Il s'appuie à la fois :

– *sur des techniques corporelles* proches du yoga. La pratique du *zazen* (« méditation assise ») vise à libérer l'esprit des contingences matérielles : il s'agit de parvenir à une totale décontraction physiologique en conservant pendant plusieurs heures la position du lotus ;

– *sur des techniques mentales*. Chaque disciple est invité à réfléchir sur

des « thèmes de méditation » *(kôan)* qui revêtent la forme d'énigmes ou de paradoxes. Par exemple : « De quelle nature est le bruit provoqué par une seule main qui applaudit ? » ;
– *sur une esthétique austère et hiératique*, fondée sur une extrême frugalité plastique ou picturale. La cérémonie du thé et les jardins de pierre (voir *Ryoanji*) en sont la meilleure expression. C'est à tort qu'on y a rattaché le *nô** et les arts martiaux qui procèdent d'une inspiration toute différente.

ZENGAKUREN : Syndicat national des associations d'étudiants. Fondé en 1948 pour protester contre un relèvement des droits universitaires, il organise périodiquement des manifestations violentes à travers le pays (émeutes de juin 1960 en particulier). Le *Zengakuren*, contrôlé à l'origine par le parti communiste, a évolué vers des positions gauchistes.

ZENRO : Syndicat réformiste dissident du *Sohyo**. A fusionné en novembre 1964 avec la *Sodomei* pour former le *Domei**.

Chronologie

REMARQUES LIMINAIRES

Les historiens et les spécialistes de l'art ont établi pour l'histoire du Japon deux périodisations qui ne se recouvrent pas entièrement. Le découpage proposé ci-dessous compte 14 grandes époques (ères) généralement adoptées par les spécialistes de l'histoire politique japonaise.

Pour faciliter la consultation, chacune des ères ainsi individualisées porte en sous-titre l'intitulé du chapitre où sont abordés les principaux événements qui lui correspondent.

1. ÈRE JOMON OU DE LA POTERIE CORDÉE — 5000-300 AV. J.-C.
   Le pays et les hommes (chap. 1)

2. ÈRE YAYOI OU DE LA POTERIE AU TOUR — 300 AV. J.-C. 300 AP. J.-C.
   Le pays et les hommes (chap. 1)

3. ÈRE KOFUN OU DES TUMULI MÉGALITHIQUES — 300-552 AP. J.-C.
   Le pays et les hommes (chap. 1)

4. ÈRE ASUKA OU SUIKO — 552-710
   A l'école de la Chine (chap. 2)

5. ÈRE NARA OU TEMPYO — 710-794
   A l'école de la Chine (chap. 2)

6. ÈRE HEIAN : LES KAMPAKU FUJIWARA — 794-1185
   Vers l'autonomie culturelle (chap. 3)

7. ÈRE KAMAKURA : LES SHIKKEN HOJO — 1185-1333
Le Japon féodal (chap. 4)

8. ÈRE MUROMACHI : LES SHOGUN ASHIKAGA — 1333-1573
L'unité nationale compromise (chap. 5)

9. ÈRE MOMOYAMA : LES TROIS DICTATEURS — 1573-1603
L'unité nationale rétablie (chap. 6)

10. ÈRE EDO : LES SHOGUN TOKUGAWA — 1603-1868
Le crépuscule de la féodalité (chap. 7)

11. ÈRE MEIJI OU DU GOUVERNEMENT ÉCLAIRÉ — 1868-1912
A l'école de l'Occident (chap. 8)

12. ÈRE TAISHO OU DE LA GRANDE JUSTICE — 1912-1926
Démocratisation et impérialisme (chap. 9)

13. ÈRE SHOWA OU DE LA PAIX RAYONNANTE — 1926-1989
chapitres 10 à 16

14. ÈRE HEISEI OU DE L'ACCOMPLISSEMENT DE LA PAIX — 1989-
chapitre 17

On aura remarqué que les noms retenus pour désigner les 14 ères de l'histoire japonaise sont empruntés :
– soit à des témoignages archéologiques ou ethnographiques de la période considérée (Jomon signifie « poterie cordée » ; Kofun désigne une sépulture mégalithique primitive) ;
– soit aux capitales politiques successives (ex. : Asuka, Nara, Heian, Kamakura, ou Edo. Quant à Momoyama qui signifie littéralement « colline des pêchers », il s'agit de l'emplacement situé à Fushimi, au sud de Kyoto, où Toyotomi Hideyoshi s'était fait construire un opulent palais pour ses moments de loisir) ;
– soit aux quartiers de certaines grandes métropoles (Yayoi est le nom du quartier universitaire de Tokyo où furent exhumées pour la première fois en 1884 des poteries au tour datant du Japon néolithique, Muromachi désigne l'ancien quartier de Kyoto, aujourd'hui transformé en banlieue dortoir, qui servit de résidence aux shogun Ashikaga) ;
– soit enfin au nom de règne des empereurs (ex. : Meiji, Taisho, Showa, Heisei…) ou impératrice (Suiko, première souveraine non mythique de l'histoire japonaise, fut une fervente bouddhiste et régna de 593 à 628 de notre ère).

Les grandes étapes de l'histoire japonaise

1. ÈRE JOMON OU DE LA POTERIE CORDÉE 5000-300 AV. J.-C.

vers 5000 AV. J.-C.	Société primitive pratiquant la chasse et la cueillette. Fabrication de poterie cordée.
660 AV. J.-C.	Fondation légendaire de la dynastie impériale par l'empereur Jimmu*.

2. ÈRE YAYOI OU DE LA POTERIE AU TOUR 300 AV. J.-C.-300 AP. J.-C.

vers 300 AV. J.-C.	Introduction de la riziculture et de la poterie au tour. Apparition d'objets en bronze et en fer.
108 AV. J.-C.	Conquête de la Corée par la Chine.
1-100 AP. J.-C.	Implantations massives de populations coréennes dans le Japon occidental. Contacts avec la Chine. Elaboration de la religion naturiste du Japon primitif (les *Kami**).
200	Date traditionnelle de la conquête miraculeuse de la Corée par l'impératrice guerrière Jingô Kogô (l'événement se situe en réalité vers 360).
285	Date traditionnelle de l'adoption officielle de l'écriture chinoise (date réelle présumée 405).

3. ÈRE KOFUN OU DES TUMULI MÉGALITHIQUES 300-552

vers 300	Fin des sacrifices humains. Fondation présumée du sanctuaire de la « déesse-soleil » à Ise.
vers 500	Société organisée en clans *(uji*)* dans la principauté du Yamato*.

4. ÈRE ASUKA OU SUIKO 552-710

552	Introduction officielle du bouddhisme à la cour du Yamato.
562	Perte des possessions japonaises en Corée (province de Mimana).
586	Epidémie de peste. Pour la conjurer l'empereur Yomei fait le vœu de construire un grand sanctuaire au Bouddha guérisseur, le futur *Horyuji**.
587	Victoire des probouddhistes de la cour (clan Soga) sur les partisans du Shinto* (clans Mononobe et Nakatomi*).

604 « Constitution des 17 articles » du prince Shotoku.

607 Première ambassade japonaise en Chine et début des missions d'information technique.
Construction à Nara du *Horyuji** qui passe pour le plus ancien édifice en bois existant au monde.

610 Le moine coréen Doncho introduit au Japon le rite bouddhique de l'incinération des morts.

645 Un coup d'Etat des Nakatomi*, désormais convertis au bouddhisme, met fin à la dictature des Soga.
Début de la *réforme de Taika** (645-650) qui prescrit l'adoption des institutions de la Chine des T'ang*, « nationalise » les terres et interdit la construction des *kofun**.

669 Les Nakatomi* prennent le patronyme de Fujiwara*.

vers 670 Apparition des courts poèmes *(tanka*)*.

vers 700 Généralisation de la pratique de la crémation.

701 Le Code de Taiho précise la structure gouvernementale ébauchée par la *réforme de Taika** (Conseil d'Etat, chancelier sénestre*, chancelier dextre*, etc.).

708 Première émission d'une monnaie de cuivre japonaise.

710 Fondation d'une nouvelle capitale imitée de la Tch'angngan* des T'ang*: Nara* ou Heijo.

5. ÈRE NARA OU TEMPYO 710-794

712 Compilation historique du *Kojiki** (Chronique des événements anciens).

720 Compilation historique du *Nihon Shoki* ou *Nihongi** (Annales du Japon).

735 Kibi no Mabi revient de Chine avec l'idée du syllabaire *katakana**.

vers 750 Echec de la réforme foncière : les terres « nationalisées » par la *réforme de Taika** sont réappropriées par les nobles et les monastères.

752 Inauguration de la statue du Grand Bouddha *(Daibutsu*)* de Nara commencé en 745 pour conjurer une épidémie de variole.

756 Construction du magasin officiel *(Shosoin*)* de Nara.

vers 760 Compilation poétique du *Recueil des dix mille feuilles (Manyoshu*)*.

770 Mort de l'impératrice Shotoku, dernière impératrice régnante et exil du bonze Dokyo qui avait tenté d'usurper le trône.

780-781 Révolte des populations *aïnu* (ebisu).*

794 Transfert de la capitale à Heian* (l'actuelle Kyoto) pour échapper à l'emprise des fondations bouddhiques de la région de Nara.

6. ÈRE HEIAN : LES KAMPAKU FUJIWARA 794-1185

801 Campagne contre les réduits *aïnu (ebisu)* du nord de Honshu.

805 Le bonze Saicho crée au mont Hiei* la secte bouddhiste du *Tendai**.

806 Kukai crée la secte bouddhiste du *Shingon**.

838 Départ de la douzième et dernière ambassade auprès de la Chine des T'ang*. Début d'une période d'isolationnisme.

854 Révolte des populations *aïnu (ebisu).*

857 Fujiwara Yoshifusa (804-872) reçoit le titre de grand chancelier d'Empire (Premier ministre) qui n'avait plus été attribué depuis le bannissement du bonze Dokyo en 770 ; début de l'ascension des Fujiwara*.

866 Fujiwara Yoshifusa (804-872) devient le premier régent *(sesshô*)* étranger à la famille impériale.

872 Fujiwara Mototsune, neveu et fils adoptif de Fujiwara Yoshifusa, devient régent *(sesshô).*

887 Fujiwara Mototsune devient régent de majorité *(kampaku*).*

889 L'arrière-petit-fils de l'empereur Kammu (782-805), Takamochi, prend le nom de Taïra Takamochi et fonde le clan Taïra* (Heike* en chinois).

905 Compilation poétique du *Recueil des poèmes anciens et modernes (Kokinshu*)* par Tsurayuki (mort en 946).

941 Exécution de Fujiwara Sumitomo pour avoir dirigé des opérations de piraterie dans la mer Intérieure.

961 Le petit-fils de l'empereur Seiwa (858-876), Tsunemoto, prend le nom de Minamoto Tsunemoto et fonde le clan Minamoto*.

995-1027 Suprématie de Fujiwara Michinaga.

1008-1020 La Dame Murasaki compose *Le Roman de Genji**.

1053-1140 Vie du bonze Toba Sojo, auteur des *Caricatures d'oiseaux et d'animaux.*

1156-1160 Victoires des Taïra* sur les Minamoto* marquées par l'incendie du palais Sanjo.

1167 Le vainqueur, Taïra Kiyomori, se fait attribuer le titre de grand chancelier d'Empire (Premier ministre) et s'installe à Kyoto.

1175 Le bonze Honen fonde le *Jodoshu** (secte de la Terre Pure).

1180-1185 Reprise des hostilités entre les Taïra et les Minamoto ; victoire de ces derniers au cours de la bataille navale de Dannoura. Le vainqueur, Minamoto Yoritomo, devient le maître de l'archipel.

7. ÈRE KAMAKURA : LES SHIKKEN HOJO 1185-1333

1185 Transfert de la capitale à Kamakura*, bourgade côtière du Kanto* où était installé, depuis 1180, le poste de commandement de Minamoto Yoritomo ; création des fonctions de *shugo** (protecteur militaire) et *jito** (gouverneur domanial).

1189 Minamoto Yoritomo fait assassiner son frère cadet, Minamato Yoshitsune, dans le nord de Honshu.

1191 Introduction au Japon du bouddhisme *zen**.

1192 Minamoto Yoritomo prend le titre de généralissime *(shogun*)* et réorganise la structure gouvernementale du pays.

1199 Mort de Minamoto Yoritomo. Le pouvoir échoit à son fils, Yoriie, manipulé en fait par son beau-père Tokimasa et par sa femme, une Hojo* de souche Taïra*, qui s'est faite bonzesse.

1200-1400 Piraterie endémique des Japonais et des Okinawais dans la mer de Corée et le long des côtes chinoises.

1203 Déposition du shogun Minamoto Yoriie en faveur de son frère Minamoto Sanemoto. Tokimasa prend le titre de *shikken** (régent du shogun) qui sera désormais accaparé par la famille Hojo. Début de la régence des Hojo*.

1220-1240 Rédaction de l'*Histoire de la Maison des Taïra (Heike Monogatari*)*, chef-d'œuvre de la littérature épique.

1221 Ecrasement d'une révolte fomentée contre le pouvoir shogunal par l'empereur retiré Go-Toba (qui avait régné de 1183 à 1198).

1224 Fondation de la Vraie secte de la Terre Pure *(Shinshu*)* par le bonze Shinran.

1226 Le titre de shogun revient à un Fujiwara*. Elimination des Minamoto*.

1252 Le titre de shogun revient à un prince impérial. Consécration du Grand Bouddha *(Daibutsu*)* de Kamakura* (la plus grande statue de bronze du monde).

1253 Le bonze Nichiren* fonde la secte qui porte son nom (on dit aussi secte du Lotus ou *Hokke*).

1259 Les Mongols soumettent la Corée.

1274 Première tentative de débarquement des Mongols de Kubilai Khan dans la baie de Hakata.

1274-1280 Construction d'une muraille protectrice autour de la baie de Hakata.

1276 Les Mongols soumettent la Chine.

1281 La seconde tentative d'invasion mongole échoue grâce à un typhon *(Kamikaze*)*.

1318-1339 Règne de l'empereur Go-Daigo (ou Daigo II).

1331 Révolte de Go-Daigo contre le shogun.

1333 Le général Ashikaga Takauji, envoyé contre Go-Daigo, passe à l'insurrection.
Destruction de Kamakura et massacre de la famille Hojo.

8. ÈRE MUROMACHI : LES SHOGUN ASHIKAGA 1333-1573

1336 Go-Daigo, abandonné par Ashikaga Takauji, est chassé de Kyoto et installe une cour dissidente à Yoshino. Début du Grand Schisme impérial (1336-1392) que les Japonais appellent aussi période des deux cours (période Nambokuchô).

1338 Ashikaga Takauji prend le titre de shogun et le transmet à ses descendants jusqu'en 1573.

1350-1450 Floraison du drame lyrique *(nô*)* et âge d'or de l'esthétique *zen** (arrangement floral, art des jardins, cérémonie du thé).

1392 Fin du Grand Schisme. Réunion de la dynastie du Nord (Kyoto) et de la dynastie du sud (Yoshino) grâce à la médiation du shogun Ashikaga Yoshimitsu.

1420-1506 Vie du paysagiste Sesshu Toyo, remarquable adepte des genres picturaux chinois.

1444 Mort de Zeami, le meilleur écrivain de *nô*.

vers 1450 Création du jardin de pierres du *Ryoanji* * à Kyoto.

1467-1477 Série de luttes féodales connues sous le nom de guerre d'Onin.
Appauvrissement de la famille impériale.

1467-1603 Période de guerres civiles chroniques, dite période des « Royaumes combattants » ou période des « Principautés belligérantes » (Sengokujidai).

1479 Ashikaga Yoshimasa fait construire le pavillon d'Argent : il y définit avec ses hôtes les rites de la cérémonie du thé.

1488 Les communautés laïques de la Vraie secte de la Terre Pure massacrent les seigneurs des provinces de Kaga et Echizen sur la côte occidentale et s'emparent du pouvoir.

1521 Couronnement avec vingt et un ans de retard de l'empereur Go-Kashiwabara. Le retard est dû à l'impécuniosité de la Couronne.

1543 Arrivée de navires portugais dans l'île de Tanegashima près de Kyushu. Introduction d'armes à feu européennes.

1549 Arrivée de saint François Xavier à Kyushu. Premières missions jésuites.

1560 Couronnement avec trois ans de retard de l'empereur Ogimachi.

1568 Prise de Kyoto par Oda Nobunaga, obscur daimyo* du fief de l'Owari.

1571 Nagasaki est ouvert au commerce avec l'étranger sous la responsabilité du daimyo local, Omura Sumitada (converti au christianisme en 1562).

1573 Première église chrétienne à Kyoto.
Oda Nobunaga (1534-1582) fait incarcérer le shogun Ashikaga Yoshiaki. Fin du shogunat des Ashikaga*.

9. ÈRE MOMOYAMA : LES TROIS DICTATEURS 1573-1603

1578 Un des grands daimyo de Kyushu se convertit au christianisme.

1580 Le temple fortifié de la Vraie secte de la Terre Pure à Osaka accepte d'ouvrir ses portes à Nobunaga qui vient de faire plusieurs années de siège infructueux. On compte 150 000 chrétiens dans l'archipel.

1582 Assassinat de Oda Nobunaga. Un de ses généraux, Toyotomi Hideyoshi (1536-1598) lui succède.
Fondation du village de Edo*.

1582-1615 Age d'or de l'art et de l'architecture Momoyama* dont l'exubérance baroque consacre la rupture avec l'austérité de l'esthétique *zen*.

1585 Hideyoshi nommé *kampaku** (régent de majorité).

1587 Les Shimazu* de Satsuma* font allégeance à Toyotomi Hideyoshi.
Edit de Toyotomi Hideyoshi décrétant l'expulsion des missionnaires chrétiens.
Confiscation des armes détenues par les paysans.

1590 Un vassal de Toyotomi Hideyoshi, Tokugawa Ieyasu (lointain descendant de Minamoto Yoritomo), écrase les Hojo* de l'Odawara, établit sa domination sur le Kanto* et installe son quartier général à Edo.

1592 Toyotomi Hideyoshi envahit la Corée avec une force de 160 000 hommes. Une trêve est conclue entre le Japon et les armées chinoises.

1593 Des franciscains espagnols venus des Philippines établissent une mission d'évangélisation.

1597 Seconde expédition en Corée.
Vingt-six chrétiens de Nagasaki subissent le martyre.

1598 Mort de Toyotomi Hideyoshi.
Retrait des troupes japonaises stationnées en Corée.

1600 Tokugawa Ieyasu triomphe de ses rivaux au cours de la bataille de Sekigahara. Les daimyo ralliés à lui avant cette date porteront le nom de *Fudai daimyo** (daimyo héréditaires, dits de l'intérieur), les autres, celui de *Tozama daimyo** (daimyo de l'extérieur).

10. ÈRE EDO : LES SHOGUN TOKUGAWA 1603-1868

1603 Tokugawa Ieyasu (1542-1616) prend le titre de shogun et fait de Edo la capitale politique.
Fondation du théâtre *kabuki** par la prêtresse shinto* Okuni.

1605 Tokugawa Ieyasu, pour assurer la continuité de sa lignée, transmet de son vivant le titre de shogun au second de ses fils Tokugawa Hidetada qui exercera le pouvoir de 1605 à 1623.

1608 Les Tokugawa introduisent officiellement à la cour un philosophe confucéen.

1609 Les Hollandais établissent un comptoir commercial dans l'île de Hirado au nord-ouest de Kyushu.

1612-1619 Abolition officielle du servage qui subsiste en fait.

1613	Premier comptoir commercial anglais dans l'île de Hirado.
1614	Nouvelles persécutions contre les chrétiens.
1615	Ieyasu s'empare du château fortifié d'Osaka où les descendants de Toyotomi Hideyoshi intriguaient contre le nouveau régime. Fin de la famille Toyotomi.
1616	Mort de Tokugawa Ieyasu.
1617	Construction des mausolées de Nikko.
vers 1620	Un marchand de Yamada, près d'Ise, invente la première monnaie de papier japonaise *(Yamada-hagaki).*
1623	Les Anglais abandonnent leur comptoir de l'île de Hirado.
1624	Expulsion de commerçants espagnols.
1633-1634	Mise en place du conseil des Anciens *(Roju*)* et du conseil des Jeunes Anciens *(Wakadoshiyori*).*
1635	Nomination des premiers gouverneurs civils *(bugyo*)* et institution du *sankin-kotai** pour les *tozama daimyo**.
1636	Un décret interdit à tous les sujets japonais d'émigrer. Ceux qui sont installés à l'étranger ne pourront regagner la mère patrie.
1637-1638	Extermination de 37 000 paysans chrétiens retranchés dans une forteresse proche de Nagasaki.
1638	Expulsion des commerçants portugais accusés de complicité dans la révolte des paysans chrétiens. La construction de gros navires est interdite.
1640	Exécution d'envoyés portugais venus pour rétablir des relations commerciales avec l'archipel. Verrouillage du Japon.
1641	Les commerçants hollandais sont transférés de Hirado à Deshima dans le port de Nagasaki.
1642	Extension du *sankin-kotai** aux *fudai daimyo**.
1653-1724	Vie du dramaturge Chikamatsu (auteur de pièces de théâtre de marionnettes).
1657	Grand incendie de Edo.
1694	Mort de Bashô, grand poète de *haiku**.
1701-1703	Episode des quarante-sept *ronin (chûshingura)* à Edo*.
1703	Grand tremblement de terre dans le Kanto*.
1707	Dernière grande éruption du Fuji-Yama.

1717-1718	Lois contre la bigamie.
1720	Le shogun Tokugawa Yoshimune tolère quelques importations de livres européens.
1732-1733	Famine dans le Japon occidental.
1758	Châtiment de Takenouchi Shikibu accusé d'avoir défendu des idées favorables à la prérogative impériale.
1760-1780	Généralisation du système des guildes.
1764-1868	L'étude de la langue néerlandaise se développe principalement parmi les médecins.
1780-1788	Famine endémique.
1792	Incarcération de Hayashi Shihei (1754-1793) pour ses écrits en faveur de la prérogative impériale.
1798	Le philologue shintoïste Motoori Norinaga (mort en 1801) rédige un commentaire du *Kojiki* (Kojiki-den)* d'inspiration nationaliste.
1804	Délégation russe à Nagasaki.
1808	Le navire britannique *Phaeton* à Nagasaki.
1811	Création d'une commission chargée de la traduction des ouvrages néerlandais.
1813	Emprunt forcé sur les marchands d'Edo* et d'Osaka.
1814	Fondation d'une secte populaire shintoïste par Kurozumi Munetada.
1837	Révolte des masses déshéritées d'Osaka (« émeutes du riz »).
1838	Fondation d'une secte populaire shintoïste par une femme nommée Nakayama Miki.
1849	Mort du graveur Hokusaï.
1852	Visite des Russes à Shimoda.
1853	L'amiral Matthew C. Perry demande l'ouverture de ports commerciaux (juillet).
1854	Retour de l'amiral Perry qui obtient par le traité de Kanagawa l'ouverture de Shimoda et de Hakodate (mars).
1856	Installation à Shimoda du consul américain, Townsend Harris. Mort de l'économiste Ninomiya Sontoku.
1858	Traité commercial accordant le privilège de l'exterritorialité aux ressortissants américains (juillet). Mort du graveur Hiroshige. Fondation de l'université Keiô par Fukuzawa.

1859 Début du commerce étranger à Yokohama.
Premières écoles missionnaires américaines.

1860 Assassinat par des samouraï de Mito du « Grand-Ancien » qui avait consenti à ouvrir le Japon aux étrangers (mars).

1862 Des samouraï xénophobes de Satsuma* assassinent un Anglais (Richardson) à Namamuji près de Yokohama.
Abolition du *sankin-kotai**.
Première ambassade japonaise en Europe.

1863 Les forts de Choshu* tirent sur des bâtiments européens engagés dans le détroit de Shimonoseki.
Une escadre anglaise détruit Kagoshima, la capitale de Satsuma* (août).
Le *shogun* fait chasser de Kyoto les partisans du clan Choshu* (septembre).
Visite du shogun à Kyoto.

1864 Des navires occidentaux (américains, anglais, français et hollandais) démantèlent les forts de Choshu à Shimonoseki.
Première expédition shogunale contre le clan Choshu.

1865 Ratification par l'empereur des traités signés avec les puissances étrangères.

1866 Accord secret entre les clans Choshu et Satsuma (mars).
Seconde expédition shogunale contre le clan Choshu (août).

1867 Mort de l'empereur Komei et intronisation de l'empereur Meiji* (Mutsuhito) ; début de l'ère Meiji.
Le quinzième shogun Tokugawa (Tokugawa Keiki) restitue le pouvoir politique à l'empereur et met fin au shogunat institué en 1192 par Minamoto Yoritomo.

11. ÈRE MEIJI OU DU GOUVERNEMENT ÉCLAIRÉ 1868-1912

1868 Proclamation de la « restauration de l'ancienne monarchie » (3 janvier).
Serment des 5 articles (6 avril).
L'empereur quitte Kyoto (« ville capitale ») pour Edo qui devient la nouvelle capitale du pays et prend le nom de Tokyo (« capitale de l'Est »).

1869 Les grands clans ou *han** (Satsuma*, Choshu*, Tosa*, Hizen*) restituent leurs domaines au Trône (5 mars).

Les anciens daimyo* sont nommés préfets de leurs fiefs (25 juillet).
Première ligne télégraphique entre Tokyo et Yokohama.

1870 Abolition de la stratification sociale à quatre niveaux (guerriers, paysans, artisans, marchands) établie par les Tokugawa.
Le premier emprunt public japonais, évalué à un million de livres sterling, est lancé en Angleterre pour construire une ligne de chemin de fer.

1871 Mise en place d'un système postal moderne.
Création d'une monnaie nationale (le *yen*).
Abolition des fiefs *(han*)*, remplacés par des préfectures *(ken*)*.
Institution de l'obligation scolaire et création du ministère de l'Instruction publique (2 septembre).
Départ pour l'Europe et les Etats-Unis de la mission Iwakura dont font partie Okubo et Ito (20 novembre).

1872 Inauguration de la ligne de chemin de fer reliant Tokyo à Yokohama.
Loi agraire autorisant les paysans à vendre et à acheter librement des terres. Délivrance dans tout le pays de « certificats de propriété foncière ».
Construction de nombreuses écoles primaires publiques.
Création à Tokyo de quatre grandes banques nationales.

1873 Début d'une phase mondiale de basse conjoncture économique (temps B Kondratieff 1873-1897).
Substitution du calendrier grégorien au calendrier lunaire chinois (1er janvier).
Loi sur la conscription militaire (10 janvier).
Loi sur l'impôt foncier désormais payable en espèces et non plus en nature (28 juillet).
Création d'un nouveau système de poids et mesures.
Suppression des mesures d'exclusion frappant les chrétiens.
Première vague d'occidentalisation des mœurs : mode des lapins, nouvellement importés.

1874 Expédition de Formose en réponse au massacre de marchands okinawais (mai).
Indemnité chinoise en dédommagement du massacre des marchands okinawais (31 octobre).
Itagaki fonde le « parti pour la liberté et les droits du peuple » *(Jiyu-minken-undo*)*.

Premier éclairage au gaz le long de la *Ginza*, principale rue de Tokyo.
Seconde vague d'occidentalisation des mœurs : mode des combats de coqs.

1875 Création du *Genro-in** (14 avril).

1876 Traité d'amitié avec la Corée (26 février).
Le port du sabre est interdit aux anciens samouraï* (28 mars).
Conversion des rentes des anciens samouraï* (5 août).

1877 Révolte du clan Satsuma* (février-septembre).
Fondation de l'université de Tokyo qui deviendra université impériale en 1886.

1878 Ouverture de la Bourse de Tokyo.

1879 Election des premiers conseils de préfecture (20 mars).
Rattachement des Ryu-Kyu* à l'archipel : Okinawa* reçoit le statut de préfecture (4 avril).

1880 Election des premiers conseils municipaux.
Itagaki fonde le parti libéral *(Jiyuto*)*.

1881 Fondation à Fukuoka de la Société du Dragon noir ou Société du fleuve Amour *(Genyosha*)* : naissance des premières sociétés patriotiques.
Premières dénationalisations de Matsukata.
Okuma fonde le parti progressiste *(Kaishinto*)*.
Départ pour l'Europe de la mission Ito chargée de l'étude des Constitutions (27 février).

1882 Création de la Banque du Japon (10 octobre).
Okuma fonde l'université Waseda.
Troisième vague d'occidentalisation : manie des dictionnaires qu'on se met à publier en grand nombre.

1883 Loi sur la presse.

1884 Création d'une nouvelle noblesse.
Quatrième vague d'occidentalisation des mœurs : mode des sports athlétiques.

1885 Premier gouvernement de Cabinet (Ito).
Fusion des chantiers de construction navale de Mitsui* et de Mitsubishi*.

1887 Apparition de l'éclairage électrique au palais impérial de Tokyo.
Cinquième vague d'occidentalisation des mœurs : engouement pour la valse bientôt jugée indécente ; mode des funérailles grandioses.

1888 Création du Conseil privé (30 avril).
Sixième vague d'occidentalisation des mœurs : mode du spiritisme et du mesmérisme ; passion pour les matches de boxe.

1889 Promulgation de la Constitution (11 février).

1890 Premières élections générales à la Diète (1er juillet) et ouverture de la première session parlementaire (25 novembre).
Suppression du *Genro-in** (octobre).
Rescrit impérial sur l'éducation (30 octobre).
Premières importations de riz.

1892 Secondes élections générales restées mémorables par les violences et les corruptions qu'elles occasionnent (février).

1894 Traité de commerce et de navigation avec la Grande-Bretagne, dit traité Aoki-Kimberley. La Grande-Bretagne, en renonçant au privilège de l'exterritorialité, met fin aux traités inégaux (16 juillet).
Guerre sino-japonaise (1er août) et prise de Port-Arthur (22 novembre).

1895 Traité de Shimonoseki : le Japon reçoit Formose, les Pescadores et la péninsule du Liao-toung (17 avril).
Restitution du Liao-toung à la Chine à la suite d'une « démarche amicale » de la Russie, de la France et de l'Allemagne (4 décembre).
Premier tramways électriques à Tokyo.

1896 Introduction du cinéma à Kobe.
Septième vague d'occidentalisation : mode de la philatélie.

1897 Début d'une phase mondiale de haute conjoncture économique (Temps A Kondratieff 1897-1920).
Adoption de l'étalon-or (29 mars).
Fondation de l'Union des métallurgistes, ancêtre des premiers syndicats (décembre).

1898 Fondation par Itagaki et Okuma du parti constitutionnel ou *Kenseito** qui regroupe l'ancien parti libéral *(Jiyuto*)* et l'ancien parti progressiste *(Kaishinto*)*.
Politique d'ordre moral du second ministère Yamagata.
Dépècement de la Chine (Allemands à Kiao-tcheou, Russes à Port-Arthur, Anglais à Wei-Hai-Wei, Français à Kouang-Tcheou-Wang).

1899 La suppression de l'exterritorialité* annoncée par le traité de 1894 devient effective ; publication de nouveaux codes de commerce.
Installation du téléphone à Tokyo et Osaka.

1900 Première réforme électorale abaissant le cens de 15 à 10 yen.
Ito fonde l'Amicale politique constitutionnelle ou *Seiyukai**.
Guerre des Boxers. – Siège de Pékin.

1901 Création d'un parti socialiste d'inspiration sociale-chrétienne.
Mort de l'universitaire Fukuzawa.

1902 Alliance anglo-japonaise (30 janvier).

1904 Attaque japonaise sur la flotte de Port-Arthur ; début de la guerre russo-japonaise (8 février).

1905 Réforme fiscale – création de nouveaux impôts indirects.
Capitulation de Port-Arthur.
Chute de Moukden (mars).
Destruction de la flotte russe de la Baltique au cours de la bataille des îles Tsushima (27 mai).
Traité de Portsmouth : le Japon reçoit le sud de l'île de Sakhaline et un protectorat sur la Corée (5 septembre).
A Tokyo sanglantes émeutes de protestation contre le traité.

1906 Travaux le long du chemin de fer Sud-Mandchourien.

1907 Interdiction des jeux d'argent et du pari mutuel.
Accord financier franco-japonais.
La présence de Japonais provoque plusieurs incidents raciaux dans des écoles de Californie.

1908 *Gentlemen's Agreement* sur l'immigration japonaise aux Etats-Unis (18 février).

1909 Assassinat de Ito par un fanatique coréen (26 octobre).

1910 Annexion de la Corée (22 août) et création d'un poste de gouverneur général en Corée (30 septembre).

1911 Reconduction de l'alliance anglo-japonaise.
Traité commercial nippo-américain.

1912 Décès de l'empereur Meiji* (30 juillet).
Avènement de l'empereur Taisho* (Yoshihito).

12. ÈRE TAISHO OU DE LA GRANDE JUSTICE 1912-1926

1912 Crise de *Taisho**.
Création d'un syndicat ouvrier d'inspiration sociale-chrétienne.

1913 Katsura crée l'Alliance constitutionnelle ou *Doshikai**.
Mort de Katsura (octobre).

1914 Le Japon déclare la guerre à l'Allemagne et se range aux côtés des alliés (23 août).
Prise de Tsing-tao (novembre).

1915 Le Japon présente à la Chine les *21 Demandes* (18 janvier).

1916 Accord secret russo-japonais destiné à prévenir l'implantation d'une tierce puissance en Extrême-Orient (3 juillet).
Kato fonde le parti *Kenseikai**.
Mort du romancier Natsume Soseki.

1917 Accords Lansing-Ishii (octobre).
Révolution russe (octobre).

1918 Débarquement japonais à Vladivostok (avril).
Des émeutes du riz provoquées par l'inflation éclatent dans plusieurs villes japonaises (août-septembre).

1919 Révolte en Corée (mars-avril).
Signature du traité de Versailles (28 juin).
Réforme électorale de Hara abaissant le cens de 10 à 3 yen.

1920 Début d'une phase mondiale de basse conjoncture économique (temps B Kondratieff 1920-1933).
La Japon entre à la Société des Nations.
Création de la ligue socialiste, dissoute l'année suivante.

1921 Voyage à travers l'Europe du prince héritier (Hiro Hito).
Premier défilé du 1er mai.
Grèves à Kobe (juillet).
Assassinat du Premier ministre Hara (4 novembre).
Ouverture de la Conférence navale de Washington (12 novembre).
Hiro Hito devient régent de l'empereur intellectuellement assoupi (25 novembre).

1922 Mort d'Okuma (10 janvier).
Fondation du parti communiste japonais (juillet).
Fondation d'une association de fermiers d'inspiration sociale-chrétienne.
Fin de l'occupation japonaise à Vladivostok (octobre).
Renonciation au Chan-toung et à Kiao-tcheou.

1923 Un grand séisme détruit une partie de Tokyo : 44 000 morts (1er septembre).
Attentat contre le régent Hiro Hito (27 décembre).

1924 Vague d'isolationnisme aux Etats-Unis : le *Johnson Act* dispose que les Asiatiques ne pourront plus être naturalisés américains et suspend l'immigration jaune.
Décès de l'ancien Premier ministre Matsukata (mars).

1925 Le Japon restitue le nord de Sakhaline à l'Union soviétique (Accord de Pékin, 21 janvier).
Suffrage universel masculin (30 mars).
Loi répressive dite de « protection de la paix civile ».

1926 Décès de l'empereur Taisho* (25 décembre) ; avènement de l'empereur Showa* (Hiro Hito) ; début de l'ère Showa.

13. ÈRE SHOWA OU DE LA PAIX RAYONNANTE 1926-1989

1927 Succession de faillites bancaires.
Ouverture du premier métro à Tokyo.
Le parti *Kenseikai** prend le nom de *Minseito**.

1928 Premières élections au suffrage universel.
Dissolution de trois formations de gauche et arrestations massives de leaders communistes (mars-avril).
Attentat contre Tchang Tso-lin par des sous-officiers de l'armée du Kantoung (4 juin).
Le Japon signe le pacte Briand-Kellogg (août).

1929 Inauguration du premier service aérien de passagers entre Tokyo et Osaka.
Krach de Wall Street : début de la crise économique mondiale (octobre).

1930 Retour du Japon à l'étalon-or (janvier).
Le Japon participe à la Conférence de Londres sur le désarmement naval (avril).
Attentat contre le Premier ministre Hamaguchi (14 novembre).

1931 Complot de la Restauration Showa (mars).
Incident de Mandchourie (18 septembre).
Médiation de la SDN qui invite la Chine et le Japon à retirer leurs troupes de Mandchourie (30 septembre).
La SDN envoie une commission d'enquête en Mandchourie (10 décembre).
Abandon de l'étalon-or (14 décembre).

1932 Débarquement japonais à Changhai (janvier).
Assassinat du ministre des Finances Inoue (9 février).

Création de l'Etat de Mandchoukouo (18 février).
Assassinat du Premier ministre Inukai (15 mai : « incident du 15-5 »).
Création du parti socialiste ou *Shakai Taishuto** (24 juillet).
Publication du rapport Lytton par la SDN (2 octobre).

1933 Hitler chancelier d'Allemagne (30 janvier).
Roosevelt président des Etats-Unis (mars).
La SDN condamne le Japon pour son action en Mandchourie (24 février).
Le Japon occupe le Jéhol (4 mars).
Le Japon quitte la SDN (27 mars).
Destitution de plusieurs professeurs libéraux de l'Université impériale de Kyoto (mai).

1934 Pou Yi devient empereur du Mandchoukouo (1er mars).
Le Japon dénonce le traité de Washington (décembre).

1935 Nouveaux assassinats politiques.
Le Japon s'empare du Hopei (mai).
Le professeur Minobe Tatsukichi est invalidé de la Chambre des pairs pour avoir défendu sa « théorie des organes » (18 septembre).

1936 Putsch militaire à Tokyo : deux anciens Premiers ministres, les ministres des Finances et de la Justice ainsi que plusieurs officiers sont assassinés (26 février : « incident du 26-2 »).
Le Japon signe le pacte anti-komintern (25 novembre).

1937 Incident du pont Marco Polo : début de la seconde guerre sino-japonaise (7 juillet).
Prise de Changhai (octobre).
Prise de Nankin (décembre).

1938 Loi de « mobilisation nationale » (mars).
Bataille nippo-soviétique sur la frontière orientale du Mandchoukouo à Changkoufeng : échec japonais (juillet-août).
Prise de Canton et Hankéou (octobre).
Le gouvernement lance le slogan de « l'ordre nouveau en Asie orientale » (novembre).

1939 Nouveaux combats nippo-soviétiques sur les frontières du Mandchoukouo et de la Mongolie extérieure : échec japonais (avril-juillet).
Déclenchement de la guerre en Europe (1er septembre).

1940 Création à Nankin d'un gouvernement pro-nippon présidé par Wang-Ching-Wei (30 mars).
Dissolution des partis politiques (juillet-août) qui sont invités à fusionner au sein de l'Association nationale pour le service du trône ou *Taisei Yokusankai** (octobre).
Les troupes nippones occupent l'Indochine française (août-septembre).
Alliance tripartite et constitution de l'Axe Rome-Berlin-Tokyo (27 septembre).
Mort de Saionji, le dernier *Genro** (24 novembre).

1941 Pacte de neutralité nippo-soviétique (13 avril).
Roosevelt ordonne le gel des avoirs japonais aux Etats-Unis et l'embargo sur le commerce japonais (juillet).
Formation du cabinet du général Tojo (octobre).
Par une attaque surprise, les Japonais anéantissent la flotte américaine de Pearl Harbor. Début de la guerre du Pacifique (7 décembre).
Capitulation de Hong Kong (25 décembre).

1942 Capitulation de Singapour (15 février).
Capitulation de Java (9 mars).
Capitulation des Philippines (mai).
Bataille de la mer de Corail (5 mai).
Bataille de Midway (4-5 juin).
Débarquement américain à Guadalcanal (7 août).
Création du ministère de la Grande Asie orientale (novembre).

1943 « Indépendance » de la Birmanie (août).
« Indépendance » des Philippines (octobre).
Création du ministère des Munitions (1er novembre).
Conférence de la Grande Asie, réunie à Tokyo à l'imitation des réunions du Commonwealth (5-6 novembre).
Bataille de Tarawa dans l'archipel des Marshall (20-23 novembre).

1944 Bataille de l'île de Saipan (juin-juillet).
Conférence de Bretton Woods (juillet).
Démission du cabinet Tojo (18 juillet).
Bataille du golfe de Leyte et débarquement américain aux Philippines (23-24 octobre).
Premiers raids aériens sur le Japon (novembre).

1945 Conférence de Yalta (4-11 février).
Prise de Manille par les Américains (5 février).
Prise de l'île d'Iwo Jima (17 mars).
Débarquement américain à Okinawa (avril).
Capitulation allemande (8 mai).

Proclamation de Potsdam (26 juillet).
Bombardements atomiques de Hiroshima et Nagasaki (6 et 9 août).
L'Union soviétique déclare la guerre au Japon et envahit la Mandchourie (8 août).
L'empereur du Japon accepte les termes de la Proclamation de Potsdam sous réserve qu'aucun préjudice ne soit porté à son statut personnel (10 août).
Truman confie à MacArthur la mise en application d'un document intitulé « United States Initial Post Surrender Policy for Japan » : Orientations pour une politique américaine applicable après la capitulation japonaise (29 août).
MacArthur reçoit la capitulation officielle du Japon à bord du cuirassé *Missouri* ancré en rade de Tokyo (2 septembre).
Le SCAP* rétablit les libertés publiques (10 septembre) et libère les prisonniers politiques, notamment les leaders communistes (octobre).
Le shintoïsme* cesse d'être religion d'Etat (15 décembre).
Loi sur les syndicats (22 décembre).
L'Accord de Moscou institue la Commission d'Extrême-Orient et le Conseil allié pour superviser la politique d'occupation (27 décembre).

1946 L'empereur renonce à son ascendance divine (1er janvier).
Premières mesures d'épuration et création du Tribunal militaire international de Tokyo (janvier).
Elaboration du projet constitutionnel (février).
Réforme agraire (21 octobre).
Promulgation de la nouvelle Constitution (3 novembre).
Politique dite des secteurs prioritaires (charbon, électricité, sidérurgie, construction navale).

1947 MacArthur brise une tentative de grève générale (1er février).
Premières mesures de décartellisation (avril).
Entrée en vigueur de la Constitution (3 mai).
Réforme du système d'éducation.
Le ministère de l'Intérieur est remplacé par un ministère de l'Autonomie (décembre).
Suffrage universel des deux sexes.

1948 Séisme de Fukui (28 juin).
Loi eugénique* (juillet).
Note de MacArthur supprimant le droit de grève dans les services publics (22 juillet).

Verdicts du Tribunal militaire international de Tokyo : exécution de Tojo, de Hirota et de quelques autres « criminels de guerre » (novembre).
Fondation du *Zengakuren**.
Kawabata publie *Yukiguni (Pays de neige).*

1949 Mao Tsé-Toung s'empare de Pékin (22 janvier).
Adoption du plan Dodge qui recommande une politique de déflation et une stabilisation monétaire sur la base de 360 yen pour un dollar (15 avril).
Revirement de la politique d'occupation : arrêt des réparations, des transferts d'usines et des mesures de décartellisation (12 mai).
Vague d'agitation et de sabotages suivie de perquisitions dans les locaux de l'organe communiste *Akahata** (août).
Ikeda devient ministre des Finances (jusqu'en 1952).

1950 Le *Kominform* condamne la ligne politique du parti communiste japonais (6 janvier).
« Purge rouge » contre les communistes et suppression du journal *Akahata* (juin).
Les Coréens du Nord franchissent le 38e parallèle : début de la guerre de Corée (25 juin).
Une police nationale de réserve de 75 000 hommes prend la place des troupes américaines appelées en Corée et devient l'embryon des futures forces d'autodéfense (10 août).

1951 Rappel du général MacArthur remplacé par le général Ridgway (10 avril).
Amnistie générale aux victimes des purges d'après-guerre (10 avril).
A San Francisco, signature du traité de paix par 48 pays et du pacte de sécurité nippo-américam (8 septembre).
Eclatement du parti socialiste (24 octobre).
Boom des commandes *(tokuju keiki)* lié à la guerre de Corée.

1952 Entrée en vigueur du traité de paix (28 avril).
Signature d'une paix séparée avec la Chine nationaliste (28 avril).
Manifestations antiaméricaines à Tokyo (1er mai).
Annonce de la création d'une force nationale de sécurité (août).
Veto soviétique à l'admission du Japon à l'ONU (18 septembre).
1er accord commercial sino-japonais de l'après-guerre.

1953 Premières émissions télévisées au Japon (1er février).

Yoshida, mis en minorité à la Chambre des conseillers, dissout la Diète (18 mars).
Armistice en Corée (27 juillet).
2e accord commercial sino-japonais.

1954 L'équipage du *Fukuryu-maru n° 5* est atteint par les retombées radioactives d'une expérience nucléaire américaine tentée sur l'atoll de Bikini (1er mars).
Accord d'assistance mutuelle entre le Japon et les Etats-Unis (8 mars).
Les conservateurs lancent une campagne révisionniste sur le double thème de la remilitarisation et du rétablissement de la souveraineté impériale.
Création des forces d'autodéfense (juillet).
Hatoyama fonde le parti démocrate, *Minshuto*, qui se situe dans la lignée du *Shimpoto** (24 novembre).
Kawabata publie *Le Bruit de la montagne. Les Sept Samouraï* du cinéaste Kurozawa.

1955 Admission du Japon au GATT* et au FMI (10 septembre), début d'un boom économique (le *Jimmu keiki*) qui se prolonge jusqu'en 1957.
Début des manifestations contre l'extension de la base aérienne de Tachikawa, près de Tokyo (13 septembre).
Réunification des socialistes (13 octobre).
Réunification des conservateurs : formation du parti libéral-démocrate ou *Jiyu-Minshuto** (15 novembre).
Nouveau veto soviétique à l'admission du Japon à l'ONU (13 décembre).

1956 Désignation d'une Commission de révision de la Constitution (mai).
Normalisation des relations nippo-soviétiques (19 octobre).
Admission du Japon à l'ONU (12 décembre).

1957 Voyages de Kishi aux Etats-Unis (juin) et en Asie du Sud-Est (novembre).
Accord commercial nippo-soviétique (6 décembre).
Courte récession économique dite du « fond de la casserole » *(nabe zoko)*.

1958 Accord de réparations avec l'Indonésie (20 janvier).
La profanation à Nagasaki du drapeau de la Chine communiste entraîne la rupture des relations commerciales entre Pékin et Tokyo (2 mai).
Début d'un nouveau boom économique dit « Boom Iwato » *(Iwato keiki)* qui se prolonge jusqu'en 1961.

1959 Déclaration fracassante d'Asanuma, le secrétaire général du parti socialiste, sur « l'impérialisme américain » (9 mars).
Accord de réparations avec le Sud-Vietnam (13 mai).

1960 Le Japon devient le second pays au monde à réaliser régulièrement des émissions télévisées en couleurs.
Reconduction du traité de sécurité mutuelle avec les Etats-Unis (19 janvier).
Nishio fonde le parti démocrate-socialiste ou *Minshu Shakaito** (24 janvier).
Kishi demande inopinément la ratification du traité de sécurité à la Chambre basse (19-20 mai).
« Crise de 1960 » : le *Zengakuren** et le *Sohyo** orchestrent une série d'émeutes contre le traité de sécurité (mai-juin).
Annulation de la visite du président Eisenhower (16 juin).
Entrée en vigueur automatique du traité de sécurité (19 juin) et démission de Kishi (19 juillet).
Ikeda annonce le « doublement du revenu national en dix ans » (5 septembre).
Assassinat du président du parti socialiste Asanuma (12 octobre).
Fin de la grève des mineurs à Miike (1er novembre).

1961 Remboursement aux Etats-Unis de l'Aide GARIOA (10 juin).

1962 Les Japonais accueillent chaleureusement Robert Kennedy en visite officielle (janvier).
Accord semi-officiel entre Tokyo et Pékin pour le développement des échanges commerciaux pendant une période de cinq ans : c'est le commerce L.T. (Liao et Takasaki). Début du « boom des Jeux olympiques » *(Olympic boom)*.

1963 Admission du Japon à l'OCDE (26 juillet).
Le Japon livre sa première usine clés en main à la Chine.

1964 Inauguration du super-express de la nouvelle ligne du *Tokaido* (shinkansen)*.
Ouverture au trafic de la première autoroute *(Meishin)* entre Nagoya et Kobe.
18es Jeux olympiques à Tokyo (octobre).

1965 Normalisation des relations entre le Japon et la Corée du Sud.
Le Japon participe à la création de la Banque pour le développement asiatique.
Convertibilité du yen. Début du « boom Izanagi » qui prolonge l'euphorie économique jusqu'en 1970.

1966 Révolution culturelle en Chine. Le parti communiste japonais rompt avec le parti communiste chinois.
Admission du Japon à l'ASPAC (Asian and Pacific Council).

1967 Fortes retombées radioactives au Japon après la cinquième explosion nucléaire en Chine (6 janvier).
Le professeur Minobe, socialiste, devient maire de Tokyo (15 avril).
Création de l'ASEAN.

1968 Retour au Japon des îles Bonin (juin).
Barricades dans le quartier universitaire de Tokyo (21 juin).
Cérémonies du centenaire de Meiji*.
Kawabata obtient le prix Nobel de littérature.
Le Japon compte 100 millions d'habitants et accède au rang de 3e puissance économique mondiale.

1969 Accord nippo-soviétique sur la mise en valeur de la Sibérie.
La police reconquiert l'université de Tokyo tenue par les étudiants depuis près d'un an (18 janvier).
Lancement du premier navire atomique japonais (juin).
Loi réprimant l'agitation universitaire (17 août).
Communiqué Nixon-Sato sur la restitution d'Okinawa (21 novembre).

1970 Lancement d'*Osumi*, premier satellite japonais (11 février).
21e exposition universelle à Osaka sur le thème « Progrès humain dans l'harmonie » (mars).
La reconduction du traité de sécurité (23 juin) provoque des manifestations de la part des forces de gauche.
L'écrivain nationaliste Yukio Mishima se suicide pour obtenir le réarmement du pays (25 novembre).
Le Komeito se sépare de la Soka Gakkai (3 mai).

1971 Accord nippo-américain sur la restitution d'Okinawa* et des îles Ryu-Kyu*(17 juin).
Suppression de la convertibilité en or du dollar : fin de l'étalon de change-or (15 août). Les jours suivants, tous les marchés des changes ferment sauf celui de Tokyo.
Le gouvernement japonais décide le flottement du yen (26 août).
Accords de Washington : le yen est réévalué de 7,66 % par rapport à l'or et de 16,88 % par rapport au dollar (18 décembre).
C'est le choc Nixon (*Nikuson shokku)*, assorti d'une surtaxe américaine sur les importations. Le Japon accepte l'autolimitation de ses exportations textiles vers les Etats-Unis.

1972 Les Etats-Unis restituent officiellement Okinawa au Japon et retirent leurs armes nucléaires (15 mai).
Démission du gouvernement Sato : cabinet Tanaka qui axe son programme politique sur l'ouverture vers Pékin et la qualité de la vie (7 juillet).
Rencontre Nixon-Tanaka à Honolulu en prévision d'un rapprochement sino-japonais (1er septembre). Normalisation des relations entre Tokyo et Pékin : accord Chou En-laï-Tanaka (29 septembre).
Dissolution de la Chambre des représentants (13 novembre) et élections générales (10 décembre).
Création de la *Fondation du Japon*. Jeux olympiques d'hiver à Sapporo. Réélection à la mairie de Tokyo du professeur socialiste Minobe Ryokichi. Trois jeunes terroristes japonais membres de l'Armée rouge japonaise *(Segikun-ha)* ouvrent le feu à la mitraillette sur la foule de l'aéroport de Lod à Tel Aviv : 28 morts et 76 blessés (30 mai). Trois mois plus tôt, à Karuizawa, station de loisirs, un règlement de comptes entre factions rivales de l'Armée rouge japonaise avait fait 14 morts dont trois femmes.

1973 Dévaluation de 10 % du dollar américain (13 février) : le yen devient flottant et enregistre une hausse continue sur le marché des changes.
En octobre : premier choc pétrolier *(sekiyu kiki)*. Le Japon est choisi comme siège de l'Université des Nations Unies.
Ouverture du pont Kammon entre les îles de Honshu et de Kyushu. Entrée en vigueur d'une réglementation antipollution.
Les forces de gauche dénoncent l'absence de réactions du gouvernement après le kidnapping à Tokyo par les services secrets coréens de Kim Dae Chung, principal opposant au régime du président Park.

1974 Démission de Tanaka Kakuei impliqué dans divers scandales financiers (décembre). Miki Takeo devient Premier ministre. Redéploiement économique *(Kozo tenkan)*.
Accord commercial, aérien et maritime avec Pékin. Le président américain Gerald Ford en visite au Japon. Le premier grand navire de guerre américain admis à se baser à Yokosuka. Trois membres de l'Armée rouge japonaise prennent en otage pendant 101 heures le personnel de l'ambassade de France à La Haye (13 septembre) ; les terroristes trouvent refuge à Damas. Le gouvernement présente ses excuses à la Corée du

Sud à la suite de l'assassinat de la femme du président Park par un résident coréen au Japon. Achèvement du tunnel de Kammon. Fuite à bord du navire nucléaire expérimental *Mutsu* (septembre). L'ancien Premier ministre Sato Eisaku prix Nobel de la paix.

1975 Plan Miki de relance économique : le Japon est le seul des grands pays industriels à connaître une croissance positive. Loi sur le financement des partis politiques. L'empereur et l'impératrice en voyage aux États-Unis. Siège du consulat américain à Kuala-Lumpur (Malaisie) par l'Armée rouge japonaise ; les terroristes trouvent refuge en Libye (4 août). En septembre 1975, l'Armée rouge japonaise se réorganise en trois directions. Le *Shinkansen* (TGV) prolongé jusqu'à Fukuoka.

1976 Affaire des pots-de-vin Lockheed. Jacques Chirac en visite à Tokyo. Forte remontée du yen *(endaka)* : premier « choc du yen » *(yen shokku)*. Miki Takeo remplacé par le Premier ministre Fukuda Takeo. Création d'une commission mixte nippo-américaine de défense (juillet). Procès de la firme d'engrais chimiques Chisso responsable de la pollution de Minamata. Kono Yohei forme le *Nouveau Club libéral (shin jiyü kurabu)* dissident du parti libéral-démocrate. Fin des réparations aux Philippines. Le Japon ratifie le traité de non-prolifération nucléaire de 1970.

1977 Nouvelle génération de réacteurs nucléaires mise en service.
Scission dans le parti socialiste : Eda Saburo crée la Ligue socialiste des citoyens *(shakai shimin rengô)*. Asukata Ichiro devient secrétaire général du parti socialiste. Voyages de Fukuda en Asie où il promet un accroissement de l'aide.
Cinq membres de l'Armée rouge japonaise capturent un DC8 de la Japan Air Lines et obtiennent du gouvernement japonais une rançon ; les terroristes trouvent refuge en Algérie.

1978 Traité d'amitié sino-japonais. Traité d'amitié soviéto-vietnamien : intensification par l'URSS des manœuvres navales dans le Pacifique occidental et des survols aériens du territoire japonais. Manifestations écologistes : la tour de contrôle de l'aéroport de Narita saccagée : 5 morts, 400 blessés. Démission de Fukuda Takeo ; le chrétien Ohira Masayoshi devient Premier ministre (décembre). Accord commercial avec Washington : le Japon accroît ses importations d'agrumes et de viande de bœuf.

1979 Second choc pétrolier *(dainiji sekiyu kiki)*. 7e sommet des pays industrialisés à Tokyo. Création d'une nouvelle base militaire soviétique dans les Kouriles à Kunashiri. L'URSS envahit l'Afghanistan. Le parti bouddhiste *Komeito* reconnaît le bien-fondé du traité de sécurité et des forces d'autodéfense (27 novembre). Manœuvres militaires conjointes du Japon et des Etats-Unis. Institution d'un concours d'entrée unifié pour les universités d'Etat. Transfert au monument Yasukuni des cendres de quatorze « criminels de guerre ». Visite de Jimmy Carter au Japon. Elections générales. Assassinat du président Park en Corée. Formation du Parti social-démocrate unifié *(shakai minshu rengô)*.

1980 Ohira voyage à travers le Pacifique et lance l'expression des Nations du bassin du Pacifique ; mis en minorité, il dissout la Chambre mais meurt pendant la campagne électorale ; Suzuki Zenko devient Premier ministre. La CEE demande au Japon de limiter ses exportations. Déclaration du président du parti socialiste Asukata reconnaissant le traité de sécurité et la légitimité des forces d'autodéfense (22 mai).

1981 Jean-Paul II, premier pape en visite au Japon. Accord d'autolimitation des exportations japonaises d'automobiles aux Etats-Unis. Nouvelle liste officielle des idéogrammes usuels *(jôyô kanji)* : leur nombre passe de 1850 à 1945. Fukui Kenichi prix Nobel de chimie pour son application des théories de la mécanique quantique aux réactions chimiques. Accroc dans la coopération économique avec la République populaire de Chine (nombreux contrats annulés ou différés). A Paris, l'étudiant Sagawa Issei se livre au cannibalisme sur une étudiante hollandaise (juin) ; il convient des faits et est libéré de prison dès 1983 ; rentré au Japon, il vit libre et enrichi par le récit de son meurtre qui tire à 300 000 exemplaires et lui vaut le prix Akutagawa, équivalent japonais du prix Goncourt.

1982 Démission de Suzuki Zenko ; Nakasone Yasuhiro devient Premier ministre (novembre). François Mitterrand au Japon. Diffusion en Occident de séries télévisées japonaises pour enfants (Goldorak, Albator). Le GATT saisi par la CEE du contentieux commercial euro-japonais. Echange de visites officielles pour le dixième anniversaire de la normalisation des relations sino-japonaises.

1983 Ronald Reagan demande lors d'un voyage au Japon une participation accrue à l'effort de défense. Suspension des vols vers l'URSS après que des pilotes soviétiques ont abattu un Boeing d'une compagnie commerciale coréenne, tuant 269 passagers (septembre). Voyage de Nakasone en Asie du Sud-Est et en Corée du Sud.

1984 L'évêque catholique de Niigata, Mgr Itô Jean Shojiro, publie le 22 avril (jour de Pâques) une lettre pastorale qui authentifie le « caractère surnaturel d'une série d'événements inexplicables » survenus de 1975 à 1981 dans le couvent de l'*Institut des servantes de l'Eucharistie* de Yuzawadaï, près d'Akita. A la suite de plusieurs guérisons relatées par la presse, Akita situé sur la côte nord-ouest de Honshu devient un sanctuaire de dévotion mariale pour le Japon et la Corée. Nakasone visite la Chine. Lancement du programme de fibres optiques VAD.

1985 Seconde remontée brutale du yen *(endaka)* : c'est le second choc du yen *(dainiji yen shokku)*. Privatisation de la grande firme de communications NTT *(Nippon Telegraph and Telephon)*. Nakasone en France. Un avion de la JAL s'écrase. Désignation d'un comité de sages pour réformer le système éducatif. Création du *Centre japonais pour les technologies clés* (JKTC).

1986 Déclaration de Gorbatchev à Vladivostock proposant une collaboration aux pays de la région Asie-Pacifique. Reprise du dialogue diplomatique avec l'URSS (visite à Tokyo d'Edouard Chevarnadze).
Sommet de Tokyo contre le terrorisme (mai). Le Nouveau Club libéral réintègre le parti libéral-démocrate. Une femme, Doi Takako, devient présidente du parti socialiste.

1987 Privatisation des compagnies ferroviaires *(kokutetsu)* et de la Japan Air Lines (JAL). Croissance économique de 8,4 %, la plus forte depuis 10 ans. Le prince héritier et la princesse Michiko aux Etats-Unis. Protocole de collaboration nippo-américaine en matière de défense. Nakasone transmet les fonctions de Premier ministre à Takeshita Noboru. Tonegawa Susumu prix Nobel de médecine pour ses travaux de biologie moléculaire sur les anticorps. Krach boursier (octobre).
Arrestation d'un des dirigeants de l'Armée rouge japonaise en fuite à l'étranger depuis plusieurs années. Accord de pêche nippo-soviétique. Mort de l'écrivain Ishikawa Jun. Démission des dirigeants de Toshiba accusés par le Sénat américain d'avoir vendu des matériels stratégiques aux Soviétiques. Lancement d'une fusée H1 qui met en orbite un satellite de communica-

tion. Le président Reagan sanctionne le Japon de sa violation de l'accord commercial de juillet 1986 sur les exportations de semi-conducteurs. Regroupement des principaux syndicats au sein du Zenminrokyo (Association panjaponaise des syndicats de l'industrie privée) fondé en 1982.

1988 Le Premier ministre Takeshita (Noboru) relance les travaux publics et la consommation intérieure sur laquelle une taxe de 3 % est instituée. Il propose un ré-enracinement psycho-affectif des couches urbaines salariées *(furusato sosei = retour à la terre natale)* au moment où la production d'énergie d'origine atomique franchit le cap des 30 % de la production totale (contre 2,2 % en 1975).

Les tensions commerciales restent vives avec les Etats-Unis qui adoptent la loi sur le commerce *(Trade Act)* qui prévoit des représailles douanières contre les Etats qui se livrent au *dumping*. Le Japon ouvre son marché des travaux publics aux entreprises américaines (accord du 29 mars les autorisant à soumissionner pour 14 grands projets). Au sommet international de Toronto, Takeshita annonce le désir du Japon de devenir le premier contributeur mondial en matière d'aide au développement afin de réévaluer le rôle diplomatique de l'archipel.

Envolée de la Bourse *(Kabutochô)* où *l'indice Nikkei* dopé par la spéculation de masse, pulvérise ses plus hauts niveaux historiques, enregistrant une progression de + 40 % au cours de l'année 1988. Le scandale politico-boursier *Recruit-Cosmos* éclabousse plusieurs membres du gouvernement Takeshita. Des sanctions frappent la Corée du Nord dont les services secrets ont torpillé un vol un Boeing civil sud-coréen, le 29 novembre 1987 (115 morts).

14. ÈRE HEISEI OU DE L'ACCOMPLISSEMENT DE LA PAIX 1989-

1989 Politique : relèves successives au sommet. L'empereur Hiro Hito, atteint d'un cancer du pancréas, décède le 7 janvier, après 62 ans de règne (fin de l'*ère Showa*). Son fils Akihito lui succède, ouvrant l'*ère Heisei (accomplissement de la paix)*. Démission en juin du Premier ministre Takeshita, créateur très critiqué de la TVA japonaise à 3 % ; sa cote de popularité est tombée à 3,4 %. Il est impliqué dans le scandale politico-boursier *Recruit-Cosmos*, comme des dizaines d'autres responsables politiques, administratifs et patronaux.

Uno Sosuke, son ministre des Affaires étrangères, le remplace le 2 juin, mais le surlendemain se trouve mis en cause pour son infidélité conjugale. Il démissionne en juillet, après la débacle électorale du Parti libéral-démocrate (27,3 %) qui, pour la première fois depuis 1955, perd la majorité au Sénat où s'observe une poussée socialiste (35 %). Kaifu Toshiki devient Premier ministre en août et s'engage à assainir le parti libéral-démocrate discrédité.
Un néo-nationalisme s'exprime par la publication au Japon du livre de Ishihara Shintaro et de Morita Akio : *le Japon peut dire non (Nô to ieru Nihon).* L'ouvrage tire à plus d'un million d'exemplaires ; il est traduit aux Etats-Unis et en France en 1991 *(Le Japon sans complexe*, édition Dunod). Le patron de Sony, Morita, fait retirer son nom des éditions étrangères, pour ne pas compromettre ses ventes d'appareils électriques en Occident.
Economie : euphorie boursière et rivalités commerciales. Alors que l'économie enregistre une croissance de 4,8 %, l'envolée boursière se poursuit toute l'année ; l'*indice Nikkei* bat son record historique à 39 000 en fin d'année, soit un triplement par rapport à janvier 1986. Les plus-values immobilières ont suivi la même évolution en trois ans. En mai, les Etats-Unis du Président Bush placent le Japon sur une « liste noire « (avec le Brésil et l'Inde) pour ses pratiques commerciales qualifiées de « déloyales. En juin, la Communauté européenne adopte le programme JESSI *(Joint European Submicron Silicon)* et sept sociétés d'informatique américaines dont IBM forment un consortium pour lutter contre la suprématie japonaise en matière de composants électroniques. Le gouvernement Rocard facilite les importations d'automobiles nippones et accueille les investissements des constructeurs japonais sur le territoire français. Sony rachète la société cinématographique américaine Columbia. Le taux d'escompte japonais est relevé à plusieurs reprises (de 2,5 à 4,25 %) pour endiguer la poussée spéculative. Le PNB per capita (23 000 dollars) a dépassé celui des Etats-Unis (21 000 dollars).

1990 Ouverture internationale du Japon. Le Premier ministre Kaifu inaugure l'année par une tournée dans les capitales européennes ; il revendique un rôle majeur pour le Japon « *non seulement économique mais politique* ». Il débloque une aide de 11 milliards de francs en faveur de la Pologne et de la Hongrie qui viennent de sortir du communisme. En juillet, il octroiera un prêt d'un montant triple à la Chine avec laquelle les relations s'étaient distendues depuis le massacre en juin 1989 des militants de la liberté sur la place Tien An Men. En septembre, les rapports russo-nippons se détendent à la faveur de la visite à Tôkyô d'Edouard Chevardnadze, ministre soviétique des Affaires étrangères. En novembre, 160 chefs de l'Etat ou de gouvernement assistent à l'intronisation de l'Empereur Akihito qui se déroule selon des rites millénaires.

Le Parti libéral-démocrate conserve aux élections législatives de février une majorité de sièges à la chambre basse, mais le parti socialiste *(shakaito)* augmente de 50 % ses effectifs.

Une débâcle boursière se poursuit toute l'année. Amorcée par le dégonflement de la « bulle » spéculative des années 1980 (– 23 % au cours du premier trimestre), la chute de l'indice *Nikkei* s'accentue à partir du mois d'août, lorsqu'éclate la crise du Golfe (invasion du Koweit par l'Irak). Des japonais sont retenus et utilisés par Saddam Hussein comme boucliers humains contre d'éventuels bombardements occidentaux. Le Japon interrompt ses importations de pétrole irakien et kowetien et dégage 4 milliards de dollars pour préparer la guerre du Golfe. La Bourse poursuit sa chute jusqu'à la fin de l'année. Le yen est aussi en baisse sur les marchés des changes. Le G7 (groupe des 7 pays les plus industrialisés) réuni à Paris (7 avril) demande son raffermissement qui survient dès le mois de mai. La croissance du PNB reste forte (4,1 %).

Tensions commerciales : l'offensive de l'informatique japonaise persiste avec l'Europe (Fujitsu rachète le principal fabricant britannique d'ordinateurs) mais se relâche avec les Etats-Unis (Tôkyô ouvre son marché aux super-ordinateurs américains). Le groupe Matsushita rachète le groupe cinématographique américain MCA. Mitsubishi passe un accord de coopération avec l'entreprise allemande Daimler-Benz dans les secteurs de l'automobile, de l'électromécanique et l'aéronautique.

1991 En janvier-février, la guerre du Golfe *(Saddam shokku)* enraye un temps l'effondrement de la bourse mais déprime l'économie. La purge consécutive à l'hyperspéculation boursière et immobilière se poursuit au prix de nombreuses déconfitures : les faillites d'entreprises augmentent de 164,4 % par rapport à 1990. Les grandes maisons de courtage japonaises pâtissent d'avoir accordé à leurs clients des garanties de dédommagement en cas de pertes boursières (affaires Marubeni, Itoman, Kyowa, Onoue…). Les administrations économiques de tutelle se trouvent compromises.

La CEE limite de façon négociée l'importation en Europe des automobiles japonaises mais s'engage à les admettre sans restriction à partir de l'an 2000. Mitsubishi rachète 33 % de *Volvo car*. Le Japon devient le premier pourvoyeur mondial d'aide au développement (10,9 milliards de dollars soit 0,32 % de son PNB contre 9,6 milliards pour les Etats-Unis soit 0,17 % de leur PNB).

Contacts avec le monde communiste. En avril, visite officielle à Tôkyô de Mikhaïl Gorbatchev : aucune avancée sur le contentieux territorial des îles Kouriles qui conditionnait l'octroi éventuel d'une aide économique japonaise à l'URSS. Mais en octobre, dans un cadre multilatéral, le Japon octroie un crédit d'urgence à l'URSS qui vient d'obtenir un statut d'*associé spécial* auprès du Fonds monétaire international. En août, le Premier ministre Kaifu effectue une visite officielle en Chine communiste où aucun des dirigeants des grands pays industriels ne s'était rendu depuis le printemps de Pékin. En septembre, Kaifu introduit un projet de loi autorisant des soldats japonais à participer à des missions lointaines de maintien de la paix sous l'égide des Nations unies.

Changement de gouvernement en novembre : le libéral démocrate Miyazawa Kiichi succède comme Premier ministre à Kaifu lâché par le principal clan du PLD. Son gouvernement marque le retour au pouvoir de plusieurs personnalités éclaboussées par les scandales financiers. Il abaisse le taux d'escompte pour soutenir l'activité économique. La *Sokka Gakkai* (secte politico-religieuse) est poursuivie pour fraude fiscale, trafic sur des tableaux de Renoir et transferts d'argent illicites de la part de *Kokusai Securities*. L'affaire rejaillit sur l'Association *France-Libertés* présidée par Danielle Mitterrand qui a reçu, en 1989, 400 000 francs de dons de la *Sokka Gakkai* à la suite d'un concert aux Champs-Elysées organisé dans le cadre des commémorations du bicentenaire de 1789.

L'éruption du volcan *Unzen* fait 40 morts dont deux Français.

1992 Moralisation de la vie publique. La *loi anti-yakuza* entre en vigueur le 1er mars : elle permet de mieux contrôler les mafias qui ont contribué à la spéculation boursière.

Le réalisateur Itami Juzô est agressé devant son domicile par des yakuza ; ils lui reprochent d'avoir stigmatisé leurs agissements dans son film à succès *Mimbô no onna*, qui présente une avocate face à la pègre. Des personnalités socialistes et libérales-démocrates, notamment Kanemaru, cacique du PLD âgé de 78 ans, sont impliquées dans le scandale financier de la société de transport *Tôkyô Sagawa Kyûbin.*
Ralentissement économique. La « bulle » boursière et immobilière continue à se dégonfler. La dévalorisation des actifs fragilise les banques. Pour la première fois depuis 1975, les prix immobiliers sont en baisse (–15 % dans les grandes villes). Les investissements productifs reculent de 4,3 % au cours de l'année 1992. Les ventes d'automobiles, d'électronique grand public chutent. Le 28 août, le gouvernement Miyazawa lance un vaste plan anticrise *(Sôgôkeizaitaisaku)* en puisant l'équivalent de 400 milliards de francs (2,3 % du PNB) dans les réserves constituées pendant les années de prospérité. D'autre part, il baisse les taux d'intérêt au moment où l'Allemagne (pour cause de réunification) et la France (engagée par P. Bérégovoy dans la politique du franc fort) relèvent leurs taux. Le yen baisse sur les marchés des changes, ce qui dope les exportations japonaises au détriment des produits européens. L'excédent commercial japonais pour 1992 franchit la barre des 100 milliards de dollars et l'excédent de la balance des comptes courants progresse de 40 %. Certaines entreprises engagent des compressions d'effectifs mais le chômage reste modeste : 2 % de la population active.
Consolidation de l'influence régionale. Le Japon reprend son aide économique au Vietnam suspendue depuis 1979 et maintient le contact avec la Corée du Sud (rencontre entre le Premier ministre Miyazawa et le Président sud-coréen Roh-Tae-Woo, le 8 novembre). Le 6 juillet, le gouvernement exprime officiellement ses regrets aux femmes coréennes, chinoises et taiwanaises enrôlées de force comme « *femmes de réconfort* » (= prostituées), parfois dès 12 ans, pour les autorités militaires japonaises au cours de la Seconde Guerre mondiale. En octobre, l'Empereur se rend en Chine, pour la première fois dans l'histoire. Les investissements japonais en Chine triplent au cours de l'année 1992 et atteignent 2,17 milliards de dollars. Les investissements s'intensifient aussi dans les pays de l'ASEAN (*Association des pays du Sud-Est asiatique*, 320 millions de consommateurs) qui viennent de déci-

der d'abaisser leurs droits de douane respectifs à 5 % maximum à compter du 1er janvier 1993.

Recherche d'une influence internationale. Entrée en vigueur (10 août) de la loi autorisant l'envoi à l'étranger de soldats nippons pour des opérations de maintien de la paix dites PKO : *Peace Keeping Operations.* Cette mesure vivement combattue par les partis de gauche (obstruction parlementaire consistant à aller voter « *au pas de bœuf* », c'est-à-dire « en faisant du sur place ») n'empêche pas la droite de gagner les élections sénatoriales de juillet. En septembre, 600 hommes partent au Cambodge sous l'égide de l'ONU. Tôkyô tente d'apaiser le contentieux commercial avec l'Amérique ; en janvier, le président Bush se rend en visite officielle au Japon, accompagné des dirigeants du secteur automobile américain, pour plaider leur cause ; quelques « arrangements » sont passés notamment sur les composants électroniques. En juillet, le Japon est invité à la CSCE *(Conférence sur la Sécurité et la Coopération en Europe).* Tôkyô établit des relations diplomatiques avec l'Afrique du Sud (13 janvier).

Médiatisation du sida. Doublement du nombre de sidéens recensés (238 en 1991, 493 en 1992, transfusés non compris). Le ministère de la Santé lance un *plan de lutte contre le sida* (octobre) ; quarante ouvrages paraissent sur le sujet, la presse l'évoque quotidiennement, le film *watashi wo daite soshite kisu shite (prends-moi dans tes bras et embrasse-moi)* connaît un vif succès : on parle de « sidamania ». Une polémique s'instaure sur le nombre exact de séropositifs

1993 Resserrement des liens avec le Pacifique. Le Premier ministre Miyazawa fait une tournée en Asie (janvier) puis en Australie et Nouvelle-Zélande (mai). Le 10 août, le nouveau Premier ministre Hosokawa reconnaît que l'armée japonaise a mené en Asie de 1932 à 1945 une « *guerre d'agression* ». En novembre, il se rend en Corée du Sud.

Le Japon envoie des troupes au Mozambique sous l'égide de l'ONU.

Economie : la récession de Heisei. La croissance est négative (– 0,5 %) et le chômage atteint 2,8 % en fin d'année. Le Yen se renforce sur le marché des changes atteignant le 17 août le seuil historique de 1 dollar pour 100 yens. Il retombe à 111 yens en fin d'année. Les faillites se multiplient, notamment dans le BTP (entreprise Muramoto) ; la production automobile baisse de 10,2 % ; les créances douteuses des banques atteignent 9 000 milliards de yens. La consommation des ménages stagne malgré la baisse du taux directeur de la Banque du Japon (1,75 %) et malgré deux nouveaux plans de relance économique d'un montant équivalant à 590 milliards de francs (avril) et 318 milliards (septembre). Une loi réduit à 40 h la durée hebdomadaire du travail à compter de 1994. Un accord conclu avec l'Union européenne limite pour 1993 les importations de voitures japonaises par l'Europe à 980 000.

Recomposition politique *(seikai saihen)*. Eclatement en juin du PLD *(Parti Libéral-Démocrate)* dont se détachent le *Parti de la Renaissance* de Hata Tsutomu et le *Parti des Précurseurs* ou *Avant-garde* de Takemura Masayoshi. Ces nouveaux partis se mettent d'accord pour une plate-forme de gouvernement avec le *Parti socialiste* qui vient de publier sa « *Charte 93* » dans laquelle il reconnaît la constitutionnalité des forces d'autodéfense. En juillet, le PLD perd les élections législatives après 38 ans de monopole. La présidence de la Chambre des Représentants revient à une socialiste, Mme Doï. Le 9 août, Hosokawa Morihiro, chef du *NPJ, Nouveau Parti du Japon (Nihon Shintô)*, forme un ministère de coalition anti-PLD regroupant sept partis y compris les socialistes. En septembre, il se rend aux Etats-Unis où il rencontre Clinton. Ozawa Ichiro, un cacique du PLD, reconnaît avoir reçu 5 millions de yens de la société de BTP Kajima.

L'administration sur la sellette : affaires Ienaga et Miyamoto : la Cour suprême déboute le professeur Ienaga Saburo et estime la censure préalable des manuels scolaires conforme à la constitution (mars), puis elle se ravise (octobre). Un haut fonctionnaire du ministère de la Santé à Yokohama, le docteur Miyamoto Masao publie un livre accusateur sur la fonction publique japonaise : *La loi des bureaucrates*.

Calamités naturelles. Le 12 juillet : tremblement de terre au Hokkaïdo (176 morts) ; typhon à Kagoshima (40 morts) ; la récolte de riz est la plus mauvaise depuis 40 ans.

1994 Reprise économique sur fond d'inquiétude sociale. La bourse et l'immobilier se stabilisent, mais la forte hausse du yen (1 $ = 97,6 yens le 1er juillet) et les déréglementations entraînent des délocalisations qui accentuent le chômage. Le 6 janvier, le gouvernement crée une cellule de crise chargée du chômage. Son taux global de 3 % n'est que le quart de celui enregistré dans la

Communauté européenne, mais les jeunes sont touchés de plein fouet (6 %). En octobre, le gouvernement accorde une forte subvention à l'agriculture (équivalant à 312 milliards de francs). En mai, les firmes Nissan et Daihatsu réduisent de 50 000 F le prix de leurs voitures pour stimuler la demande, ce qui permet aux ventes de voitures d'augmenter pour la première fois depuis quatre ans. Mais le gouvernement décide d'augmenter à partir de 1997 la taxe à la consommation qui passera de 3 à 5 %.

Le vieillissement démographique avive les inquiétudes quant aux retraites qui deviennent la première préoccupation des Japonais (sondage du *Mainichi Shimbun* du 7 janvier 1995). Le système des retraites est réformé en octobre.

Politique : retour des socialistes et unification des oppositions. Après une tournée infructueuse aux Etats-Unis (février), qui ne parvient pas à améliorer les relations commerciales, puis une visite en Chine (mars), le Premier ministre Hosokawa démissionne (25 avril). Initialement considéré comme le « Monsieur Propre » de la politique japonaise, il est à son tour accusé de malversations dans la gestion de sa fortune personnelle. Son ministre des Affaires étrangères Hata Tsutomu le remplace. C'est un poulain d'Ozawa qui dirige le tout nouveau *Parti de la Renaissance (Shinseitô).* Les socialistes quittent la coalition et le PLD reproche à Hata d'être un transfuge venu de ses propres rangs et prépare contre lui une motion de censure. Hata, minoritaire et déstabilisé, préfère démissionner deux mois après sa prise de fonctions (25 juin).

Le président du parti socialiste Murayama Tomiichi allié au PLD et au *Parti des précurseurs*, forme le premier gouvernement à direction socialiste depuis 1947. Le 10 décembre se forme un nouveau parti politique, le *Shinshintô (Nouveau Parti du progrès)* qui regroupe toute l'opposition non-communiste en fusionnant *Parti de la Renaissance*, *Nouveau Parti du Japon* et *Kômeitô*. Murayama poursuit l'affirmation internationale du Japon. Le 27 septembre, par le truchement de son ministre des Affaires étrangères, Murayama pose officiellement la candidature de l'archipel à l'entrée du Conseil de sécurité de l'ONU. Dans cette perspective, il resserre les liens avec l'Asie et tente de rompre avec l'image ultra-pacifiste des socialistes. Il reconnaît la constitutionnalité des forces d'autodéfense et rencontre le président Clinton (8 juillet) qu'il rassure sur sa

volonté de respecter le traité de sécurité nippo-américain. Il accepte la construction de nouveaux sites nucléaires.
Pour effacer le contentieux psychologique avec les pays anciennement occupés par le Japon, Murayama lance un *programme d'un milliard de dollars sur dix ans* pour indemniser les victimes des crimes de la Seconde Guerre mondiale, puis effectue en août une tournée en Asie du Sud-Est. Deux voix discordantes quittent le gouvernement : Sakurai Shin, directeur de l'Agence de l'environnement, démissionne après avoir déclaré que le Japon n'avait pas mené de « *guerre d'agression* » en Asie (août), trois mois après le retrait pour une déclaration similaire du ministre de la Justice, Nagano Shigeto. Un sommet nippo-sud-coréen se tient à Séoul (juillet) au cours duquel les deux pays s'engagent à multiplier les ouvertures auprès de la corée du Nord. Oe Kenzaburô devenu prix Nobel de littérature déclare qu'il reçoit cette distinction, non en tant qu'écrivain japonais mais en qualité d'auteur asiatique.
L'Empereur Akihito et l'Impératrice Michiko visitent la France en octobre. Ils sont reçus avec faste par le maire de Paris, Jacques Chirac, connaisseur et admirateur de la civilisation japonaise. Avancées technologiques : lancement réussi de la fusée H2 de conception entièrement japonaise (4 février) ; mise en service du surgénérateur Monju (5 avril). Mais le satellite *Kiku 6* est perdu (31 août).
Inauguration du nouvel aéroport international du Kansai construit sur une île artificielle.
Un séisme de 7,9 sur l'échelle de Richter fait 300 blessés au Hokkaïdô (4 octobre).

1995 Le double choc : séisme et sarin. Le 17 janvier, un séisme ravage Kobé (6 308 morts, 27 000 blessés) et exige la reconstruction de 10 % des infrastructures économiques du Kansai. Une Commission étudie la délocalisation pour 2011 de Tôkyô vers une région de moindre fragilité tellurique : le site doit être choisi fin 1997.
Le 20 mars, une « nouvelle nouvelle religion » *(shinshinshûkyô)* la secte Aum *(Aum Shinrikyô)* dirigée par un gourou mal voyant Asahara Shôko et dotée d'une structure paramilitaire, organise dans le métro de Tôkyô un attentat au gaz sarin (10 morts, 5 000 blessés ou intoxiqués). Les dirigeants sont arrêtés en avril. Une loi du 8 décembre impose la transparence financière aux 180 000 sectes présentes dans l'archipel.

Les étrangers reçoivent le droit de participer aux élections locales d'avril qui voient la déroute des notables traditionnels dans les grandes villes.
Nouvelles tentatives de relance économique par un plan sur 6 ans (19 janvier) suivi d'un autre (27 juin). La croissance est poussive (1 %) et le chômage atteint 3,4 %, le plus mauvais chiffre depuis 1953. Premières faillites de banques depuis la guerre (Banque de Hyogo, Crédit Kizu, Banque Cosmo) et restructurations bancaires : la banque Daïwa perd beaucoup d'argent dans des placements hasardeux et fusionne avec la banque Sumitomo. Le Yen monte jusqu'en avril (79,7 yen pour un dollar, le 19 avril) puis baisse à partir du mois de mai. Les investissements extérieurs baissent (Matsushita revend les studios américains MCA, Mitsubishi revend le Rockefeller Center à New York).
Problèmes de société. En août, la commémoration du 50e anniversaire des bombardements atomiques d'Hiroshima et Nagasaki suscite des dissensions dans le gouvernement. Fuite détectée dans le surgénérateur de Monju. Les suicides de collégiens bizutés se multiplient. Plus de 50 000 cas de brimades scolaires ont été recensés en 1994. L'Etat reconnaît sa responsabilité dans le pollution de Minamata, plus de 40 ans après les faits. Le Parlement condamne les essais nucléaires français et chinois (4 août). Une controverse s'élève sur les bases américaines à Okinawa. Le Japon décide d'envoyer des troupes sur le plateau du Golan.

1996 L'absence de reprise économique et la multiplication des affaires de corruption administrative entraînent un changement de Premier ministre. Hashimoto Ryutaro, fringuant chef du PLD, champion de kendo de sensibilité nationaliste, forme un nouveau gouvernement qui se fixe pour objectif l'obtention d'un siège permanent au Conseil de sécurité des Etats-Unis. Le 20 octobre, le *PLD* gagne les élections législatives anticipées qui sont boudées par 40 % des électeurs, le plus fort taux d'abstention depuis la Seconde Guerre mondiale. Le Parti socialiste, rebaptisé *Parti social-démocrate*, paye d'un fort recul sa participation au gouvernement en 1994 et 1995. Le parti *Sakigake* (centriste) n'obtient que deux sièges et le *Nouveau Parti du Progrès* dirigé par Ozawa est en recul. Le 7 novembre, se forme le second gouvernement Hashimoto. Il s'engage à réformer *Kasumigaseki* (c'est-à-dire les administrations centrales regroupées dans le quartier de Tôkyô qui porte ce nom), en réduisant de moitié le nombre des ministères. Il bénéficie du soutien sans participation du *Parti social-démocrate* (15 députés) et du *Parti Sékigake*. En novembre, le Japon reçoit en visite officielle le président Jacques Chirac, seul chef d'Etat au monde à avoir déjà visité l'archipel 42 fois. Il négocie un rééquilibrage des relations commerciales bilatérales, les entreprises françaises ne détenant que 2 % des parts du marché japonais alors que la France est le 2e pays européen destinataire des investissements japonais.

1997 Prise de 74 otages étagée sur plus d'un mois à l'ambassade du Japon à Lima, au Pérou, pays dont le Président est d'origine japonaise (Fujimori). Le commando révolutionnaire *Tupac Amaru* exige la libération de 442 de ses militants impliqués dans des actions terroristes et répartis dans plusieurs prisons péruviennes. Le budget du gouvernement Hashimoto pour 1997-1998 prévoit une stabilisation des dépenses publiques et un début de désendettement de l'Etat.

LISTE DES MINISTÈRES

	PREMIER MINISTRE	ORIGINE FAMILIALE	DATES	NUANCE POLITIQUE
1	Ito (1)	Choshu	12/1885-04/1888	
2	Kuroda	Satsuma	04/1888-10/1889	
3	Yamagata (1)	Choshu	12/1889-05/1891	
4	Matsukata (1)	Satsuma	05/1891-08/1892	
5	Ito (2)	Choshu	08/1892-08/1896	
6	Matsukata (2)	Satsuma	09/1896-01/1898	Shimpoto
7	Ito (3)	Choshu	01/1898-06/1898	
8	Okuma (1)		06/1898-11/1898	Kenseito
9	Yamagata (2)	Choshu	11/1898-10/1900	
10	Ito (4)	Choshu	10/1900-05/1901	Seiyukai
11	Katsura (1)	Choshu	06/1901-01/1906	Seiyukai
12	Saionji (1)	Cour	01/1906-07/1908	Seiyukai
13	Katsura (2)	Choshu	07/1908-08/1911	Seiyukai
14	Saionji (2)	Cour	08/1911-12/1912	Seiyukai
15	Katsura (3)	Choshu	12/1912-02/1913	Doshikai
16	Yamamoto (1)	Satsuma	02/1913-03/1914	Seiyukai
17	Okuma (2)		03/1914-07/1915	Doshikai
18	Okuma (3)		07/1915-10/1916	Doshikai
19	Terauchi	Choshu	10/1916-09/1918	Transcendental
20	Hara		09/1918-11/1921	Seiyukai
21	Takahashi		11/1921-06/1922	Seiyukai
22	Kato (Tomosaburo)		06/1922-09/1923	Transcendental
23	Yamamoto (2)	Satsuma	09/1923-01/1924	Transcendental
24	Kiyoura		01/1924-06/1924	Transcendental
25	Kato (Komei) (1)	Mitsubishi	06/1924-08/1925	Kenseikai
26	Kato (Komei) (2)	Mitsubishi	08/1925-01/1926	Kenseikai
27	Wakatsuki (1)		01/1926-04/1927	Kenseikai-Minseito
28	Tanaka (Giichi)		04/1927-06/1929	Seiyukai
29	Hamaguchi		07/1929-04/1931	Minseito
30	Wakatsuki (2)		04/1931-12/1931	Minseito
31	Inukai		12/1931-05/1932	Seiyukai
32	Saito		05/1932-07/1934	Transcendental

LISTE DES MINISTÈRES

	PREMIER MINISTRE	ORIGINE FAMILIALE	DATES	NUANCE POLITIQUE
33	Okada		07/1934-03/1936	Transcendental
34	Hirota		03/1936-02/1937	Transcendental
35	Hayashi		02/1937-06/1937	Transcendental
36	Konoe (1)		06/1937-01/1939	Transcendental
37	Hiranuma		01/1939-08/1939	Transcendental
38	Abe		08/1939-01/1940	Transcendental
39	Yonai		01/1940-07/1940	Transcendental
40	Konoe (2)		07/1940-07/1941	Transcendental
41	Konoe (3)		07/1941-10/1941	Transcendental
42	Tojo		10/1941-07/1944	Transcendental
43	Koiso		07/1944-05/1945	Transcendental
44	Suzuki		04/1945-08/1945	Transcendental
45	Higashikuni	Cour	08/1945-10/1945	Transcendental
46	Shidehara		10/1945-05/1946	Jiyuto-Shimpoto
47	Yoshida (1)		05/1946-05/1947	Jiyuto
48	Katayama		05/1947-03/1948	Shakaito
49	Ashida		03/1948-10/1948	Minshuto
50	Yoshida (2)		10/1948-02/1949	Jiyuto
51	Yoshida (3)		02/1949-09/1952	Jiyuto
52	Yoshida (4)		09/1952-05/1953	Jiyuto
53	Yoshida (5)		05/1953-12/1954	Jiyuto
54	Hatoyama (1)		12/1954-03/1955	Jiyuto
55	Hatoyama (2)		03/1955-11/1955	Jiyuto
56	Hatoyama (3)		11/1955-12/1956	Jiyu-Minshuto
57	Ishibashi		12/1956-02/1957	Jiyu-Minshuto
58	Kishi (1)		02/1957-06/1958	Jiyu-Minshuto
59	Kishi (2)		06/1958-07/1960	Jiyu-Minshuto
60	Ikeda (1)		07/1960-12/1960	Jiyu-Minshuto
61	Ikeda (2)		12/1960-11/1964	Jiyu-Minshuto
62	Sato (1)		11/1964-06/1965	Jiyu-Minshuto
63	Sato (2)		06/1965-11/1968	Jiyu-Minshuto
64	Sato (3)		11/1968-07/1972	Jiyu-Minshuto
65	Tanaka (Kakuei)		07/1972-12/1974	Jiyu-Minshuto

LISTE DES MINISTÈRES

	PREMIER MINISTRE	ORIGINE FAMI-LIALE	DATES	NUANCE POLITIQUE
66	Miki (Takeo)		12/1974-12/1976	Jiyu-Minshuto
67	Fukuda (Takeo)		12/1976-12/1978	Jiyu-Minshuto
68	Ohira (Masayoshi)		12/1978-06/1980	Jiyu-Minshuto
69	Suzuki (Zenko)		07/1980-11/1982	Jiyu-Minshuto
70	Nakasone (Yasu-hiro)		11/1982-11/1987	Jiyu-Minshuto
71	Takeshita (Noboru)		11/1987-06/1989	Jiyu-Minshuto
72	Uno (Sosuke)		06/1989-08/1989	Jiyu-Minshuto
73	Kaifu (Toshiki)		08/1989-10/1991	Jiyu-Minshuto
74	Miyasawa (Kiichi)		11/1991- 07/1993	Jiyu-Minshuto
75	Hosokawa (Mori-hiro)		08/1993- 04/1994	Nihon Shintô (NPJ)
76	Hata (Tsutomu)		04/1994- 06/1994	Shinseitô (PR)
77	Murayama (Tomi-ichi)		06/1994-01/1996	Shakaitô (PSJ)
78	Hashimoto (Ryu-taro)		01/1996 -	Jiyu-Minshuto (PLD)

Bibliographie

LE PAYS ET LES HOMMES

Pour une première prise de contact avec le milieu naturel et humain, nous disposons de quelques bonnes « invitations au voyage » qui refusent de s'en tenir au pittoresque des cerisiers en fleur :

Elisseeff (Danielle), Bouc (Alain), Pezeu-Massabuau (Jacques), Sieffert (René) *et al.*, *Le Japon*, Paris, Larousse, 1971, 160 p. Cartes, nombreuses illustrations en couleurs, index. Coll. Monde et voyages. (Excellent choix d'illustrations.)

Landy (Pierre), *Nous partons pour le Japon*, Paris, PUF, 1970, 296 p. Nombreuses figures, pl., cartes, tableaux, biblio., index. (Construit autour d'un découpage chronologique, cet ouvrage fait une large place à l'histoire.)

Landy (Pierre), Guillain (R.) et Meilleau, *Le Japon que j'aime*, Paris, Sun, 1965. Nombreuses illustrations.

Pons (P.), *Japon*, Paris, éd. du Seuil, 1987, 256 p. Illustr., carte. Coll. Points Planète. (D'un maniement agréable.)

Pour une approche géographique.

Pezeu-Massabuau (Jacques), *Géographie du Japon*, Paris, PUF, 1968, 128 p. Cartes, biblio. Coll. Que sais-je ?, n° 1292. (Un résumé savamment mûri, dans les limites contraignantes de cette collection.)

Derruau (Max), *Le Japon*, Paris, PUF, 1967, 276 p. Figures, pl., cartes, tabl., biblio. Coll. Magellan : la géographie et ses problèmes, n° 26.

Berque (Augustin), *Le Japon, gestion de l'espace et changement social*, Paris, Flammarion, 1976.

Pelletier (Philippe), « Le Japon », in *Géographie Universelle* de Roger Brunet, Belin, Paris, 1994.

Bloc-Duraffour (Pierre), Mesplier (Alain), *Le Japon, géographie économique*, Paris, Bréal, 1991, 255 p.

Langue japonaise.

Yamamoto (N.), Hayashi (K.) et Ito (S.), *Dictionnaire franco-japonais de notre époque*, Tokyo, Mikasa-Shobo, 1983, 1791 pages. (Le seul dictionnaire qui indique la lecture des idéogrammes.)

Kuwae (Kunio), *Cours pratique de Japonais*, Akebonothèque, 1993, 818 p. (Excellent manuel aux explications fort claires ; toutes les phrases sont traduites ; les kanji sont décomposés ; nombreux exercices corrigés ; nombreux index analytiques.)

Bernaudeau (Florence) et Escot (Fabrice), *Les Mots du Japonais*, Ellipses, 1996, 256 p. (Bonne présentation sous forme de rubriques thématiques.)

Petit dictionnaire japonais-français, 1987, Ed. You Feng, 452 p. (45, rue M. le Prince, 75006 Paris.)

Petit dictionnaire français-japonais, 1987, Ed. You Feng, 338 p. (45, rue M. le Prince, 75006 Paris.)

Dictionnaire thématique japonais-français, 1993, Ed. You Feng, 853 p. (Culture, littérature, sports, alimentation, habillement, bâtiment, transports, diplomatie, défense, législation, société, éducation, mathématiques, sciences, médecine, industrie, agriculture, sylviculture, élevage, pêche, finance, assurances, commerce, postes et télécommunications, etc.)

Hadamitsky (Wolfgang) et Durmous (Pierre), *Kanji et Kana, manuel de l'écriture japonaise et dictionnaire des 1945 caractères officiels*, J Maisonneuve, Paris, 1990, 3e édition corrigée. (Trois index permettent de retrouver très facilement les *kanji* ; tous les exemples fournis sont issus de *kanji* antérieurement présentés, ce qui permet une progression très sûre.)

Habein (Yaeko) et Mathias (Gerald), *Manuel des kanji usuels*, L'Asiathèque, 1994, 520 p, traduit par Bénédicte Niogret. (Explique les étymologies et les combinatoires des kanji.)

Shimamori (Reiko), *Grammaire japonaise systématique*, J. Maisonneuve, 1994, 434 p.

Shimamori (Reiko), *Des particules japonaises,* Tokyo, Taishukan, 1991, 357 p.

Aiba (Hidenobu), Berthon (Jean-Pierre), Dubreuil (Richard) et Perrachon (Colette), *Parlez japonais en 40 leçons*, Paris, Presses Pocket, Nouvelle édition 1996. Coll. *Les langues pour tous.*

Aiba (Hidenobu), *Pratiquez le japonais*, Presses Pocket, 1996.

Collectif, *Les Mots : parler du Japon*, Presses de la FNSP, Paris, 1994.

Yatabe (Kazuhiko), Susuki (Hidenobu) et Yamamoto (Michiyo), *Les Mots pour comprendre le Japon*, Paris, Editions Plume, 1992.

Littérature.

Kudaka (Yasuko), *Azuma-uta, l'expression de l'amour dans la poésie du VIIIe siècle au Japon* (XIVe livre du Manyôshu), Paris, Ed. You Feng, (45, rue M. le Prince, 75006 Paris), 1996, 212 p. (Très belle présentation et traduction du texte japonais, à un prix très accessible.)

L'HISTOIRE

Pour replacer l'histoire japonaise dans son contexte asiatique :

Chesneaux (Jean), *L'Asie orientale aux* XIXe *et* XXe *siècles*, Paris, PUF, 1967, 372 p. Cartes, tabl., biblio., index. Coll. Nouvelle Clio, n° 45. (Pénétrante synthèse débouchant sur des interprétations originales.)

Renouvin (Pierre), *La Question d'Extrême-Orient 1840-1940*, Paris, Hachette, 1946 ; réimpr. en 1953, 442 p. Carte. (Un classique où l'on retrouve la clarté propre à cet auteur.)

Sansom (George), *Hisoire du Japon des origines au début du Japon moderne*, glossaire, généalogies, index, Paris, Fayard, 1988, 1020 p. (« Le » grand classique, toujours fondamental, réimprimé dans une présentation très agréable.)

Herail (Francine) *et alii* : *Histoire du Japon*, cartes, illustrations, chronologie, Horvarth, 1990, 632 p.

Bouissou (Jean-Marie), *Le Japon depuis 1945,* Paris, Armand Colin, 1992, 192 p. (Excellente synthèse.)

Bouissou (J.-M.), Gipouloux (François) et Seizelet (Eric), *Japon, le déclin ?*, Bruxelles, Complexe, 1995, 152 p. (Fait une mise au point précise et claire sur le collapsus politique des années 1990, la mutation du système de valeurs et les remises en cause économiques récentes.)

Abbad (Fabrice), *Histoire du Japon 1868-1945*, Paris, Armand Colin, 1992, 186 p., collection Cursus.

Horsley (William) et Buckley (Roger), *Nippon, le Japon depuis 1945*, Le Monde éditions, 1992, 318 p. (Deux cassettes vidéo d'archives cinématographiques d'un grand intérêt correspondent à l'ouvrage.)

Gravereau (Jacques), *Le Japon au* XXe *siècle*, Le Seuil, collection Points-Histoire, 1993, 636 p. (Une très intéressante synthèse, récompensée par le Prix Claudel.)

Souty (Patrick), *La Guerre du Pacifique*, Presses universitaires de Lyon, 1995.

Vié (Michel), *Le Japon et le monde*, Masson, 1995.

Collectif, *Histoire du Japon sous le regard des Japonais,* Paris, Colin, 1995.

Collectif, *Histoire du Japon,* bulletin de l'Association des Professeurs d'histoire, Paris, 1994.

Joyaux (François), *La Nouvelle Question d'Extrême-Orient, de 1945 à nos jours,* Paris, Payot, 3 vol., 1988. (Une somme sur l'histoire asiatique récente, par un Professeur à Paris I et à l'INALCO.)

Joyaux (F.), *La Politique extérieure du Japon*, Paris, PUF. Coll. Que sais-je ?, 128 p.

Postel-Vinay (Karoline), *Le Japon et la nouvelle Asie*, Paris, Presses de Sciences Po, 1997, 122 p. (Synthèse très claire qui évoque le poids de l'histoire, les nouvelles données asiatiques des années 1990 et les oscillations récentes de la politique étrangère japonaise.)

Ouvrages de référence.

Sabouret (Jean-François), *L'Etat du Japon*, La Découverte, Paris, 1995, 456 p., chronologies, cartes, tableaux, index. (Synthèse par les meilleurs japonologues des aspects sociaux, politiques, économiques, littéraires.)

Sabouret (Jean-François), *Invitation à la culture japonaise,* La Découverte, 1993, 304 p. (Très belle présentation, par une palette de spécialistes : comportements culturels, littérature, poésie, théâtre, cinéma, télévision, danse, peinture, arts plastiques, musique, mode, architecture, mobilier, BD ; les acteurs de la culture.)

Collectif, *Le Japon,* L'Harmattan, 1993, 347 p.

Collectif, *Le Japon,* L'Harmattan, 1994.

Berque (Augustin), *Dictionnaire de la civilisation japonaise*, Paris, Hazan, 1994.

Seïchi (Iwao), *Dictionnaire historique du Japon*, Tokyo, Kino kuniya, 1963.

Papinot (E.), *Dictionnaire d'histoire et de géographie du Japon*, Tokyo, Sansaisha, 1906, réédition Tuttle.

Lequiller (Jean), « Bibliographie des ouvrages de sciences humaines consacrés au Japon et publiés, entre 1945 et 1958, en français, anglais et allemand », *Bulletin de la maison franco-japonaise* : nouvelle série, t. V, n° 1, Tokyo, Paris, PUF, 1958, 83 p.

Reischauer (Edwin O.), *The Kodansha Encyclopedia of Japan*, Tokyo, 1983, 9 volumes. (Plusieurs centaines de collaborateurs américains et japonais couvrent exhaustivement l'histoire et l'actualité du Japon.)

Esmein (Jean) et Dubreuil (Richard), *Japon : l'évolution des systèmes*, Paris, Cesta, 1986, 240 p. (8 auteurs éclairent certains aspects de l'actualité politique économique et sociale du Japon.)

CESEG, *Japon. Le Consensus : mythe et réalités*, préface d'Alain Touraine, Paris, Economica, 453 p. (12 auteurs analysent les problèmes sociaux du Japon d'aujourd'hui.)

Herail (Francine), *Eléments de bibliographie japonaise*, Paris, Publications orientalistes de France, nouvelle édition 1986.

Etudes générales sur le Japon.

Nakane (Chie), *La Société japonaise*, traduit de l'anglais par Laurence Ratier, préface de Michel Crozier, A. Colin, 1974, 200 p. Coll. U prisme. (Une indispensable introduction au système de relations verticales qui commande l'ensemble des rapports sociaux au Japon ; par un professeur d'anthropologie sociale à l'université de Tokyo.)

Perrin (Jean), *L'Inconnu japonais*, Casterman, 1974, 228 p. (Une introduction claire aux problèmes géopolitiques du Japon actuel.)

Vié (Michel), *Histoire du Japon des origines à Meiji*, Paris, PUF, 1969, 128 p. Fig., cartes, tabl., biblio. Coll. Que sais-je ?, n° 1328.

Et son complément :

Vié (Michel), *Le Japon contemporain*, Paris, PUF, 1971, 128 p. Fig., cartes tabl., biblio. Coll. Que sais-je ?, n° 1459. (Interprétation stimulante s'appuyant sur une analyse serrée des forces sociales et économiques. Adopte un tour un peu allusif pour un tout premier contact et interrompt l'étude en 1940.)

Noda (Yosiyuki), « Le Japon des premières années du XVIe siècle à 1945 », in t. V de l'*Histoire universelle de la Pléiade*, Paris, Gallimard, 1958, p. 1515 à 1584. Cartes, biblio. (Succint, mais d'une grande largeur de vues.)

Herail (Francine), *Histoire du Japon des origines à la fin de l'époque Meiji*, Paris, Publications orientalistes de France, 1986, 462 p.

Chiota (Shobei), *Dictionnaire biographique du mouvement ouvrier au Japon*, (sous la direction de J. Maitron et G. Haupt), 2 volumes, Paris, éditions ouvrières, 1978.

Pour toute étude de fond consulter :

La Mazelière (Antoine, Rous de), *Le Japon, histoire et civilisation*, Plon-Nourrit, Cartes, pl., h. t., t. I : *Le Japon ancien*, 1907, CXXXV, 571 p., t. II : *Le Japon féodal*, 1907, 407 p., t. III : *Le Japon des Tokugawa*, 1907, 624 p., t. IV : *Le Japon moderne : la révolution et la restauration (1854-1869)*, 1909, CCXII, 375 p., t. V : *Le Japon moderne : la transformation (1869-1910)*, 1910, 472 p., t. VI : *Le Japon moderne : la transformation (1869-1910)*, 1913, 863 p, t. VII : *Le Japon comme grande puissance : la transformation de l'Asie, la civilisation au début du XXe siècle*, 1923, II, 579 p., t. VIII : *Le Japon comme grande puissance : la révision des traités : la guerre contre la Chine*, 1923, 318 p.

Etudes spécialisées.

MOYEN ÂGE ET ÉPOQUE MODERNE

Herail (Francine), *La Vie quotidienne à la cour du Japon à l'époque de Heian*, Paris, Hachette, 1995.

Léonard (Jonathan Norton), *Le Japon médiéval*, préface d'Edwin O. Reischauer, traduit de l'américain par Frédéric Lassalle, Paris, Time-Life, 1969, 191 p. Cartes, illustr., chronologie, biblio., index. Coll. Les grandes époques de l'homme.

Grousset (R.), Auboyer (J.), Buhot (J.), *L'Asie orientale des origines au XVe siècle : les Empires*, Paris, PUF, 1941, Histoire du Moyen Age, tome X. Epuisé.

Frédéric (Louis), *La Vie quotidienne au Japon à l'époque des samouraï, 1185-1603*, Paris, Hachette, 1968, 271 p. Carte, biblio., chronologie, tabl. Coll. Vie quotidienne.

Morris (Ivan), *La Vie de cour dans l'ancien Japon au temps du prince Genji*, Paris, Gallimard, 1969, 322 p. Notes, tabl., index. Coll. La suite des temps.

Nagaoka (H.), *Histoire des relations du Japon avec l'Europe aux* XVIe *et* XVIIe *siècles*, Paris, 1905.

Chaunu (Pierre), « Les débuts de la Compagnie de Jésus au Japon », *Annales*, juin 1950.

Dubreuil (Richard), *Le Japon des samouraï*, Paris, Gallimard Junior, 1994.

ÈRE MEIJI

Akamatsu (Paul), *Meiji 1868 : révolution et contre-révolution au Japon*, Paris, Calmann-Lévy, 1968, 383 p. Tabl., biblio., index. Coll. Les Grandes vagues révolutionnaires.

Pézeu-Massabuau (J.), *La Vie quotidienne au Japon sous l'époque Meiji*, Paris, Hachette.

Renouvin (Pierre), *Les Transformations de la Chine et du Japon du milieu du* XIXe *siècle à 1922*, cours d'agrégation, Paris, CDU, 1953, 4 fasc. mult. 163 p. Coll. Les cours de Sorbonne.

Lequiller (Jean), *Le Japon*, Paris, Sirey, 1966, 622 p. Cartes, biblio., index. Coll. L'histoire du XXe siècle. (Ouvrage important, qui couvre la période de 1850 à nos jours.)

Frédéric (Louis), *La Vie quotidienne au Japon au début de l'ère moderne (1868-1912)*, Paris, Hachette, 1984, 406 p. Biblio., table, index. (Une véritable histoire économique et sociale, puisée aux meilleures sources ; de lecture fort agréable.)

Mutel (Jacques), *Histoire du Japon*, t. I, *La Fin du shogunat et le Japon de Meiji, 1853-1912*, Paris, Hatier, 1970, 224 p. Carte, tabl., biblio., index. Coll. Histoire contemporaine (tome II en préparation). (Remarquable synthèse telle que seuls de vrais spécialistes peuvent en écrire. S'alimentant directement aux sources japonaises, c'est la première étude qui renouvelle l'historiographie du sujet.)

Hamon (Claude), *Le groupe Mitsubishi* (1870-1990), du Zaibatsu au Keiretsu, L'Harmattan, Paris, 1995.

Alletzhauser (Al), *Nomura*, histoire d'un groupe financier, Albin Michel, 1991, 350 p.

Dedet (Christian), *Les Fleurs d'acier du Mikado*, Paris, Flammarion, 1993. (Histoire de Louis Emile Bertin, ingénieur du génie maritime qui développa les croiseurs de la flotte japonaise sous l'Ere Meiji).

Humbert (Aimé), *Voyage au Japon*, Paris, Stock Plus, 1991. (Le récit d'un séjour au Japon en 1863 d'un ministre plénipotentiaire de la confédération suisse.)

Macouin (Francis), Omoto (Keiko), *Quand le Japon s'ouvrit au monde*, Paris, Gallimard, 1990, 176 p. (Magnifique iconographie.)

Seguy (Christiane), *Histoire de la presse japonaise à l'époque Meiji*, Publications orientalistes de France, Cergy, 1993, 128 p.

Dubreuil (Richard), « Les Français face à la réussite japonaise 1910-1990 », in

L'Ethnographie numéro spécial Japon 1990 (société d'ethnographie, 6, rue Champ-fleuri, 75007 Paris).

LE MILITARISME ET LA SECONDE GUERRE

Lequiller (Jean), *Le Japon, op. cit.*

Zischka (Antoine), *Le Japon dans le monde : l'expansion nippone 1854-1934*, Paris, Payot, 1934, 312 p. Cartes, photos, chronologie, nombreux tableaux statistiques. Coll. Etudes et documents pour servir à l'histoire de notre temps. (Déjà ancien, illustrations parlantes.)

Furuya (Tetsuro), « Naissance et développement du fascisme japonais », *Revue d'histoire de la Seconde Guerre mondiale*, avril 1972, n° 86, p. 1 à 16.

« Le Japon dans la guerre », *Revue d'histoire de la Seconde Guerre mondiale*, n° 2 (numéro spécial).

Guillain (Robert), *La Guerre au Japon, de Pearl Harbour à Hiroshima*, Paris, Stock, 1979, 288 p. (L'ancien journaliste du *Monde* rapporte ici ses souvenirs de correspondant de l'agence Havas au Japon.)

Toland (John), *L'Empire du Soleil levant, gloire et chute (1936-1945)* traduit de l'américain par Henry Muller, Paris, Calmann-Lévy, 1972, 346 p. Cartes, photos.

Dubreuil (Richard), *Le Japon : une conscience nationale ébauchée dès l'âge féodal*, in *Nations et nationalisme*, La Découverte, Paris, 1995.

Williams (Peter) et Wallace (David), *La guerre bactériologique : les secrets des expérimentations japonaises*, Albin Michel, 1990, 374 p. (Le fonctionnement et la postérité de l'unité 731 du général Ishii.)

LE JAPON DEPUIS 1945

Robert (Jacques), *Le Japon*, Paris, Librairie générale de droit et de jurisprudence, 1969, 525 p., Tabl. Coll. Comment ils sont gouvernés. n° 20. (L'auteur, professeur de sciences économiques et ancien directeur de la maison franco-japonaise de Tokyo, dresse un panorama attachant et équilibré de la vie politique et sociale du Japon contemporain.)

« La démocratisation du Japon dans l'après-guerre », in *Revue internationale des sciences sociales*, 1961, vol. XIII, n° 1, p. 7-97, Fig., tabl., biblio.

Dubreuil (Richard), « Le legs de l'occupation américaine », in *Japon, l'évolution des systèmes* (sous la direction de Jean Esmein et Richard Dubreuil), Paris, CESTA, 1986, 243 p.

Bouissou (Jean-Marie), Faure (Guy) et Laidi (Zaki), *L'Expansion de la puissance japonaise*, éd. Complexes, 1992, 147 p. (Dense et suggestif.)

Seizelet (Eric), *Les Petits-fils du Soleil*, Paris, POF, 1988. (Excellente étude sur les fluctuations du sentiment patriotique dans la jeunesse.)

Fistié (Pierre), *La Rentrée en scène du Japon*, Paris, A. Colin, 1972. Publications de la FNSP, cahier n° 21, 168 p. (La politique extérieure et militaire du Japon de 1945 à 1971.)

LA CIVILISATION

Histoire culturelle.

Trois ouvrages de base :

Sansom (G.B.), *Le Japon*, Paris, Payot, 1937. (Un grand classique, toujours fondamental, malheureusement épuisé.)

Maraini (Fosco), *Japon*, traduit de l'italien par Angélique Lévi, Paris, Artaud, 503 p. Carte, biblio., index. (L'auteur, universitaire, journaliste et ethnographe florentin, restitue avec une rare intelligence le climat spirituel d'un pays dont il a su pénétrer l'intimité.)

Lelong (Maurice), O.P., *Spiritualité du Japon*, Paris, Julliard, 1961, 253 p., rééd. en 1968, sous le titre *Nippon*, Paris, Robert Morel éd., 285 p. Illustr. (Évocation raffinée et pénétrante des diverses manifestations de la sensibilité et de l'esthétique japonaises : l'art du thé, le *nô*, les jardins, le *shinto*, etc. Irremplaçable.)

Lavelle (Pierre), *La Pensée politique du Japon contemporain*, Paris, PUF. Coll. Que sais-je ?, 128 p. (Une histoire méthodique des courants idéologiques.)

Psychologie collective et structures mentales.

Benedict (Ruth), *Le Chrysanthème et le sabre*, Arles, Philippe Piquier, 1995. (Un livre fondateur ; un grand classique de la sociologie contemporaine.)

Yamanaka (Keiko), *L'Archipel écartelé*, Paris, Editions Tsuru (diffusion FNAC Paris), 1990, lexique. (Panorama remarquablement informé qui décrit avec beaucoup de finesse et de l'intérieur le Japon au quotidien (mentalité, langue, cuisine, habitation, famille, travail, transports, vie du couple, femmes, argent, services, etc.)

Yamanaka (Keiko), *Le Japon au double visage*, Denoël, Paris, 1997. (Présentation très vivante de l'économie et des problèmes sociaux dans les années 1990-1997 en liaison constante avec la mentalité japonaise. Une information sûre et des mécanismes explicatifs souvent mal compris des Occidentaux.)

Sabouret (Jean-François), *Le Japon quotidien*, Paris, Le Seuil, 1993, 186 p. (Les excellentes chroniques matinales de l'auteur, directeur de l'antenne CNRS de Tôkyô, sur *France-Inter « Tôkyô kara o-hayô gozaimasu…* ». Très alerte et instructif.)

Calabuig (André), *Nippon, pour comprendre les Japonais, cinquante secrets expliqués aux Français,* Paris, Presses de la Cité, 1984, glossaire. (L'auteur vit depuis 25 ans au Japon, est marié à une Japonaise et a été président d'une filiale du journal *Asahi.* Sa connaissance intime des Japonais est pleine d'intérêt pour qui veut connaître les sources potentielles d'incompréhension. De lecture très aisée et très agréable.)

Robert (Jacques), *Le Japon*, *op. cit.* (Consacre d'intéressants développements aux « constantes caractérologiques japonaises ».)

Doï (Takeo), *Le Jeu de l'indulgence*, traduction de E. Dale Saunders, Paris, co-édition Le Sycomore et l'Asiathèque, 1982, 134 p. Biblio., lexique. (Ce livre analyse les différents aspects de la dépendance affective des japonais [*amae no kozo*].)

« L'ldentité japonaise », Revue *Le Débat*, janvier 1983, n° 23, Paris, Gallimard, 187 p. (Excellentes contributions de J. Pigeot, A. Berque, M. Pinguet, K. Sakuta, Ph. Pons, Y. Abe.)

« Dans le bain japonais », *Revue Critique*, janvier-février 1983, n°s 428-429, Paris, Editions de Minuit. (Une intéressante suite d'études anthropologiques et sociales.)

Tanizaki (Junichiro), *Eloge de l'ombre*, Paris, Publications orientalistes de France, 1977, 116 p. (Ce texte court, publié en 1933 au Japon, constitue une irremplaçable introduction à l'esthétique japonaise. La traduction française de René Sieffert est d'une exceptionnelle qualité littéraire.)

Okakura (Kakuzo), *Le Livre du thé*, Paris, Dervy-Livres, rééd. 1983, 124 p. (Une attachante introduction à la conception japonaise de la nature, de la vie et de l'art.)

Touraine (Alain) et divers auteurs, *Japon. Le Consensus : mythe et réalités*, Paris, Economica, 1984, 454 p. (Une série de contributions par onze économistes et sociologues japonisants : solide et nuancé.)

Pinguet (Maurice), *La Mort volontaire au Japon*, Paris, Gallimard, Bibliothèque des histoires, 1984. (Fondamental, érudit et passionnant.)

Sabouret (Jean-François), *L'Empire du concours : lycéens et enseignants au Japon*, Paris, Autrement, 1985, 228 p.

Statler (O.), *Japon : les choses de la vie japonaise*, Paris, Hermé, 1985, 223 p.

Sakai (Anne), *100 questions sur le Japon*, Sanshusha, 1984.

Marchand (Louis), « Principes psychologiques du Japonais », *Bulletin de la maison franco-japonaise*, t. X, n° 3, 1938.

Kondo (Akihisa), « Derrière le masque : la psychologie du sourire japonais », Revue *Est-Orient*, janvier-février 1967, vol. I, n° 2, p. 15 s.

Elders (Léon), « Les rapports de la langue et de la pensée japonaises », *Revue philosophique*, juillet-septembre 1966. (Montre comment l'utilisation des caractères chinois entraîne un flottement dans l'usage de la langue japonaise et se trouve à l'origine d'une pensée individuelle particulièrement sensible et émotive.)

Bonneau (G.), « La sensibilité japonaise », *Bulletin de la maison franco-japonaise*, t. VI, n°s 1 et 2, 1934.

Matsura (Koichi), *Développement et perspectives des relations franco-japonaises*, Presses orientalistes de France, Cergy, 1995. (Par un ambassadeur du Japon à Paris.)

Servoise (René), *Le Japon*, Paris, Plon, 1995. (Par un ambassadeur de France au Japon.)

Perol (Jean), *Regards d'encre*, Paris, La Différence, 1995.

Doi (Takeo), *L'Endroit et l'envers*, Arles 1993, Editions Philippe Piquier, 156 p.

Hearn (Lafcadio), *Le Japon*, Mercure de France 1993, 724 p. (Ecrits japonais du célèbre voyageur au Japon.)

Hall (Edward et Mildred), *Comprendre les Japonais*, Seuil, Paris, 1994. (Gestualité, rituels, langage du corps...)

Cott (Jonathan), *La Vie de Lafcadio Hearn*, Paris, Mercure de France, 1990, 540 p.

Cuisine japonaise.

Hayamizu (Kiyoshi) et Hoshimono (Yuhei), *Les Grandes traditions culinaires : la cuisine japonaise*, Time Life, 1995.

Religion.

Sieffert (René), *Les Religions du Japon*, Paris, PUF, 1968, 135 p., Coll. Mythes et religions, n° 59. (Synthèse aisément accessible, due à un des meilleurs spécialistes français.)

Frédéric (Louis), *Le Shinto*, Paris, Bordas, 1972, 160 p.

Shibata (M.), *Les Maîtres du Zen au Japon*, Paris, Maisonneuve, 1995, 248 p.

Ross (N.), *Le Monde du Zen*, Paris, Stock, 1963.

Asakawa (K.), « La place de la religion dans l'histoire économique et sociale du Japon », *Annales d'histoire économique et sociale*, 1933, p. 125 s.

Berthon (Jean-Pierre), *Omoto, espérance millénariste d'une nouvelle religion japonaise*, Cahiers d'études et de documents sur les religions du Japon, vol. VI, Paris, EPHE, 1985, 169 p.

Rotermund (H.O.) *et alii*, *Croyances et Religions du Japon*, Paris, Maisonneuve et Larose, 1988.

Valignano (Alexandre), *Les Jésuites au Japon : relations missionnaires de 1583*, Paris, Desclée de Brouwer, 1990, 286 p., annexes, bibliographie, triple index. (Compte rendu de séjour au Japon d'un Jésuite mort en 1606 dans une remarquable traduction de Jacques Bésineau, professeur à l'université Sophia.)

Yasuda (Teiji), *Le Prodige de notre temps : Notre-Dame d'Akita au Japon*, Hauteville (Suisse), Editions du Parvis, 1987, 238 p. (Rapport analytique sur les événements d'Akita entre 1975 et 1981 reconnus surnaturels par l'Eglise catholique en 1984.)

Shibata (Masumi), *Les Maîtres du zen au Japon*, Maisonneuve et Larose, 1995.

Hearn (Lafcadio), *Ecrits sur le bouddhisme japonais*, Paris, Minerve, 1993, 176 p.

Beaux-Arts.

GÉNÉRALITÉS

Le Musée national de Tokyo, Paris, Flammarion, 1970.

Blaser (W.), *Structure et Forme au Japon*, Paris, Vincent Fréal et Cie, 1968.

Buhot (Jean), *Histoire des arts du Japon, des origines à 1350*, t. 1, Paris, 1949.

Elisseeff (Serge), *Histoire universelle des arts : Japon*, t. IV, Paris, 1938.

Frédéric (Louis), *Japon : art et civilisation*, Paris, Arts et Métiers graphiques, 1969, 495 p. Très nombreuses illustrations, cartes, tableaux, lexique, index, chronologie. (Un bel outil de travail servi par une illustration de qualité exemplaire. Etablit le lien entre l'art et l'histoire générale.)

Lemière (Alain), *L'Art japonais*, Paris, Hazan, 1958.

Swann (Peter C.), *L'Art de la Chine, de la Corée et du Japon*, Paris, Larousse, 1964, 288 p. Illustr. Coll. Le monde de l'art. (Par le conservateur du département d'art oriental du musée d'Oxford.)

Kidder (Edward), *Japon : naissance d'un art*, Paris, Société française du livre, 1965, 214 p. Nombreuses illustrations et planches en couleurs, cartes. (Ouvrage de grande qualité dû à un professeur de l'université chrétienne internationale de Tokyo. Traite principalement des périodes Jomon, Yayoi et des grandes sépultures.)

ESTAMPE, PEINTURE, SCULPTURE

Lane (Richard), *L'Estampe japonaise*, Paris, Somogy, 1962, 317 p. (Somptueuses illustrations dans une présentation prestigieuse ; conduit l'étude jusqu'aux artistes contemporains.)

Hillier (J.-R.), *Les Plus Beaux Dessins japonais*, Paris, éd. du Chêne, 1967, 140 p. Nombreuses illustrations.

Akiyama (Terukazu), *La Peinture japonaise*, Genève, Skira, 1961, 220 p., 81 reproductions en couleurs. Coll. Trésors de l'Asie. (Une somme.)

Binyon (Laurence), *Introduction à la peinture de la Chine et du Japon*, Paris, Flammarion, 1968, 142 p. Illustr. biblio., lexique. Coll. Images et idées.

Daridan (G.), *Sept siècles de sculpture japonaise*, Paris, 1963.

MUSIQUE, LITTÉRATURE, CINÉMA

Hauchecorne (A.), « La Musique japonaise », in *Histoire de la musique*, t. I, Paris, NRF, 1960.

Challaye (Félicien), *Contes et légendes du Japon*, Paris, Nathan, 1950, 256 p. (On y trouvera le fameux récit des quarante-sept ronin.)

Giuglaris (Shinobu) et Giuglaris (Marcel), *Le Cinéma japonais, 1896-1955*, Paris, éd. du Cerf, 1956, 246 p. Fig., index. Coll. 7e art.

Renondeau (G.), *Anthologie de la poésie japonaise classique*, Paris, Gallimard.

Pigeot (Jacqueline) et Tschudin (J.-J.), *La Littérature japonaise*, Paris, PUF, 1983, 128 p. Coll. Que sais-je ?

Sakai (Cécile), *Histoire de la littérature populaire japonaise, 1900-1980*, Paris, L'Harmattan, 1987.

Kato (S.), *Histoire de la littérature japonaise*, 3 volumes, Paris, Fayard, 1986.

Tamba (A.), *La Théorie et l'Esthétique japonaises musicales du* VIIIe *siècle à la fin du* XIXe *siècle*, Paris, Publications orientalistes de France, 1988.

Tessier (M.), *Images du cinéma japonais*, Paris, Henri Veyrier, 1981, 288 p.

Collection Cinéastes du Japon, intégralité des scénarios de classiques du cinéma japonais. Publications orientalistes de France, 1986. (Six titres parus ; principalement *Ozu*.)

LA VIE POLITIQUE

Institutions.

Gonthier (André), *Histoire des institutions japonaises*, Bruxelles, Librairie encyclopédique, 1956, 358 p. Biblio., lexique, index. (Indispensable, particulièrement pour la période féodale.)

Noda (Yosiyuki), *Introduction au droit japonais*, Paris, Dalloz, 1966, 278 p. Biblio. Coll. Les systèmes de droit contemporains, n° 19. (Un ouvrage qui contient beaucoup plus que son titre ne promet.)

Robert (Jacques), *op. cit.*

Monnier (Claude), *Les Américains et Sa Majesté l'empereur : étude du conflit culturel d'où naquit la Constitution japonaise de 1946*, Genève, Impr. du Journal de Genève, 1967, 223 p. Biblio., index. (Thèse de science politique.)

Fukase (T.) et Higuchi (Y.), *Le Constitutionnalisme et ses problèmes au Japon*, préface de Jacques Robert, Paris, PUF, 1984, 348 p.

Vandermeersch (Léon), *Le Nouveau Monde sinisé*, Paris, PUF, 1986, 224 p. (Le Japon dans ses relations avec les autres pays marqués par la civilisation confucéenne et l'écriture idéogrammatique.)

Joyaux (François), *La Politique extérieure du Japon,* PUF, Que sais-je ?, 1993.

Van Wolferen (Karel), *L'Enigme de la puissance japonaise*, Paris, Laffont, 1990, 536 p. (Analyse sans complaisance de la connivence des élites technocratiques et manageriales qui engendre des mécanismes omniprésents de contrôle social ; homme d'affaires et journaliste, l'auteur a vécu 25 ans au Japon.)

La dimension comparative est fournie par l'étude de :

Jouon des Longrais (F.), *L'Est et l'Ouest : Institutions du Japon et de l'Occident comparées. Six études de sociologie juridique*, Tokyo, Paris, Maison franco-japonaise, Institut de recherches d'histoire étrangère, 1958, 498 p. Fig.

L'ÉCONOMIE

Les performances du Japon.

Années 1970 et 1980

Sautter (Christian), *Japon, le prix de la puissance*, Paris, éd. du Seuil, 1973, 317 p. (Une très suggestive et dense présentation des ressorts et des limites de l'exceptionnelle croissance japonaise jusqu'au premier choc pétrolier.)

Haber (Daniel), *L'Empire du commerce levant*, préface de Raymond Barre, Paris, éd. Universitaires, 1974, 219 p. (Présentation des milieux d'affaires et de leurs stratégies commerciales.)

Cohen (Gérard Simon), *Les Nouveaux Samouraï*, Paris, Laffont, 1982, 272 p. (Une analyse en termes militaires des performances économiques japonaises. Très clair.)

Bricnet (Frédéric) et Cendron (Jean-Pierre), *Japon : sabre, paravent, miroir*, Paris, Editions ouvrières, 1983, 199 p. (Une volonté de dépasser les visions réductrices de la vie économique japonaise. Pédagogique.)

Schwab (Laurent), *Le Japon : réussites et incertitudes économiques*, Paris, Le Sycomore, 1984, 116 p. (Concis.)

Yoshimori (Masaru), *Les Entreprises japonaises*, Paris, PUF, 1984, 128 p. Coll. Que sais-je ?, n° 2186. (Un chef-d'œuvre par la précision de l'information et la clarté de l'analyse.)

Vogel (Ezra F.), *Le Japon, médaille d'or : leçons pour l'Amérique et l'Europe*, Paris, Gallimard, 1983, 311 p. Biblio. Index. (Remarquable.)

Allen (G.C.), *Le Défi économique du Japon*, Paris, Colin, 1983.

Pascale (R.) et Athos (A.) *Le Management est-il un art japonais ?*, Paris, Editions d'organisation, 1984, 188 p. (Fondé sur une comparaison entre Matsushita et ITT.)

Archier (Georges), *Le Soleil se lève à l'Ouest*, Palaiseau, Sofedir, 1981, 200 p. (La clarté d'une leçon de choses, par l'auteur de *L'Entreprise du troisième type*.)

Umesao (Tadao), *Le Japon à l'ère planétaire*, traduit du japonais par R. Sieffert, Paris, PUF, 1983.

Sautter (Christian), *Les Dents du géant. Le Japon à la conquête du monde*, Paris, Olivier Orban, 1987, 323 p.

Saucier (Philippe), *Spécialisation internationale et compétitivité de l'économie japonaise*, Paris, Economica, 1988, 152 p.

Giraud (Pierre-Noël) et Godet (Michel), *Radioscopie du Japon*, Paris, CPE/ Economie, 1987, 165 p.

Maury (René), *Marianne à l'école japonaise*, Paris, Plon, 1986, 381 p.

Gélinier (O.), *Morale de la compétitivité, leçons du Japon pour la France*, Paris, éd. Hommes et Techniques, 1981.

Trois livres plus anciens restent utiles, le premier d'un universitaire français :

Brochier (Hubert), *Le Miracle économique japonais 1950-1970*, Paris, Calmann-Lévy, nouv. éd. en 1971, 344 p. Tabl. Coll. Economie contemporaine.

Le second, plus axé sur la conjoncture, regroupe les réflexions d'un économiste suédois qui souligne les limites et les faiblesses d'une « industrialisation sauvage » :

Hedberg (Hakan), *Le Défi japonais*, Paris, Denoël, 1970, 306 p. Tabl., statistiques. Coll. Défi.

Le troisième reflète les anticipations d'un futurologue américain qui prévoit pour l'année 2010 l'accession du Japon au premier rang économique mondial :

Kahn (Herman), *L'Ascension japonaise : naissance d'un super-Etat. Défi et réponse* (The Emerging Japanese Superstate : Challenge and Response), traduit de l'américain par Pierre de Place, Paris, Laffont, 1971, 347 p. Fig., tables, biblio., index. Coll. Le Monde qui se fait.

D'un tour plus narratif, les enquêtes des journalistes permettent de prendre une mesure concrète des changements survenus.

Guillain (Robert), *Japon, troisième grand*, Paris, éd. du Seuil, 1972, 312 p. Cartes. Coll. Points Politique. (Le redressement économique vu par l'ancien correspondant du *Monde* ; un tableau extrêmement alerte et attachant.)

Années 1990

Donnet (Pierre-Antoine), *Le Japon achète le monde*, Paris, Le Seuil, 1991, 320 p.

Nora (Dominique), *L'Etreinte du samouraï*, Paris, Calmann-Lévy, 1991, 357 p. (Réédition en livre de poche.)

Maury (René), *Les Patrons japonais parlent*, Paris, Le Seuil, 1990, 280 p.

Callies (Albane), *France Japon : confrontation culturelle dans les entreprises mixtes*. Paris, Librairie des méridiens, 1985, 206 p.

Monden (Yasuhiro), *Comptabilité et contrôle de gestion dans les grandes entreprises japonaises,* Paris, Interéditions, 1994.

Moreau (Maurice), *Les groupes économiques japonais*, PUF, Que sais-je ?, 1994, 128 p.

Nadel (Henri), *Emploi et relations industrielles au Japon*, Paris, L'Harmattan, 1994.

Haber (Daniel), *Les Sogoshosha : comment les sociétés de commerce japonaises gèrent le monde ?*, Paris, Economica, 1993, 230 p.

Gauchon (Pascal), Hamon (Dominique) et Mauras (Annie), *La Triade dans la nouvelle économie mondiale*, Paris, PUF, 1994.

Turcq (Dominique), *L'Inévitable partenaire japonais*, Fayard, 1992, 289 p, tableaux, bibliographie. (Repères pour les hommes d'affaires appelés à travailler avec les Japonais, par un professeur à HEC, consultant chez Mc Kinsey.)

Trinh (Sylvaine), *Il n'y a pas de modèle japonais*, Odile Jacob, 1992, 329 p.

Beaux (Gilberte), *La Leçon japonaise*, Paris, Plon, 1992.

Eishinber (Marc), *Le Système bancaire japonais*, Paris, Economica, 1992, 75 p.

Womack (James), Jones (Daniel) et Ross (Daniel), *La Production au plus juste*, Paris, Dunod, 1992, 349 p.

Birat (Jean-Pierre), *Réussir en affaires avec les Japonais*, Paris, Ed. du Moniteur, 1991. (Phrases types, usages types, habitudes professionnelles.)

Aspects démographiques.

Riallin (J.-L.), *Economie et population au Japon*, Paris, Génin, 1962, 174 p. Biblio. (Analyse les incidences économiques de la stabilisation démographique consécutive à la loi eugénique de 1948.)

Okasaki (A.), *Histoire du Japon : l'économie et la population*, Paris, PUF, 1958, Cahier de l'INED, 166 p.

Dubreuil (Richard), « La Population japonaise », in *Les bases de la puissance du Japon*, (Direction Esmein Jean), Paris, Fondation pour les études de Défense nationale, 1988, 348 p.

Jolivet (Muriel), *Un pays en mal d'enfants*, Paris, La Découverte, 1993, 276 p. (Le désarroi des jeunes mères en milieu urbain.)

LA SOCIÉTÉ

Milieux sociaux.

Caillet (Laurence), *La Maison Yamazaki*, Paris, Terre Humaine, 644 p., repris en pocket. (Admirable histoire d'une famille de coiffeurs sur plusieurs générations ; présentation matérielle très soignée ; un modèle d'analyse ethnologique.)

L'Hénoret (André), *Le Clou qui dépasse*, Paris, La Découverte, 1993. (Remarquable aperçu du monde ouvrier japonais décrit de l'intérieur par un prêtre ouvrier français ayant une longue pratique du Japon.)

Elisseeff (Danielle) et Pernoud (L.), *Les Dames du Soleil Levant,* Paris, 1993.

Collectif, *Pratique et représentations sociales des Japonais*, Paris, L'Harmattan, 1993, 223 p.

Condominas (Christine) *et alii*, *Les Loisirs au Japon*, Paris, L'Harmattan, 1993, 352 p.

Kanehisa (Tching), *La Publicité au Japon de Meiji à nos jours*, Paris, Maisonneuve, 1984, 166 p. (La publicité envisagée comme le reflet de la société.)

Stoetzel (Jean), *Jeunesse sans chrysanthème, ni sabre* : étude sur les attitudes de la jeunesse japonaise d'après-guerre. Paris, Plon, UNESCO, 1954, 344 p. Cartes, biblio., index. Coll. Recherches en sciences humaines, n° 3. (L'auteur, directeur de l'Institut d'opinion publique, donne un compte rendu très stimulant d'une enquête par sondages menée en 1952 au Japon. Elle montre le désarroi psychologique provoqué par l'effondrement brutal du système de valeurs traditionnelles. Le titre fait écho au célèbre ouvrage de l'anthropologue américaine Ruth Benedict, *The Chrysanthemum and the Sword*.)

A compléter par :

Duchac (René), *La Jeunesse de Tokyo : problèmes d'intégration sociale*, Paris, PUF, Maison franco-japonaise, 1968, 370 p. Carte dépl., tabl., biblio.

Le monde rural.

Matsudaira (N.), *Les Fêtes saisonnières au Japon : étude descriptive et sociologique*, Paris, Maisonneuve, 1936, 176 p.

Ushiomi (Toshitaka), « La communauté rurale au Japon », *Bulletin de la Maison franco-japonaise*, nouvelle série, t. VII, n°s 2 et 3, traduction de Paul Anouilh, Paris, PUF, 1962, 154 p. Cartes, dépl.

Les exclus.

Sabouret (Jean-François), *L'Autre Japon : les Burakumin*, Paris, Maspero, 1983, 157 p. (Un sociologue japonisant nous offre la première étude de fond en français sur un sujet tabou au Japon.)

Comportements et attitudes.

Koestler (Arthur), *Le Lotus et le Robot*, traduit de l'anglais par Georges Fradier et D. Guillet, Paris, Calmann-Lévy, 1961, 363 p. Coll. Questions d'actualité. (Critique assez mordante du système de valeurs et d'attitudes.)

Duchac (René), « Suicide au Japon, suicide à la japonaise », *Revue française de sociologie*, octobre-décembre 1964.

Voir aussi :

« Le Japon », in *Les Temps modernes*, n° 272, février 1969, p. 1345-1536, Tabl.

« Des Japonais parlent du Japon », in *Esprit* nouvelle série, n° 2, février 1973.

Education.

Teruisa (Horio), *L'Education au Japon de Meiji à nos jours*, traduit du japonais par Jean-François Sabouret, Olivier Chegaray et Luc Thuilleaux, Paris, CNRS, 1993, 250 p. (Les conceptions de l'éducation en présence et les modalités du contrôle étatique sur l'éducation.)

Kubota (Masando) et Voyat (Raymond), *Aspects de la psychologie et de l'éducation de l'enfant au Japon*, Paris, PUF, 1993, 192 p.

Questions militaires.

Esmein (Jean), *Un demi plus (1/2 +)*, Paris, Cahiers de la Fondation pour les études de défense nationale, 1983, 368 p. Tableaux, biblio. (Par un officier de carrière qui a vécu vingt ans au Japon.)

Coulmy (Daniel), *Le Japon et sa défense*, Paris, Fondation pour les études de Défense nationale, 1991, 269 p.

Index analytique

Filmographie

Tsubaki Sanjuro, Akira Kurosawa (parodie satirique des traditions).

Les Sept Samouraï, Akira Kurosawa (un village du XVIe siècle attaqué après les récoltes).

Rashomon, Akira Kurosawa (évocation du Japon médiéval).

L'Intendant Sansho, Kenji Mizoguchi (révolte contre un intendant tyrannique).

La Porte de l'enfer, Teinosuke Kinugasa (une révolte au XIIe siècle).

Harakiri, Masaki Kobayashi.

La Mère, Mikio Naruse.

La Terre, Tamu Uchida (évocation de la vie rurale japonaise).

L'Ile nue, Kaneto Shindo (la vie primitive des paysans).

Les Pêcheurs de crabes, Satoru Yamamura (documentaire).

Table

TOME II

MAURY-EUROLIVRES S.A. À MANCHECOURT (2-97)
DÉPÔT LÉGAL : MARS 1997 – Nº 31883 (97/02/57391)

Collection Points

DERNIERS TITRES PARUS

SÉRIE HISTOIRE

H100. Les Croisades, *par la revue « L'Histoire »*
H101. La Chute de la monarchie (1787-1792)
par Michel Vovelle
H102. La République jacobine (10 août 1792 - 9 Thermidor an II)
par Marc Bouloiseau
H103. La République bourgeoise
(de Thermidor à Brumaire, 1794-1799)
par Denis Woronoff
H104. La France napoléonienne (1799-1815)
1. Aspects intérieurs, *par Louis Bergeron*
H105. La France napoléonienne (1799-1815)
2. Aspects extérieurs
par Roger Dufraisse et Michel Kérautret (à paraître)
H106. La France des notables (1815-1848)
1. L'évolution générale
par André Jardin et André-Jean Tudesq
H107. La France des notables (1815-1848)
2. La vie de la nation
par André Jardin et André-Jean Tudesq
H108. 1848 ou l'Apprentissage de la République (1848-1852)
par Maurice Agulhon
H109. De la fête impériale au mur des fédérés (1852-1871)
par Alain Plessis
H110. Les Débuts de la Troisième République (1871-1898)
par Jean-Marie Mayeur
H111. La République radicale ? (1898-1914)
par Madeleine Rebérioux
H112. Victoire et Frustrations (1914-1929)
par Jean-Jacques Becker et Serge Berstein
H113. La Crise des années 30 (1929-1938)
par Dominique Borne et Henri Dubief
H114. De Munich à la Libération (1938-1944)
par Jean-Pierre Azéma
H115. La France de la Quatrième République (1944-1958)
1. L'ardeur et la nécessité (1944-1952)
par Jean-Pierre Rioux
H116. La France de la Quatrième République (1944-1958)
2. L'expansion et l'impuissance (1952-1958)
par Jean-Pierre Rioux

H117. La France de l'expansion (1958-1974)
1. La République gaullienne (1958-1969)
par Serge Berstein

H118. La France de l'expansion (1958-1974)
2. L'apogée Pompidou (1969-1974)
par Serge Berstein et Jean-Pierre Rioux

H119. La France de 1974 à nos jours
par Jean-Jacques Becker (à paraître)

H120. La France du XXe siècle (Documents d'histoire)
présentés par Olivier Wieviorka et Christophe Prochasson

H121. Les Paysans dans la société française
par Annie Moulin

H122. Portrait historique de Christophe Colomb
par Marianne Mahn-Lot

H123. Vie et Mort de l'ordre du Temple, *par Alain Demurger*

H124. La Guerre d'Espagne, *par Guy Hermet*

H125. Histoire de France, *sous la direction de Jean Carpentier et François Lebrun*

H126. Empire colonial et Capitalisme français
par Jacques Marseille

H127. Genèse culturelle de l'Europe (Ve-VIIIe siècle)
par Michel Banniard

H128. Les Années trente, *par la revue « L'Histoire »*

H129. Mythes et Mythologies politiques, *par Raoul Girardet*

H130. La France de l'an Mil, *collectif*

H131. Nationalisme, Antisémitisme et Fascisme en France
par Michel Winock

H132. De Gaulle 1. Le rebelle (1890-1944)
par Jean Lacouture

H133. De Gaulle 2. Le politique (1944-1959)
par Jean Lacouture

H134. De Gaulle 3. Le souverain (1959-1970)
par Jean Lacouture

H135. Le Syndrome de Vichy, *par Henry Rousso*

H136. Chronique des années soixante, *par Michel Winock*

H137. La Société anglaise, *par François Bédarida*

H138. L'Abîme 1939-1944. La politique étrangère de la France
par Jean-Baptiste Duroselle

H139. La Culture des apparences, *par Daniel Roche*

H140. Amour et Sexualité en Occident, *par la revue « L'Histoire »*

H141. Le Corps féminin, *par Philippe Perrot*

H142. Les Galériens, *par André Zysberg*

H143. Histoire de l'antisémitisme 1. L'âge de la foi
par Léon Poliakov

H144. Histoire de l'antisémitisme 2. L'âge de la science
par Léon Poliakov

H145. L'Épuration française (1944-1949), *par Peter Novick*
H146. L'Amérique latine au XXe siècle (1889-1929)
par Leslie Manigat
H147. Les Fascismes, *par Pierre Milza*
H148. Histoire sociale de la France au XIXe siècle
par Christophe Charle
H149. L'Allemagne de Hitler, *par la revue « L'Histoire »*
H150. Les Révolutions d'Amérique latine
par Pierre Vayssière
H151. Le Capitalisme « sauvage » aux États-Unis (1860-1900)
par Marianne Debouzy
H152. Concordances des temps
par Jean-Noël Jeanneney
H153. Diplomatie et Outil militaire
par Jean Doise et Maurice Vaïsse
H154. Histoire des démocraties populaires
1. L'ère de Staline, *par François Fejtö*
H155. Histoire des démocraties populaires
2. Après Staline, *par François Fejtö*
H156. La Vie fragile, *par Arlette Farge*
H157. Histoire de l'Europe, *sous la direction de Jean Carpentier et François Lebrun*
H158. L'État SS, *par Eugen Kogon*
H159. L'Aventure de l'Encyclopédie
par Robert Darnton
H160. Histoire générale du XXe siècle
4. Crises et mutations de 1973 à nos jours
par Bernard Droz et Anthony Rowley
H161. Le Creuset français, *par Gérard Noiriel*
H162. Le Socialisme en France et en Europe, XIXe-XXe siècle
par Michel Winock
H163. 14-18 : Mourir pour la patrie, *par la revue « L'Histoire »*
H164. La Guerre de Cent Ans vue par ceux qui l'ont vécue
par Michel Mollat du Jourdin
H165. L'École, l'Église et la République, *par Mona Ozouf*
H166. Histoire de la France rurale
1. La formation des campagnes françaises
(des origines à 1340)
sous la direction de Georges Duby et Armand Wallon
H167. Histoire de la France rurale
2. L'âge classique des paysans (de 1340 à 1789)
sous la direction de Georges Duby et Armand Wallon
H168. Histoire de la France rurale
3. Apogée et crise de la civilisation paysanne
(de 1789 à 1914)
sous la direction de Georges Duby et Armand Wallon

H169. Histoire de la France rurale
4. La fin de la France paysanne (depuis 1914)
sous la direction de Georges Duby et Armand Wallon
H170. Initiation à l'Orient ancien, *par la revue « L'Histoire »*
H171. La Vie élégante, *par Anne Martin-Fugier*
H172. L'État en France de 1789 à nos jours
par Pierre Rosanvallon
H173. Requiem pour un empire défunt, *par François Fejtö*
H174. Les animaux ont une histoire, *par Robert Delort*
H175. Histoire des peuples arabes, *par Albert Hourani*
H176. Paris, histoire d'une ville, *par Bernard Marchand*
H177. Le Japon au XXe siècle, *par Jacques Gravereau*
H178. L'Algérie des Français, *par la revue « L'Histoire »*
H179. L'URSS de la Révolution à la mort de Staline, 1917-1953
par Hélène Carrère d'Encausse
H180. Histoire médiévale de la Péninsule ibérique
par Adeline Rucquoi
H181. Les Fous de la République, *par Pierre Birnbaum*
H182. Introduction à la préhistoire, *par Gabriel Camps*
H183. L'Homme médiéval
collectif sous la direction de Jacques Le Goff
H184. La Spiritualité du Moyen Age occidental (VIIIe-XIIIe siècle)
par André Vauchez
H185. Moines et Religieux au Moyen Age
par la revue « L'Histoire »
H186. Histoire de l'extrême droite en France, *ouvrage collectif*
H187. Le Temps de la guerre froide, *par la revue « L'Histoire »*
H188. La Chine, tome 1 (1949-1971)
par Jean-Luc Domenach et Philippe Richer
H189. La Chine, tome 2 (1971-1994)
par Jean-Luc Domenach et Philippe Richer
H190. Hitler et les Juifs, *par Philippe Burrin*
H192. La Mésopotamie, *par Georges Roux*
H193. Se soigner autrefois, *par François Lebrun*
H194. Familles, *par Jean-Louis Flandrin*
H195. Éducation et Culture dans l'Occident barbare (VIe-VIIIe siècle)
par Pierre Riché
H196. Le Pain et le Cirque, *par Paul Veyne*
H197. La Droite depuis 1789, *par la revue « L'Histoire »*
H198. Histoire des nations et du nationalisme en Europe
par Guy Hermet
H199. Pour une histoire politique, *collectif*
sous la direction de René Rémond
H200. « Esprit ». Des intellectuels dans la cité (1930-1950)
par Michel Winock

H201. Les Origines franques (v^e^-IXe siècle), *par Stéphane Lebecq*
H202. L'Héritage des Charles (de la mort de Charlemagne aux environs de l'an mil), *par Laurent Theis*
H203. L'Ordre seigneurial (XIe-XIIe siècle) *par Dominique Barthélemy*
H204. Temps d'équilibres, Temps de ruptures *par Monique Bourin-Derruau*
H205. Temps de crises, Temps d'espoirs, *par Alain Demurger*
H206. La France et l'Occident médiéval de Charlemagne à Charles VIII *par Robert Delort* (à paraître)
H207. Royauté, Renaissance et Réforme (1483-1559) *par Janine Garrisson*
H208. Guerre civile et Compromis (1559-1598) *par Janine Garrisson*
H209. La Naissance dramatique de l'absolutisme (1598-1661) *par Yves-Marie Bercé*
H210. La Puissance et la Guerre (1661-1715) *par André Zysberg* (à paraître)
H211. L'État et les Lumières (1715-1783) *par André Zysberg* (à paraître)

H212. La Grèce préclassique, *par Jean-Claude Poursat*
H213. La Grèce au ve siècle, *par Edmond Lévy*
H214. Le IVe Siècle grec, *par Pierre Carlier*
H215. Le Monde hellénistique (323-188), *par Pierre Cabanes*
H216. Les Grecs (188-31), *par Claude Vial*

H220. Le Haut-Empire romain, *par Maurice Sarthe*
H225. Douze Leçons sur l'histoire, *par Antoine Prost*
H226. Comment on écrit l'histoire, *par Paul Veyne*
H227. Les Crises du catholicisme en France, *par René Rémond*
H228. Les Arméniens, *par Yves Ternon*
H229. Histoire des colonisations, *par Marc Ferro*
H230. Les Catholiques français sous l'Occupation *par Jacques Duquesne*
H231. L'Égypte ancienne, *présentation par Pierre Grandet*
H232. Histoire des Juifs de France, *par Esther Benbassa*
H233. Le Goût de l'archive, *par Arlette Farge*
H234. Économie et Société en Grèce ancienne, *par Moses I. Finley*
H235. La France de la monarchie absolue 1610-1675 *par la revue « L'Histoire »*
H236. Ravensbrück, *par germaine Tillion*
H237. La Fin des démocraties populaires, *par François Fejtö et Ewa Kulesza-Mietkowski*
H238. Les Juifs pendant l'Occupation, *par André Kaspi*